# RAZÃO
# X
# RELIGIÃO

{O PRIMADO E OS PRIMATAS}

Razão x Religião

Copyright © 2023 by Omar Ferri

1ª edição: Abril 2023

Direitos reservados desta edição: CDG Edições e Publicações

O conteúdo desta obra é de total responsabilidade do autor e não reflete necessariamente a opinião da editora.

**Autor:**
Omar Ferri

**Preparação de texto:**
Elisabete Franckzak Branco

**Revisão:**
Paola Sabbag Caputo
Rebeca Michelotti

**Projeto gráfico:**
Anna Yue

**Capa:**
Dimitry Uziel

---

**DADOS INTERNACIONAIS DE CATALOGAÇÃO NA PUBLICAÇÃO (CIP)**

Ferri, Omar
　　Razão x religião : o primado e os primatas / Omar Ferri. — Porto Alegre : Citadel, 2023.
　　288 p.

Bibliografia
ISBN: 978-65-5047-201-6

1. Religiões – História 2. Misticismo I. Título

22-6586　　　　　　　　　　　　　　　　　　CDD 291.09

Angélica Ilacqua - Bibliotecária - CRB-8/7057

---

Produção editorial e distribuição:

contato@citadel.com.br
www.citadeleditora.com.br

# RAZÃO X RELIGIÃO

{O PRIMADO E OS PRIMATAS}

**OMAR FERRI**

CITADEL
Grupo Editorial

2023

# Prefácio

Nos anos 1960, em tempos de tertúlias na cidade de Encantado, no Rio Grande do Sul, Omar Ferri, ou *Nico*, para os amigos, era o mais eloquente da turma. Éramos uma meia dúzia que misturávamos as questões leves do momento com temas profundos, que, na verdade, eram apenas interrogações em busca de respostas. Um dos assuntos reincidentes, porque nunca foi concluído, era sobre a fé e a razão, a lógica e a religião. Se fomos dotados de neurônios, ou os aperfeiçoamos por milhares de séculos, seria um pecado simplesmente aceitar; melhor e mais enriquecedor seria duvidar e submeter à razão. Era a prática de nossos colóquios informais e espontâneos. Nunca tivemos a pretensão de nos sentirmos gregos filosofando na ágora, mas (só agora, na distância do tempo, percebo) debatíamos com a humildade dos que sabem que nada sabem.

Passados quarenta anos, em 2006, recebi do Nico Ferri este livro, *Razão x Religião*, que li com sucessivo prazer intelectual. Cobri as páginas com observações, destaques, contestações – sempre sublinhando o estímulo cerebral contido em cada parágrafo. Dos livros que li sobre o tema – e o primeiro foi ainda na adolescência, *Por que não sou cristão*, de Bertrand Russell –, posso afirmar que este é o mais abrangente, o mais desafiador, principalmente se o leitor, como eu, tiver se iniciado em escola de freiras e continuado em ginásio Marista. Nesses lugares, recebemos a fé e a doutrina, mas não a permissão para a dúvida.

Nico me deu o privilégio de fazer a apresentação desta reedição que, por seu próprio conteúdo, continua atualíssima, já que ninguém voltou da morte para confirmar ou negar as respostas que vagam nos cérebros por milênios. A escrita de Nico fica como semente para que floresçam novas ideias e discussões. Não há fixação no Cristianismo, como fez Bertrand Russell. Este livro aborda as manifestações religiosas dos que buscam respostas em crenças e as expõem às luzes que brotam entre os bilhões de neurônios do cérebro.

Desde a edição original até agora, a humanidade continuou lidando com a mentira, a hipocrisia; alguns por não terem interesse em buscar respostas, outros porque se interessam pela ignorância alheia. A história humana é manchada por matanças, nas quais as crenças religiosas aparecem ora como autoras, ora como vítimas. É a emoção da fé ideológica – política ou religiosa – que embaça a razão e nos empurra para as trevas do desconhecimento. Este livro acende luzes estimulantes.

**Alexandre Garcia**

# Sumário

## PRIMEIRA PARTE
## O PRIMADO DA MATÉRIA

1 Primeiras palavras  *10*
2 No tempo do Big Bang  *21*
3 A Grande Explosão  *25*
4 A formação da matéria  *34*
5 Onde estamos?  *42*
6 Enfim, a vida  *52*

## SEGUNDA PARTE
## O PRIMADO DO ESPÍRITO

1 O animismo  *64*
  *O animismo afro-brasileiro  77*
2 O totemismo  *89*
3 O xamanismo  *93*
4 O politeísmo (as religiões democratas)  *103*
  *Milhões de deuses  107*
  *O politeísmo greco-romano  110*
  *Comentários finais sobre o politeísmo  114*
5 As religiões sem deuses  *116*

RAZÃO X RELIGIÃO

**6**   O monoteísmo (as religiões do ódio)   *121*
*A religião de Aton   122*
*O Zoroastrismo   124*
*O Marduk   125*
*O Mitraísmo   125*
*O Maniqueísmo   126*
*O Sikhismo   127*
*O Judaísmo   127*
*O Cristianismo   130*
*O Islamismo   147*

**7**   Cerimoniais religiosos   *151*
*O Hinduísmo   154*
*O Budismo   158*
*O Jainismo   160*
*O Sikhismo   161*
*O Zoroastrismo   162*
*O Judaísmo   164*
*O Cristianismo   167*
*O Catolicismo   167*
*A Igreja Ortodoxa   170*
*O Protestantismo   170*
*O Islamismo   172*
*O Espiritismo   175*

**8**   Pontos comuns   *182*

**9**   A incompetência do Deus bíblico   *196*

**10**  As marcas da maldade (índole agressiva)   *209*

**11**  A era da balbúrdia   *228*

**12**  Estados alterados da consciência: milagres, visões e ilusões   *251*

**13**  A civilização empilha-cadáveres   *265*

Referências   *279*
*Referências consultadas   283*

# PRIMEIRA PARTE
# O primado da matéria

# 1
# Primeiras palavras

Quais os fatos que me levaram a escrever este livro? Não sei bem. Sinto que houve uma evidência, gerada por duas vertentes, ambas nascidas de uma mesma fonte: a dúvida.

A primeira diz respeito ao próprio Deus, entidade que bem cedo povoou nossas consciências infantis. Essa particularidade ocorreu à mercê do trabalho intenso realizado pela Igreja com seus fiéis, dos quais eu era um deles, estribado na concepção de que Ele era o princípio e o fim de todas as coisas.[1]

A outra vertente, aquela que se relaciona com a origem do Universo, somente surgiu mais tarde, no período pós-universitário.

Se o homem aceitasse inteiramente as concepções religiosas no que se refere aos mitos de criação, as concepções daí advindas seriam suficientes para dar respostas definitivas às suas dúvidas. Porém, a vida não encerra apenas o sentido religioso. Existem aspectos sociais, culturais e, enfim, o processo educativo, todos estreitamente relacionados com as preocupações humanas. É verdade que, generalizando, o homem pouco se importa com indagações concernentes à sua origem e a seu destino. Mas, pelo menos teoricamente, não existe pessoa medianamente escolarizada que não tenha tido dúvidas a respeito do assunto. Se a pessoa não tem dúvidas,

---

1. Quando me formei no curso colegial, hoje equivalente ao Ensino Médio, minha divisa constante do livro de formatura foi: *Deus principium et finis.*

por certo foi porque a religião se encarregou de resolver a controvérsia. Os problemas com origem nas causas primeiras e finais, dadas as suas transcendentalidades, não podem ser deixados à margem de nosso aprendizado. No momento em que o homem raciocina, sobrevém-lhe questionamentos, que, bem ou mal, terá que tentar responder.

Um dos aspectos mais importantes deste ensaio é o que diz respeito à falta de discernimento por parte da maioria das pessoas, tanto sobre cosmologia quanto sobre ideias religiosas. Em diversas ocasiões formulei perguntas a grupos de estudantes sobre Galileu Galilei, Giordano Bruno, Isaac Newton, Robert Darwin, Albert Einstein e outros, e eles pouco ou nada sabiam, embora se tratassem de personagens que, com suas ideias poderosas, haviam mudado as concepções científicas do mundo. A mesma situação se repete relativamente a perguntas sobre os princípios e os fundamentos das religiões em geral, o que me levou a constatar uma quase total carência de conhecimentos sobre os dois ramos culturais mais importantes: a nossa origem e a origem do Universo.

Porém, se algum de nós, por exemplo, questionar qualquer brasileiro sobre futebol, ficará impressionado com a enorme variedade de respostas, pois no Brasil todos são técnicos nesse esporte. Não foi por outro motivo que o compositor Villa-Lobos disse em certa ocasião: "Com o futebol, a inteligência do brasileiro baixou da cabeça para os pés".

Embora radicadas em terreno mais acadêmico, as indagações quanto à origem do Universo, da vida e das religiões praticamente não fazem parte dos currículos escolares, por isso que raramente são questionadas, as milhares delas, com seus milhões de deuses. O homem, quer viva no interior do Tibet, numa ilha isolada da Oceania, em qualquer cidade do Ocidente, ou até mesmo numa região ignota da selva amazônica, prefere ficar submisso aos ritos e dogmas de sua autoctonia, porque, tanto por costume quanto por tradição oral, as ideias acerca de cultos e crenças foram incorporando-se e impondo-se desde milênios em caráter constante, sem nenhuma necessidade de teorização, até a total cristalização no subconsciente social.

Por mais paradoxal que pareça, foram as próprias igrejas que transformaram o assunto em tabu ao proibirem qualquer análise que pudesse solapar os fundamentos tradicionais. As heresias sempre foram punidas exemplarmente por todas as religiões. Por essas circunstâncias, não se pode deixar de questionar o que é o mundo em seu sentido sociológico: uma sucessão de meias-verdades ou uma sequência de acontecimentos mal interpretados. Será que a crença em Deus não impediu que Newton tivesse mais facilidades para o estudo da física? Será que a religião não foi um fenômeno que preocupou Einstein? Portanto, em caráter dedutivo, o verdadeiro avanço da ciência e a explicação física do mundo têm que se libertar dos animismos, dos deísmos, dos misticismos e das crenças em geral, para atingir suas verdadeiras metas. Não existe religião fundamentada na ciência, assim como é impossível existir ciência com suporte religioso.

Um dos grandes méritos de Oparin foi apontar processos naturais como causas originárias da vida, acusando de falsa a teoria do criacionismo. Como tudo começou? Foi Deus quem criou o mundo? Como nasceu o primeiro homem? Ou foi mulher? Como evoluímos? Muitos são os mistérios a permear o espaço existente entre a humanidade e as divindades. Como poderia alguém ter criado o Universo do nada? Como acreditar num Deus, conforme a tradição judaico-cristã, que criou o homem para que fosse objeto de punição eterna? Será que poderia existir um Deus tão mau assim? Por que ele não aparece? Quais as razões que poderiam justificar um Deus misterioso? Por que a manutenção de "verdades" impenetráveis à razão humana? Se Deus verdadeiramente ama os homens, por que permitiu a prevalência do ódio, da selvajaria e das injustiças cometidas contra seus semelhantes por todo o tempo de nossa história? Por outro lado, se Deus realmente tivesse nos criado, deveríamos estar sempre em perfeita comunhão com Ele. Haveria um jogo interativo claro, sem hesitações quanto ao inferno e ao céu, quanto ao bem e ao mal, quanto ao pecado e à virtude, quanto ao lado divino de Deus e o lado profano dos homens, quanto à vida e à morte, como também em relação a todos os demais maniqueísmos inventados pelo homem nesses dez mil anos de processo civilizatório. A Deus não se pode conceder o direito de ser enigmático, nem mau, nem incompetente. Ou se encontra uma maneira fácil de explicá-lo, com provas compreensíveis, ou então ele não existe, simplesmente porque argumentos complexos, difíceis, esotéricos, metafísicos e obscuros nada provam.

Se é difícil explicar Deus, constitui-se matéria igualmente difícil compreender as manifestações da religiosidade popular, pois praticamente todas estão estribadas em ritos antigos, crenças primitivas, conceitos nebulosos, teologias tortuosas e enigmas umbrosos. Todas sofreram influências decisivas das épocas e do sistema social imperante responsável pela forma de suas constituições e organicidade. As religiões acompanham as concepções do mundo que se modificam. A tendência atual das religiões é a globalização. Paralelamente, as religiões de hoje não deixam de ser as religiões de ontem transformadas. Essas transformações se operaram tanto em seus fundamentos quanto nas tradições históricas, como, de modo especial, nas suas concepções e ritos. Na verdade, as religiões evoluíram de maneira particular, da mesma forma que a sociedade evoluiu de modo geral, a primeira carente de racionalidade e a segunda, de conscientização. Mas também é verdade que, nas sociedades que não evoluíram, ainda hoje predominam atmosferas religiosas primitivas, a maioria animistas ou totêmicas, como, pelos mesmos princípios, algumas religiões acompanharam o desenvolvimento humano se adaptando ao respectivo contexto histórico. Por exemplo, a Reforma significou uma nova ordem clonada do Catolicismo, na época corrupto e mercenário, como, dentro da Reforma, o Calvinismo se constituiu uma resposta capitalista ao conservadorismo clerical. A duras penas o Catolicismo vem acompanhando com postura paradoxal o avanço científico e se adaptando a ele camaleonicamente. Num dia pede perdão por Galileu Galilei, no outro apresenta escusas pelo erro de ter acusado de falsa a teoria Darwinista. Na atualidade, assumiu sua parcela de culpa pela comprometedora omissão na questão do tráfico e escravidão dos negros, como também pela passividade quando houve o extermínio dos índios da América. Entretanto, nem assim se tornou melhor. O mesmo fenômeno ocorre com as demais religiões. Suas últimas formas de exteriorização significam mudança nos seus conceitos e provam que também nesse setor há uma degradação generalizada da humanidade no sentido de organismo moral, com as exceções do lado considerado civilizado que constitui apenas pequena parcela da coletividade. Agora, com as modernas tecnologias, com a eletrônica, com o rádio, com a televisão, com os meios massificados de propaganda que atingem as multidões com impacto inusitado, as religiões estão se despindo do trajar tradicional, da ortodoxia, do respeito, da ética e da moral para adotar feições popularescas, burlescas, picarescas, teatrais, pentecostalistas, fundamentalistas, carismáticas e até vulgares. Elas se deixaram impregnar por um marginalismo ético sem precedentes na história de suas ideias.

Constata-se que, enquanto parte das igrejas tradicionais se encolhe, no sentido da diminuição de sua audiência, as esotéricas em geral, isto é, as ligadas aos mistérios, ao ocultismo, às curas instantâneas, aos milagres rápidos e às fáceis promessas de salvação, vêm dominando cada vez mais o subconsciente dos crentes com força capaz de produzir alterações em sua consciência, conseguindo, assim, se multiplicar num sem-número de grupos, de seitas, de adivinhos de toda espécie, de exploradores da credulidade popular, de gurus de novas ordens, eras e épocas; de líderes dementes e de funestas consequências do tipo Jim Jones; de pregadores de tudo, principalmente do fim do mundo; de intérpretes da Bíblia, do Corão e dos textos hindus; de oráculos de Jesus Cristo; de defraudadores que se comunicam diariamente com os espíritos e com o próprio Deus; de milagreiros detentores de habilidades de todos os matizes, que se servem de alegorias e metáforas e as usam com rara habilidade na arte de enganar toda a gama de ingênuos e pobres de espírito. Não há dúvida de que voltamos ao Oráculo de Delfos, às glossolalias, aos rituais dos sortilégios, às superstições, aos misticismos primitivos, aos totemismos grupais, aos ocultismos ilusórios, às comunicações com entidades, multiplicadas por uma infinidade de religiões e seitas fanatizadas, que se dizem inspiradas pelas divindades, pelos espíritos, e quando não pelo zelo religioso, cego, excessivo e nada tolerante. Esse é o quadro atual da evolução das ideias religiosas, todas fundadas no princípio mais danoso que vem contaminando a humanidade: o solapamento da racionalidade civilizatória.

Aquelas que não evoluíram pelo lado da degenerescência do ideário, evoluíram induzidas pela essência do vitalismo ortodoxo, cujo quadro é

PRIMEIRAS PALAVRAS

aterrorizante, um terreno em que nem a cultura as salva. Por esse prisma, as igrejas vêm tendo um retorno avassalador. Católicos e protestantes, muçulmanos e judeus, muçulmanos e cristãos, hinduístas e budistas, muçulmanos e hinduístas demonstram seu acrisolado amor a Deus massacrando-se uns aos outros, guerreando, destruindo estátuas, igrejas, templos, perseguindo impiedosamente, lutando com o objetivo único da posse de riquezas. Gandhi mencionou certa vez que se sentia cristão quando lia os Evangelhos, mas, quando via cristãos fazendo guerra, oprimindo os colonizados, enriquecendo, bebendo álcool e fumando ópio, ele se dava conta de que não viviam de acordo com as mensagens evangelizadoras. De fato, retornamos a uma época em que as religiões lutam em nome de Deus, cujos crentes são as pessoas menos pacíficas do mundo. E, por entenderem que são emissários da vontade dos deuses, ficam surdos em relação às razões do humanismo. O homem mudou o mundo com avanços tecnológicos fantásticos. É capaz de saber a composição física de um corpo estelar a dez bilhões de anos-luz, ou de destruir um prédio com um míssil lançado a dois mil quilômetros de distância, ou até de alterar os planos estabelecidos pelas leis da evolução. Contudo, não consegue encontrar o ponto ideal do psiquismo humano. Na realidade, o homem muda tudo, desde que permaneça sempre o mesmo por não conseguir superar seus instintos primários com todos os componentes de feroz e selvagem bestialidade. Bem ao contrário do que professam as escrituras, o homem não foi feito à imagem de Deus, entidade mitológica à qual as teologias gerais conferem as qualidades de bom e misericordioso. Predomina no homem uma animalidade mais agressiva do que em qualquer outra espécie. O que ele tem de ruim que os outros animais não têm, paradoxalmente, é sua inteligência e o livre-arbítrio; em outras palavras, a liberdade de decidir sobre fatos e circunstâncias, na maioria das vezes dirigidas para o mal. O homem pensa, por isso ataca, fere, mata e destrói. Ele deve tudo ao mundo natural, do qual faz parte, mas pouco se importa com o sistema ecológico, que ele devasta sempre e cada vez mais. É evidente que não se deseja suprimir a inteligência e permitir o domínio do instinto. Porém, que é uma tarefa fora do comum melhorá-la para introjetar dentro dela boas doses de humanismo, é fato fora de questionamento.

Conforme nos ensinaram, as religiões foram reveladas por Deus, ou inspiradas por Ele, ou nascidas do curandeirismo e da feitiçaria das comunidades primitivas. Então por que essas coisas acontecem? Esse fatalismo não seria decorrente da falta de verdades eternas? Se assim é, seguramente isso ocorre tanto por falha das religiões quanto pelos defeitos dos homens.

Mais incrível ainda. Nos últimos dez mil anos, ditadores, reis, príncipes e chefes de estado em geral, quando não representaram individualmente o poder, compartilharam-no com líderes religiosos. Desde a velha China até Roma, desde as florestas das Américas até os confins da África, o poder secular e o poder clerical se rivalizaram na disputa de honrarias, glórias, interesses, riquezas, ou na defesa das instituições ou dos respectivos ideários, participando com igual brutalidade das matanças e torturas, sempre espezinhando a maioria das populações, cujo destino era a escravidão antes e a intolerância religiosa agora. Egito, Pérsia, Índia, China, Grécia, Roma e todas as demais nações poderosas, em determinadas épocas de nossa história, foram sempre terrenos férteis para esse tipo de miséria humana. Quando as nações "mais civilizadas" da Europa descobriram a América, a primeira coisa que fizeram foi cobri-la de opróbrios, morticínios, escravizações, estupros e doenças, tudo em nome da religião dos dominadores. A Igreja sempre silenciou nos casos de genocídio, até por questão de coparticipação. Após condenar à fogueira Giordano Bruno, que defendia ideias humanitárias, repudiar Darwin, que elaborou as teses evolucionistas, ou condenar à prisão Galileu Galilei, por criar uma alternativa para o geocentrismo ptolomaico, a Igreja Católica, dirigida pelo prelado da época, João Paulo II, pediu ao Parlamento Inglês a absolvição de Pinochet "por razões humanitárias". Foi seguida de perto pela teocracia retrógrada do lamaísmo tibetano, o mais arcaico de todos os budismos, apesar de dirigido pela risonha figura de Tenzin Gyatso, a décima quarta reencarnação viva do Buda. Nesse caso, impedido pela hipocrisia, o papa João Paulo II não confessou que o significado dessa postura se deveu ao "pagamento" pelos serviços prestados por Pinochet à civilização ocidental e cristã por seu duro combate ao comunismo. Quem mata por uma causa não pode ser julgado, caso contrário a Igreja teria que julgar a si própria

PRIMEIRAS PALAVRAS

pelos crimes praticados pela "Santa Inquisição" e pela violência praticada contra os povos árabes no tempo do desvario alucinatório das infamantes cruzadas, que serviram mais à pilhagem e ao roubo do que à libertação dos símbolos e locais cristãos ocupados pelos "ímpios" muçulmanos.

Esses detalhes tornam claro que, de todas as lendas antigas, de todas as formas de imaginação de divindades e das respectivas fórmulas de adoração, desde os totens até os ícones deificantes do paganismo, a única narração de eventos que se enraizou social, política e culturalmente no Ocidente foi a história de Jesus, o filho de Deus, Salvador e Messias dos povos da terra. Mas, se formos ao Oriente próximo ou à distante Ásia, basta substituir Jesus por Maomé, Maomé por Buda, Buda por Brahma, ou por um Guru Sikh, ou pelos milhões de deuses do Hinduísmo, para que tudo se repita e nada mude.

Desde o momento em que Caim matou Abel é possível concluir que alguma coisa deu errada em matéria de criação. Quando Adão foi expulso do paraíso e foi permitido que o crime se estabelecesse como primazia no relacionamento entre Deus e os homens e no relacionamento dos homens entre si, o homem estava obrigado a se dar conta de que Deus não poderia ter criado a maldade em primeiro lugar. A conclusão é que a maldade existe, quanto a Deus...

Uma perfunctória análise das religiões no decorrer da história permite investigar a respeito das condições culturais de determinado povo no momento da criação de determinada religião. É impossível estudar qualquer religião sem antes verificar de onde ela veio, como evoluiu, quais os sincretismos que a informaram e, claro, qual a situação da tribo, do clã ou das populações num determinado território em matéria de cultura e de desenvolvimento humano que se encontravam quando os mitos, os totens, os espíritos e, enfim, os deuses passaram a povoar suas consciências. Qual o estágio cultural apto còm habilidade para interpretar a fenomenologia social? Algumas vezes, nenhum. O personagem Jesus Cristo ganhou figura e forma porque, naquela época, já existia na consciência religiosa do povo judeu, sensível que era às escrituras, à tradição e aos vaticínios de seus profetas.

O que mais chama a atenção na atualidade é que a bíblia da tradição judaico-cristã, em vez de manter a unidade de seus ensinamentos, deu causa a um sem-número de religiões e seitas. Hoje, com base na Bíblia, todos os dias impostores inventam novos "Bezerros de Ouro", possibilidade abstraída de interpretações subjetivistas extorquidas dos textos ditos sagrados.

Tudo isso leva a outro tipo de perplexidade: como poderemos discutir política, religião, ética, moral, ciências sociais etc., sem ter uma visão correta do Universo, isto é, como ele se formou e como evoluiu.

Não podemos, prefacialmente, aceitar as teorias religiosas se elas não explicam o mundo de maneira racional. É teoria teológica simplista afirmar que Deus criou o mundo sem antes estabelecer de modo claro quem é Deus, que poder detinha em suas "mãos", qual a sua natureza e de onde tirou a matéria para criá-lo. Ocorre que o mundo material é observável. Deus não. Dentro de sua concretude, a realidade é uma só. Se vemos uma pedra, estamos vendo uma realidade. A bondade existe apesar de sua imaterialidade. Todavia, os deuses só existem quando imaginados. É assim que acreditamos nos espíritos dado o fato de que antes são criados pela nossa imaginação quando afetada por valores criacionistas. Foi a imaginação fértil dos homens que criou as religiões com valores simbólicos e rituais próprios. Foi também a imaginação fértil dos homens que criou os espíritos imateriais coadjuvados pelo paraíso, pelo inferno, e com tudo o mais relativamente aos misticismos, como, por exemplo, ver e falar com os espíritos e até viajar em discos voadores. Bem como foi a imaginação, decorrente de simples observação, que afirmou que o Sol girava em torno da Terra e que a Terra era plana.

Há que se afirmar em caráter definitivo, nesta quadra da história da humanidade, que nós fazemos parte do Universo, integrando-o como uma uva integra um cacho e o cacho, a videira, ou igual a um grão de areia que forma uma duna e esta, as vastas imensidões saarianas. Ou, ainda, da mesma forma que a Terra integra o Sistema Solar, que integra uma galáxia, que, juntamente de bilhões de outras, integra o Universo. Conclui-se, então, que, por mais que tentemos ligar a vida à religião e a religião a um

PRIMEIRAS PALAVRAS

Deus, a investigação de sua origem sempre será científica. Nem a teologia, nem a metafísica, nem a filosofia, muito menos a parapsicologia nos dão qualquer resposta. Nossas indagações passarão, então, para outro terreno, menos metafísico e mais concreto, o terreno da ciência. As religiões são compartimentadas. O Hinduísmo não se comunica com o Islamismo, nem este com o Budismo, muito menos o Islamismo com o Cristianismo ou este com o Judaísmo, embora estes três últimos tenham tido uma vertente comum. Somente a ciência tem a qualidade da unificação por causa de seu caráter de universalidade.

A intenção deste livro é ver o outro lado, o lado obscuro, o lado escondido, o lado que se perdeu nas fímbrias da história e que se desvaneceu da consciência da humanidade. Também o lado que se revelou pelos tempos como uma constante, mas que foi deliberadamente afastado das historiografias dominantes. Não se foi buscar o que há de melhor nas religiões, mas o fator que prevaleceu, na maioria das vezes, o pior dos lados. Este livro tem o objetivo, outrossim, de denunciar o fanatismo e a intolerância de cada uma das correntes religiosas, de suprimir de nossa consciência o que não existe, ou o que foi criado pelo psiquismo das épocas primitivas e que ainda nos causa pavor.

É preciso não ter medo de perder o céu, é importante não ter medo do inferno, muito menos de um deus severo e punitivo. Nunca haveremos de nos libertar, nunca poderemos pensar livremente, se não conseguirmos dispensar as ideologias, os dogmas, os espíritos, o misticismo e as religiões, porque elas se esqueceram da igualdade, do amor, do respeito e da compreensão. Lembremo-nos de que, durante a maior parte do tempo, as tradições judaico-cristãs entenderam que a melhor fórmula para educar o homem era incutir-lhe o temor a Deus e de que falhas condenam aos castigos infernais. Em face dessa artilharia demoníaca, não podemos deixar de apelar ao intelecto para ter defesas eficazes contra esse tipo de perturbação. Nossa inteligência nos impede de temer os deuses que nós mesmos inventamos. Eles são produto de nossa mente. Por essa razão, devemos destruir as forças do obscurantismo responsáveis pela escravização de nossos sentimentos.

Se o ideário do Cristianismo tem dois mil anos, porque durante todo esse tempo os cristãos sempre o traíram preferindo impor a intolerância, o ódio e o apelo à punição decorrentes das acusações sem provas dos autos de fé do Tribunal do Santo Ofício, ou, simplesmente, condenando alguém à morte por heresia para apoderar-se de seus bens? Quais as justificativas dos cristãos para explicar o extermínio dos povos ameríndios, desde os peles-vermelhas até os indígenas araucanos? Qual a desculpa para a aplicação das torturas até a morte, com requintes de perversidade, paralelamente a um estático, paranoico e quase infinito gozo, dos inquisidores que se deleitavam com tais horrores? Como explicar sob o ponto de vista ético e moral as Cruzadas, se os resultados foram sempre a guerra, o butim e o genocídio? Temos a obrigação de romper com a atmosfera que considera esses fatos normais. Temos que destruir as peias que continuam nos narcotizando.

Vivemos numa época em que assuntos religiosos são constantes nos meios de comunicação, perenizando em nossa consciência os males que obscurecem a nossa visão objetiva, implantados em nossa mente por meio das máquinas educacionais tradicionais. Essa é a razão pela qual os credos persistem e se disseminam. O homem ainda prefere acreditar a saber. Por isso está em seu instinto a profunda necessidade emocional de ter uma crença religiosa. Esse fato não significaria uma anormalidade. Se o homem se sente bem tendo uma religião, nenhuma objeção lhe pode ser feita. Contudo, não é o aspecto bondoso que prevalece. A animalidade do homem sempre se impôs à sua espiritualidade. Continuamos o mesmo mentecapto que destruiu a selva e que construiu outra denominada metrópole, onde nossos adolescentes aprendem a praticar estupros, assassinatos, crueldades; onde nos ensinam a ser supersticiosos, crédulos e consumistas. Sem esquecer de outros ingredientes como roubos, furtos, assaltos, sequestros, que levam nossa sociedade a um estado de corrupção generalizada; além do que, estamos obrigados a conviver com uma vulgarização cultural disseminada em todas as direções.

# 2
# No tempo do Big Bang

Dentre as várias teorias cosmológicas contemporâneas que tentam explicar a origem do Universo, uma delas propõe que o Universo sempre existiu e existirá indefinidamente. São seus defensores, entre outros, Hermann Bondi, Thomas Gold e Alfred Hoyle. Conforme essa teoria, neste universo sem-fim, a matéria é continuamente criada de modo a manter constante sua densidade média universal. Sobre as reações químicas que movimentam esse processo, nada esclareceram. Geralmente, os cientistas citam a existência de matéria e antimatéria,[2] ou de partícula e antipartícula, quando, pelo encontro das duas, a antipartícula que dá impressão de ser virtual porque vive um tempo infinitesimal é eliminada para dar lugar à partícula material.

É provável que mais tarde eles tenham aderido à hipótese do Big Bang. Bem ou mal explicado, estamos ainda dentro do campo da atividade científica, no qual não temos direito à imaginação. Sempre conjeturei sobre a existência de um Universo de duração infinita, um Universo nunca criado e que sempre teria existido, mas de repente me dei conta de que, pensando

---

2. Conforme John D. Barrow e Joseph Silk, toda partícula possui uma antipartícula. Se uma partícula encontra sua antipartícula correspondente, elas se aniquilam transformando-se em radiação (energia). A antipartícula de neutrino é chamada de antineutrino; a do próton, antipróton; e assim por diante. As mesmas concepções tornam aceitas a existência de matéria e antimatéria em caráter geral.

assim, eu estava, por dedução, refutando a existência de uma divindade criadora.

Outra afirma que o "início" se deu a partir do Big Bang, modelo desenvolvido por Gamow, Alpher e Herman, resultante de uma fantástica explosão ocorrida há mais ou menos quinze bilhões de anos. Existem teorias ainda mais extravagantes, como a que descreve um Universo criado do nada. Mas para que isso ocorresse, os cientistas deveriam, preliminarmente, provar o erro da teoria de Lavoisier, que afirma que no mundo nada se cria, nada se perde, tudo se transforma. Mesmo que parte dos conceitos de Lavoisier estivesse errada, é muito mais fácil aceitar que a quantidade cósmica de matéria seja sempre a mesma, embora ela assuma configurações diferentes, do que se conformar com a criação do Universo *ex-nihilo*, ainda mais por se saber que a energia não pode ser criada do nada. Outros astrônomos alegam que o nosso Universo pode ser um dos incontáveis universos existentes. Alguns dizem que o Universo é fechado, hipótese em que viveríamos no interior de um buraco negro, tão grande que conteria outros bilhões de buracos negros em seu próprio interior. John Gribbin anotou pontos de vista de cosmologistas que acreditam existir um número infinito de universos que se interligam.

Um buraco negro contém massa de matéria tão condensada em si própria que nem a luz lhe escapa. Seu limite é chamado de horizonte de eventos. Dentro de um buraco negro, a densidade e a curvatura do espaço-tempo são infinitas. Os cientistas chamam esse fenômeno cósmico de singularidade produzida pelo colapso gravitacional. Stephen W. Hawking, em sua obra *Uma breve história do tempo*, diz que os buracos negros são um dos pouquíssimos casos, na história da ciência, em que uma teoria foi desenvolvida detalhadamente enquanto modelo matemático, antes que houvesse qualquer evidência observável indicando que estivesse correta. Mas como poderiam ser observados, se não conseguem emitir luz? John Mitchell terminou por comprovar a existência dos buracos negros pela força gravitacional exercida sobre objetos próximos. Essa é uma técnica muito comum para a descoberta de planetas, estrelas binárias e outros corpos estelares.

De acordo com as ideias de Einstein, antes do Big Bang não existiam nem espaço, nem tempo, nem movimento. Portanto, não temos condições de saber quais as leis que, naquela época, regiam o Universo. Não havendo matéria nem movimento, também não havia leis. As leis da física surgiram mais tarde com Kepler, Newton, Einstein e Planck, entre outros. Nos defrontamos, então, com uma situação de absoluta impenetrabilidade para qualquer tipo de equação ao nosso alcance. É possível que o presente Universo seja apenas uma ínfima parte de universos infinitos. Para alguns, o infinito se manifesta em todas as direções, sendo viável que, como em processos cíclicos de diástole e sístole, ele se expanda e se contraia durante os tempos da eternidade. Via de consequência, analisando essas teorizações, podemos chegar a duas conclusões praticamente irrecusáveis:

a) se a expansão do Universo estiver correta, e tudo indica que sim, o nosso Universo nasceu com o Big Bang há uns quinze bilhões de anos;

b) contudo, nada se sabe sobre como ele era antes. Parece não haver contradições: há um Universo Total (termo empregado por Alan H. Guth) e, dentro dele, o nosso Universo, que se contrai tendo em vista a Lei da Gravidade e se expande, porque, ao se transformar em buraco negro, a explosão se torna inevitável. Retroceder a um período anterior ao Big Bang significa refluir ao limite inicial do nosso Universo para encontrar a matriz que o gerou, que é chamada de horizonte de eventos ou singularidade, configuração em que todas as nossas leis científicas falham. Em outras palavras, não temos a capacidade de explicar, e talvez nunca venhamos a ter, qual a natureza da matéria de um buraco negro no tempo de sua singularidade.

Outro problema está em saber o que existe além do universo cognoscível. Por Universo Cognoscível deve-se entender o espaço percorrido pela matéria tendo como ponto inicial o Big Bang, e que se expandiu tridimensionalmente por todo o espaço rumo ao infinito e tem seu termo na distância percorrida pela matéria nestes últimos quinze bilhões de anos-luz. Isso veio a ser denominado pela Lei da Relatividade Geral de espaço-tempo. Chegamos, assim, a um Universo que tem um diâmetro aproximado de trinta bilhões de anos-luz. Admitindo a hipótese como correta, e parece não haver alternativa, nos defrontamos, então, com o maior enigma da ciência, o grande mistério cosmológico até agora não compreendido, e que, provavelmente, jamais será decifrado: o que existia antes do Big Bang e o que existe após o espaço que se globalizou pela expansão? *That's the question*, diria Shakespeare. Com a Grande Explosão, a matéria iniciou um processo de conquista ou de reconquista desse espaço. Essa conquista agrega ao espaço o componente tempo. Se a antimatéria é composta de partículas virtuais porque tem vida temporal desprezível, por que não poderia existir um antiuniverso, uma espécie de universo virtual, imprescindível, uma causa primeira e básica para a implementação do espaço real? Essas deduções não são improváveis, tanto que podem ser demonstradas por outro tipo de argumento. Existe no Universo uma força forte chamada gravidade, cuja lei foi descoberta por Newton. De acordo com essa lei, poderá ocorrer um refluxo da matéria no momento em que a expansão do Universo perder a força. Os cientistas denominaram esse evento de *Big Crunch*. Nesse caso, o Universo se contrairia; transformando-se num buraco negro com uma estupenda força de coesão, a ponto de impedir até o escape da luz, como já salientamos anteriormente. Essa contração continuaria até reduzir-se ao tamanho do ovo cósmico, ou átomo primordial, segundo a teoria de Georges Lamaître. Essa alta concentração de matéria num só e minúsculo ponto levaria tantos bilhões de anos para se "encolher" quantos havia quando se estancou o sistema de expansão.

Podemos, igualmente, raciocinar pelo lado oposto. Admitamos que a força de expansão seja mais forte que a força gravitacional. Teríamos então a hipótese de que o espaço/tempo conquistaria espaço pelo resto da eternidade para se expandir e se acomodar. E quem duvida que dessa mesma maneira estariam se formando outros universos, ou se encontrando outros, também em número infinito, bilhões, bilhões e bilhões.

# 3

# A Grande Explosão

Há poucos anos, não havia maiores preocupações quanto a questionamentos sobre a criação do mundo. As religiões eram detentoras de todas as respostas. Provavelmente, a primeira delas a afirmar que o mundo foi criado por um Deus foi a religião de Zoroastro, também chamado de Zaratustra, cuja divindade, Aura Mazda – O Grande Senhor – foi o criador do Universo.

Para judeus, cristãos e muçulmanos, a história da criação está amplamente descrita na Bíblia e no Corão. No princípio, diz ela, Deus criou o céu e a terra; depois a luz; depois o dia e a noite, e, sucessivamente, foi criando as águas, as florestas, os répteis, os peixes, os animais e, enfim, com o barro da terra fez o homem à sua imagem e semelhança, e com um sopro de vida deu-lhe uma alma. Em seguida, considerou Deus que o homem estava só, o que não era bom, então tirou dele uma costela e criou Eva para ser sua companheira.

Alguns prelados cristãos, após adotarem métodos matemáticos de consulta às escrituras sagradas, chegaram ao desplante de calcular a idade do mundo. Na Bíblia, constataram, havia amplas informações quanto à progênie de Jesus Cristo a partir de Adão, cuja linha genealógica passou por Abraão, Jacó e Davi, entre outros, e, assim, sucessivamente, foram somando os "gerou" até chegarem a Jesus Cristo. O intervalo era de 3.184 anos. Conforme Agostinho de Hipona, o mundo foi criado 5.500 anos antes de Cristo. Dentre os *experts* em criacionismo teológico-cosmogônico, o mais minudente foi, sem dúvida, James Ussher, arcebispo de Armagh e primaz anglicano para toda a Irlanda, que concluiu, no ano de 1650, que o início dos tempos se deu na noite que precedeu o 23° dia de outubro do ano de 4004 a.C.[3]

Porém, para as religiões jainista e budista, não houve criação, simplesmente porque elas não admitem uma criação que extraia algo do nada. Para ambas, o mundo é eterno, isto é: sempre foi o que é. As duas, consciente ou inconscientemente, adotaram princípios ateístas-materialistas, particularidade de certo modo ousada, tendo em vista o sistema profundamente religioso predominante em todas as épocas da história, principalmente na Índia. A dispensabilidade de deuses criadores é empreitada bastante difícil considerando os dogmas, as magias e os mistérios que compõem as religiões. Mas afastando as religiões sem deuses, todas as demais têm em suas crenças os mitos da criação ou os princípios dos deuses criadores.

Essas ideias predominaram praticamente até nossos dias. É que, não tendo sido levada em conta a opinião de pensadores independentes, não havia possibilidade de desconsiderar os dogmas propostos pelas crenças (que se baseavam na revelação ou na inspiração). De qualquer forma, a ciência pouco tinha evoluído para dar respostas satisfatórias.

Contudo, nos últimos séculos, algumas teorias deram início a uma verdadeira cruzada contra o obscurantismo religioso, fazendo tremer as colunas milenares que davam sustentação a uma mesma maneira de pensar que se manteve imutável por mais de quatro mil anos, ou talvez até mais de oito mil anos. Nestes últimos séculos, com a derrubada da teoria do Geocentrismo por Copérnico, seguido por Galilei, que, além de defender as teorias heliocêntricas, acrescentou que a Terra não era imóvel, as coisas começaram a mudar. Vivendo na mesma época, Giordano Bruno acrescentava que universos iguais ao nosso existiam em grande número

---

3. Por que 4004? Não seria mais razoável 4000? Acontece que Herodes morreu no ano 4 antes de Cristo. Ficou claro então que Jesus nasceu quatro anos antes, ou mais. Essa foi a razão de o arcebispo ter datado o início dos tempos em 4004 a.C. De qualquer maneira, conforme disse Stephen Jay Gould, que ninguém acuse o bispo de imprecisão.

e levantava a possibilidade da infinidade deles. Por seu atrevimento, em 17 de fevereiro de 1600, foi queimado em praça pública, pelas labaredas de uma fogueira inquisitorial, suplício que o consagrou como o emblema da dignidade e da coragem do espírito humano desafiando a repressão do obscurantismo clerical.

Finalmente, surgiu outra figura gigantesca: Charles Robert Darwin. Com reconhecidos pendores para os assuntos da natureza, aos quais dedicava seus estudos desde a juventude, foi convidado, na condição de biólogo, para participar da tripulação do HMS (Her Majesty Ship) Beagle, um navio que faria uma longa viagem, passando por várias regiões do mundo. Foi nessa viagem que ele procedeu a estudos meticulosos sobre aves e animais, e chegou à conclusão de que todos os seres vivos eram produto da evolução. Em outras palavras, todas as formas de vida tiveram origem numa matriz comum. Inicialmente combatida, aos poucos sua teoria foi se impondo e hoje, quase dois séculos depois, até a Igreja Católica, sempre avessa à ciência e aos modernismos, a aceitou. Examinado o darwinismo, com o apuramento exigível, não remanescem dúvidas de que o evolucionismo, com uma só cajadada, matou tanto as teorias criacionistas quanto seus deuses criadores. Mesmo assim, o saber da humanidade até o início de nosso século não havia encontrado explicações adequadas quanto à origem da vida e do Universo. Aproximadamente dez mil anos de civilização já haviam decorrido quando o desmantelamento das mitologias criacionistas fazia com que tudo retornasse à estaca zero.

Entretanto, nestes últimos decênios, o avanço tecnológico deu origem a um espantoso desenvolvimento científico sem paralelo na história das ciências. Nos últimos cem anos, o mundo evoluiu com inigualável rapidez, e por causa dos desdobramentos disso, alcançou níveis de conhecimento altamente apurados, fato que ensejou descobertas inimagináveis. O mundo se agitou com tantas conquistas. O homem subiu aos céus, ajudado pelas equações de Newton, e foi marcar com suas pegadas as primeiras balizas para a conquista do Sistema Solar. Ao mesmo tempo, impulsionado por Planck, que cogitava descobrir a partícula elementar para a construção da matéria universal, as investigações físico-químicas se voltaram ao infinitamente pequeno.

A palavra "átomo" deriva do grego e significa o que não pode ser dividido. O conceito de que nada poderia ser menor do que o átomo, que já durava dois mil anos, foi refutado pela ciência moderna. O átomo, descobriu-se, era uma pequena esfera formada por elétrons, prótons e nêutrons, que por sua vez eram constituídos por partículas de densidade tão insignificante que, aparentemente, nem existiam. Mais de cem delas foram surgindo aos poucos, predominando como uma constante principal o quark, uma partícula elementar, pontual, uma espécie de tijolo, que juntamente de léptons e hádrons formam os átomos, que por sua vez dão formação às moléculas e às substâncias, que finalmente se transformam nos componentes da matéria.

Atualmente, alguns cientistas admitem a hipótese da existência das supercordas,[4] que seriam os elementos fundamentais da natureza. Com o comprimento de um bilionésimo de um trilionésimo de centímetro, as vibrações das supercordas seriam responsáveis pela formação das partículas elementares da física. Mas, apesar do avanço científico, permanecia na consciência dos cientistas a indagação principal: de onde vinha a matéria e como tudo se formou?

Podemos observar que a ciência tentava, mas não vinha conseguindo explicações lógicas. Os deuses estavam vencidos, não podiam revelar mais nada, nem sequer inspirar a mente dos homens.

Em 1610, Galileu, com um telescópio arcaico que ele próprio havia construído, constatou que a Via Láctea não era tão inexpressiva quanto aparentava, mas um enorme aglomerado de estrelas.

Em 1915, Einstein arquitetou a teoria da Relatividade Geral, tornando famosa a fórmula $E=MC^2$ (energia é igual à massa, vezes o quadrado da velocidade da luz). Segundo os entendidos, a relatividade pressupunha a existência de um universo em expansão. As equações de Einstein

---

4. Segundo Hubert Reeves, as supercordas são seres hipotéticos com uma única dimensão. Seu comprimento é aproximadamente o de Planck ($10^{-23}$ cm). Segundo essa teoria, esses objetos seriam elementos fundamentais da natureza. As partículas físicas seriam de fato as notas de vibração dessas supercordas.

A GRANDE EXPLOSÃO

demonstravam que tudo no Universo – matéria, espaço e tempo – devia ter surgido de um único ponto, denominado pelos cientistas de singularidade.

Em 1923, oito anos depois de ter vindo à tona a teoria da Relatividade Geral, o astrônomo Edwin Hubble, utilizando o telescópio do Monte Wilson, descobriu que nossa galáxia não habitava sozinha os espaços siderais e, para pasmo geral, demonstrou que as galáxias, com uma exceção apenas, a galáxia de Andrômeda, estavam se afastando de nós e, quanto mais distante se encontravam, mais rapidamente se deslocavam. Hubble estudou o espectro das galáxias e constatou que elas pareciam mais vermelhas do que realmente eram. Sabendo que a luz vermelha tem um comprimento de onda maior do que o comprimento médio de onda da luz visível, só restava concluir que as galáxias estavam se afastando. E, se havia um afastamento, era sinal de que houve um período em que elas deviam ter se concentrado num único ponto. Estavam confirmadas as previsões de Einstein. A dedução da expansão do Universo se constituiu numa das mais importantes descobertas da ciência e se transformou na pedra angular da moderna cosmologia.

Tudo estava a significar que, invertendo a ideia de expansão e fazendo o tempo andar para trás, toda a matéria do Universo se encontraria, numa determinada época, num único lugar. Georges-Henri Lamaître vinha trabalhando nessa ideia havia muito tempo, por isso se tornou conhecido como o pai do Big Bang, expressão cunhada por Fred Hoyle no fim da década de 1940, embora tivesse usado o vocábulo jocosamente com o escopo de desacreditar a teoria da concentração da matéria como marca do início dos tempos.

As concepções que direcionavam os astrônomos ao encontro da Grande Explosão estavam ganhando adeptos. Desde a suposição do ovo primordial, as pesquisas se orientavam no sentido de encontrar uma prova concreta de que uma explosão fosse a responsável pela formação de toda a matéria universal. Por isso preponderava a ideia de que a explosão devia ter produzido uma radiação eletromagnética, um espectro térmico, enfim, uma espécie de radiação cósmica gerada pelo calor e pela energia do Big Bang que deixaria uma impressão digital ainda detectável.

Em 1964, Arno Penzias e Robert Wilson trabalhavam numa antena de medição de níveis de ruído que poderiam contaminar as comunicações com o satélite Echo I quando captaram uma radiação de micro-ondas persistente. Apreensivos, alteraram a direção de sintonização, mas o ruído persistia. Imaginaram até que a causa poderia estar nos excrementos de pombos. Limparam os locais onde havia detritos. As radiações continuavam. Intrigados com o estranho ruído, apontaram a antena para todas as direções. Assombrados, verificaram que a radiação mantinha-se uniforme. Penzias e Wilson, incrivelmente, haviam descoberto os sinais fósseis da radiação da matéria residual remanescente do Big Bang, cuja radiação eletromagnética banhava uniformemente todo o espaço.

Por mais espantoso que seja, as coisas incríveis terminam por interagir umas com as outras. Cada descoberta significa mais um passo a favor das explicações da origem do mundo, e cada uma delas dá sequência a outras, tão surpreendentes quanto as antecedentes. Em abril de 1992, George Smoot e Keay Davidson, estudando a radiação cósmica de fundo, apuraram que ela revelava irregularidades, denominadas por eles como dobras do tempo, e que eram as responsáveis pela formação de estruturas de tamanho diferente nos espaços siderais. Em outras palavras, as dobras do tempo confirmaram a inconstância da formação dos grupos estelares, alguns mais concentrados e maiores, e outros disseminados pelo espaço em estruturas menores. Eram como marcas da criação e sementes do universo moderno.

A partir dessas manifestações da matéria, o Universo apresentava melhores condições para ser definido e compreendido. O homem havia encontrado as fontes de sua ancestralidade. Todavia, precisava ainda de um condimento, um tempero, uma espécie de fenômeno intermediário, uma constante que participasse com igual importância concernentemente às configurações do desdobramento e à formação da matéria sequencial ao Big Bang. Surgiu, então, a teoria do Universo Inflacionário, que comprovava que a expansão continha uma qualidade inflacionária. A explicação mais simples para essa particularidade é imaginar alguém soprando um balão pontilhado que, além de inflar, produz ao mesmo tempo um distanciamento de tais pontos.

## A GRANDE EXPLOSÃO

O importante em tudo isso é que a interligação dessas teorias permitia que simbolicamente se afirmasse que a ciência havia encontrado o DNA cósmico. Agora, então, os cientistas já poderiam conjeturar a respeito do Big Bang com alta margem de segurança científica. As micro-ondas de fundo, o sistema binário de expansão e inflação, as dobras do tempo responsáveis pelas formações irregulares das estruturas universais, a abundância de hidrogênio e hélio no Universo e a demonstração da existência da antimatéria foram consideradas chaves para a plausibilidade do Big Bang. Aparentemente não havia alternativa, a Grande Explosão já era uma certeza, era o próprio útero cosmogônico.

Como não houve alterações em relação ao teorema de Pitágoras, às leis de Kepler, ao sistema gravitacional de Newton, enfim, às demais teorias subsequentes, como é o caso da Relatividade Geral de Einstein e da Física Quântica de Planck, é de se acreditar que o Big Bang tenha conseguido um lugar definitivo no quadro geral das teorias cosmológicas.

E, se assim é, somos obrigados a retroceder na história da criação do Universo pelo tempo todo até o momento do estouro. Retorno que está distanciado de nossos dias em aproximadamente quinze bilhões de anos. E o que se poderia encontrar nesse regresso de bilhões de anos? Os deuses nunca nos disseram. Segundo John Barrow e Joseph Silk, naquela época não havia nem espaço, nem tempo, nem movimento. A matéria se encontrava sob a forma de um colapso total denominado *singularidade*. Mas essa singularidade tinha valores infinitos quanto a densidade, temperatura e pressão. Para alguns cientistas, tal matéria fantasticamente concentrada era menor que um próton. Para outros, o volume era de um milímetro de diâmetro dentro de uma região inflada com o diâmetro de um quilômetro. Nunca poderíamos compreender o seu significado, pois não sabemos quais as leis da física que regiam a singularidade, cuja temperatura alcançava trilhões de graus.

E quando a ciência se refere à densidade e à temperatura infinitas, também não teríamos condições de imaginar a composição da tessitura enigmática formada por constituintes subnucleares fundamentais, por se assentarem em realidades que escapam à nossa compreensão. Penrose afirmava que qualquer corpo sob o efeito do colapso gravitacional pode eventualmente provocar uma singularidade. Toda a matéria seria comprimida numa região de volume próximo a zero e, assim, a densidade da matéria e a curvatura do espaço-tempo se tornariam infinitas, situação em que as leis científicas, tal qual as conhecemos, falhariam. Porém, como a ninguém é dado o direito de considerar-se vencido perante situações por mais incompreensíveis que sejam, poderíamos recorrer ao fato de que qualquer estrutura emite radiação. A matéria fria emite radiação infravermelha ou em frequência de micro-ondas. A radiação quente se torna visível nas frequências do ultravioleta ou do raio X. Então, parece claro que a matéria primordial altamente concentrada emitiria algum tipo de radiação. Essa radiação seria refletida pelo átomo primordial. Existiria, em consequência, um espaço diferente do espaço-tempo de Einstein; espaço que evidentemente estava impregnado de ondas radioativas, ou até um universo externo à singularidade formado por supercordas, cuja existência teórica se constitui uma das mais engenhosas concepções do estágio atual da ciência infra-atômica. Como já se sublinhou, as supercordas devem ter movimento vibratório constante e eterno, propriedade básica para a formação da matéria subsequente ao Big Bang.

Por outro lado, se existem antiprótons, antielétrons, antineutrinos, antigaláxias, não poderia haver, pelas mesmas regras, um antiuniverso, ou um universo diferente formado por pura energia, isto é, energia radioativa? Naquele ponto, naquela distância, naquele tipo de matéria, formado por supercordas, ou por energia radioativa, ou por uma sopa cósmica qualquer, que condições temos hoje de conhecer essas propriedades, das quais estamos distantes quinze bilhões de anos?

Até onde o homem pode saber, é impossível criar matéria ou energia do nada, bem como destruí-la até o nada. Poderíamos supor, de certo modo, que a energia do universo sempre existiu e sempre haverá de existir. Se for assim, podemos concluir que as substâncias do universo são eternas. Sejam quais forem as conclusões, é justo que se admita que, desde os primeiros instantes, o universo possuía as propriedades requeridas para a elaboração das complexidades.

# A GRANDE EXPLOSÃO

Sejam, também, quais forem as suposições quanto aos momentos que precederam a explosão, para nós sempre serão momentos misteriosos, indecifráveis e profundamente silenciosos (porque não havia atmosfera). Esse material compactado num plasma abrasador não podia suportar o peso de pressões e temperaturas infinitas e, tomado de uma força poderosa e também infinita, rompeu os grilhões que o enclausuravam, e, num estupendo estouro, que envolveu todo o minúsculo mundo, fez a substância irromper e jorrar em todas as direções com velocidades espantosas, alimentando-se pelas próprias qualidades de pressão, temperatura e massa infinita e transformando-se num caldeirão cósmico incandescente que, com matéria incognoscível e indefinida, deu início a uma longa caminhada, vencendo perturbações de toda ordem durante todo o trajeto e forjando elementos saídos de suas inimagináveis fornalhas por onde passava. Essas fornalhas, por sua vez, causaram a geração de corpos e grupos cósmicos que hoje povoam todo o Universo, que se estendeu por todos os lados, criando mais de cem bilhões de galáxias com mais de cem bilhões de estrelas cada uma e, dentro delas, uma que se tornou conhecida por Via Láctea, que contém em seu bojo um minúsculo sistema, tendo o Sol como centro, que aprisionou um ínfimo planeta, onde a evolução da matéria implantou um gérmen nascido da poeira das estrelas de cuja concepção surgiu a vida, que, valendo-se de um sistema evolutivo, terminou por alcançar um estágio máximo com a espécie animal, que se sublimou numa surpreendente montagem biológica de onde derivou uma criatura pensante chamada homem.

# 4

# A formação da matéria

Provavelmente, as duas partes mais intrigantes da ciência se referem à criação da matéria e ao surgimento da vida. Esse dúplice campo do conhecimento científico tem estimulado a atenção dos cientistas e é deles que nos chegam resultados e explicações surpreendentes. Livros como, por exemplo, *Os três primeiros minutos*, de Steven Weinberg e *O primeiro segundo*, de Hubert Reeves, nos levam com muita seriedade e competência aos primeiros instantes da criação, a tal ponto que, para a ciência, atualmente, restam poucas dúvidas a respeito do evento. O problema reside apenas em encontrar maneiras para explicar com facilidade, pois esses assuntos oferecem dificuldades tanto para explicar como para compreender.

Suponhamos que alguém levasse um aborígene ou um esquimó até o centro de Nova York. Por só conhecerem choças feitas de vegetação seca ou iglus, haveriam de ficar extasiados e ao mesmo tempo estarrecidos vendo veículos se movimentando, multidões subindo e descendo casas tão altas que a vã filosofia do selvagem e do homem das neves não poderia compreender. Com toda a certeza não entenderiam as construções de edifícios repletos de estrelas brilhantes e ruas feericamente iluminadas por sóis que não se movem. Explicações súbitas de nada adiantariam, pois eles não teriam noção de que tijolos, massa, cimento, ferro, vidro, pedras, concreto, aço e tudo o mais foram descobertos e agregados aos poucos, e levaram séculos para se juntar e constituir monumentais arranha-céus. Sem entender

A FORMAÇÃO DA MATÉRIA

a evolução da maneira de construir, como compreender uma cidade tão espantosa aos seus olhos?

Boquiabertos observariam o fim tecnológico da história da edificação possibilitados pelos trilhões de elétrons que partiam dos objetos para chegar aos seus olhos, cujas informações, a seguir, eram transmitidas ao cérebro. Não poderiam entender, num minuto, o significado de toda a parafernália da mais impressionante montagem arquitetônica do planeta.

Da mesma forma, dada a complexidade dos mecanismos, não é fácil compreender que somos um produto gerado por uma explosão inicial que formou a matéria e que gerou a vida. O edifício da construção da matéria e da geração da vida tem que ser medido não em milênios e não apenas em milhões, mas em bilhões de anos.

Um argumento ingênuo seria simplesmente aceitar as crendices religiosas, como, por exemplo: no primeiro dia Deus criou o céu e a terra. Presumir essa hipótese e considerá-la definitiva seria resolver terminantemente a questão da maneira mais ingênua e simplificada possível. Mas, embora grande parte da nação mais adiantada do mundo resista em ensinar a teoria da evolução em suas escolas (os Estados Unidos), somos obrigados a concluir que as teologias podem explicar tudo não comprovando nada.[5]

Já não podemos fugir da obviedade. A matéria foi se consubstanciando aos poucos, foi gradualmente construindo-se e se estruturando, tijolo por tijolo, ou melhor, átomo por átomo, até as superestruturas a bilhões de anos-luz distantes de nós. A ciência demorou algum tempo para fornecer respostas eficientes. Atualmente, qualquer pessoa medianamente

---

5. A partir de meados de 1990, estados como Arizona, Texas, Nebraska, Novo México e outros vêm tentando excluir a evolução de seus currículos. Até um filme descreveu o julgamento de um professor no Tennessee que ensinava a teoria evolucionista: o professor John Scopes em *O vento será tua herança*. O veredicto foi condenatório. Um jornalista chamado H. L. Mencken, que fazia a cobertura dos fatos, escreveu: "Mesmo o homem supersticioso tem direitos inalienáveis. Ele tem o direito de defender suas imbecilidades tanto quanto quiser. Mas, certamente, não tem o direito de exigir que elas sejam tratadas como sagradas" (*Veja*, 25 ago. 1999).

escolarizada terá condições de entender como tudo começou, como tudo se formou e como tudo evoluiu até as configurações atuais.

Para uma melhor compreensão, poderíamos nos valer de uma figura não totalmente imaginativa e aceitar que, por problemas que possivelmente ocorrerão daqui a cinco bilhões de anos, o Sistema Solar desse início a um processo inexoravelmente concentrativo. Imaginemos que o Sol viesse a se transformar numa estrela anã branca,[6] depois numa estrela de nêutrons[7] e finalmente num buraco negro, alimentando-se de matéria que, aos poucos, seria sugada para um ponto central e, assim, com o perpassar de alguns bilhões de anos, todo o sistema desse início a um processo de compressão.

Com o fenômeno, planetas, satélites, asteroides, cometas, massas nebulosas, gases, enfim, toda a matéria perderia espaços entre si e com velocidade espantosa seria atraída pelo núcleo solar. Nessa louca inversão, os corpos começariam a se chocar e desintegrar-se em bilhões e bilhões de pequenos fragmentos. O núcleo continuaria com uma aterradora força, concentrando a matéria cada vez mais, ao mesmo tempo que seu tamanho diminuiria gradativamente de volume e, como se tudo estivesse num liquidificador, os componentes mudariam suas estruturas até chegar a um determinado instante em que os átomos também se destruiriam e, assim por diante, o mesmo aconteceria com prótons, elétrons, núcleos, e, enfim com os quarks, e nesse processo aos poucos tudo seria consumido, se decompondo e se transformando num magma de matéria desconhecida, uma espécie de superconcentração cósmica de volume ínfimo, um pequeno próton, uma pequena bola, ou, ainda, como o famoso

---

6. Estrela compacta com a massa igual à do Sol, porém do tamanho da Terra. Em seu interior, os elétrons estão fora de suas órbitas atômicas devido à força da gravidade.

7. Estrela cujo núcleo é composto principalmente de nêutrons, com uma densidade média de 1.016 gramas por $cm^3$. Os pulsares são estrelas de nêutrons em rotação. Segundo Hawking, elas teriam um raio de apenas 16 km, mais ou menos, e densidade de centenas de bilhões de toneladas por $cm^3$.

cientista mencionou, um "ovo cósmico", no qual estaria embutido todo o Sistema Solar.

Nesse ponto, com toda razão alguém poderia sugerir que essas particularizações seriam tão incompreensíveis quanto inacreditáveis. Mas, então, surgiria a fórmula einsteiniana em que a energia, como já afirmamos, é igual à massa vezes o quadrado da velocidade da luz, contendo, ainda, propriedades físicas em que a densidade, a temperatura e a pressão fossem infinitas. Os astrônomos denominaram esse instante de singularidade.

A singularidade seria o estágio inicial da matéria, o primeiro momento do tempo. Seria uma pontualidade em que estariam concentrados o tempo e a curvatura infinita do espaço. Seria o próprio espaço-tempo em que a força de coesão da massa seria tão espantosa que de seu interior nada escaparia, nem mesmo a luz ou qualquer outra espécie de radiação. Essa teria sido a base geratriz de nosso Universo.

Se retornarmos, aproximadamente, quinze bilhões de anos, veremos que essa era a sua configuração no momento do Big Bang. Com a explosão, o conteúdo plasmático foi lançado em todas as direções. Era o próprio universo que havia explodido, mas não para destruir; pelo contrário, para criar, formar ou até restaurar a matéria, dependendo da concepção cosmológica de cada um. Quem nos garante que no tempo infinito que antecedeu a nossa era outros big bangs não tenham acontecido trilhões e trilhões de vezes? A singularidade desaparecera e a substância elementar primordial se alastrava em velocidades incomensuráveis. Em segundos, o tamanho inicial mais do que se decuplicava e, à medida que conquistava espaço, dava início ao processo de resfriamento de seus trilhões de graus iniciais. Em menos de um segundo, os resíduos pulverizados libertariam a primeira partícula que surgiu assim como quem surge do nada. Trata-se do neutrino,[8] a coisa mais próxima do nada que existe.

Essa partícula se emancipou e, tornando-se livre, começou a vagar pelo espaço aos trilhões em todas as direções. Não existe nada no universo

---

8. O neutrino é uma partícula de matéria extremamente leve afetada somente pela força fraca e pela gravidade. É uma partícula eletricamente neutra.

que possa detê-la, nem mesmo uma parede de bilhões de toneladas de aço. Raramente ela colide para se dissipar. Agora mesmo, ao lermos estas linhas, milhões de bilhões delas passaram por nós em seu contínuo caminhar rumo ao infinito, e ao terminarmos a frase, já estarão a centenas de milhares de quilômetros, deslocando-se em seu passeio cósmico em velocidades iguais à da luz. Sendo uma partícula egoísta e celibatária,[9] ela é praticamente imune à gravidade, aparentemente destituída de massa e isenta de força de coesão atômica. Se dependesse só dela, talvez a matéria nem chegasse a se formar.

Nos instantes infinitesimais posteriores, a diminuição da temperatura ocasionou um concomitante decaimento da radiação. Dessa particularidade surgiu o quark, a mais fenomenal partícula já descoberta. Dadas as suas propriedades de elementaridade e pontualidade, ela é básica e fundamental para a formação de todos os elementos atômicos que em seguimento iriam se criar. Ela é o verdadeiro tijolo, a verdadeira massa responsável pela formação da matéria restante e de todo o universo conhecido. Ao contrário do neutrino, o quark contém uma propriedade "libidinosa irrefreável", com uma verdadeira compulsividade para se juntar (ajudado por uma partícula chamada glúon que, como o fóton, provavelmente é energia pura) e produzir, na sequência, partículas subatômicas conhecidas por elétrons, prótons e nêutrons.

Foi também nesse momento que entrou em cena a primeira das quatro forças fundamentais da natureza, a força nuclear forte.[10] Ela juntou prótons e elétrons, numa associação estável sob a forma de núcleos de hidrogênio. Isso aconteceu milésimos de segundo após a detonação. Naquele instante, essas coesões radioativas criaram o primeiro dos aproximadamente 109 elementos que compõem a natureza, descobertos até 1999.

---

9. Informações recentes dão conta de que foram descobertos três tipos de neutrinos, um deles ligado ao elétron. Os neutrinos continuam sendo criados aos bilhões de bilhões, em decorrência das explosões do núcleo atômico das estrelas.
10. As outras são: a gravitação, o eletromagnetismo e a força nuclear fraca.

A FORMAÇÃO DA MATÉRIA

Vejamos o que aconteceu mais tarde, conforme descrito por George Smoot e Keay Davidson em *Dobras no tempo*: "Aos trezentos mil anos, as coisas estavam tão frias que os fótons não tinham energia para desalojar os elétrons dos prótons. Isso teve dois resultados: prótons e elétrons passaram a se associar e a ficar estáveis sob forma de núcleos de hidrogênio; e os fótons ficaram livres para fluir por onde pudessem".

Em seguida, prótons e elétrons foram se unindo com estrutura e peso diferentes, fator que possibilitou a montagem dos demais elementos, como é o caso do hélio, do carbono, do nitrogênio e assim por diante. Os elementos da natureza se diferem pelo número e pela massa atômica. Além dos já citados, os mais conhecidos são hidrogênio, ferro, alumínio, bromo, cobalto, enxofre, estanho, flúor, fósforo, magnésio, níquel, cloro, nitrogênio, manganês, cromo, ouro, oxigênio, prata, tungstênio, urânio, zinco etc. As substâncias se diferem consoante os arranjos dos átomos. É da variação de prótons e elétrons na constituinte atômica que vão se formando núcleos atômicos com massas diferentes.

Após formar o hidrogênio, os prótons e elétrons se combinaram para formar o deutério, depois o hélio e assim por diante. Os átomos emprestam à matéria a maior parte de suas propriedades físicas e químicas. São os conjuntos de átomos que formam as moléculas. Por exemplo, o átomo de oxigênio capta dois elétrons dos dois átomos de hidrogênio, e dessa união de três átomos surge uma molécula que nessa particularização é denominada água, cuja fórmula é ($H_2O$).

Também o caimento do número de prótons vai alterando a nomenclatura da matéria. Por exemplo, um átomo com 92 prótons se chama urânio; com 90 prótons, tório; e com 86 prótons, rádon.

Constata-se, então, que imperceptíveis modificações estruturais produzem, sucessivamente, elementos de natureza distinta. Decorrente de reação química mais ou menos parecida, um átomo de sódio pode ser capturado por um átomo de cloro e, uma vez ligados, formam uma molécula denominada cloreto de sódio, ou seja, sal.

Como resultante dessas formações de substâncias, todos os arranjos estruturais da natureza são na verdade composições químicas.

## RAZÃO X RELIGIÃO

Observemos a opinião de Timothy Ferris:

O impacto da teoria da relatividade vem do fato de que o eletromagnetismo está implícito não só na propagação da luz, mas também
na arquitetura da matéria. O eletromagnetismo é a força que mantém os
elétrons em suas órbitas em torno de partículas nucleares para fazer os
átomos, que une os átomos para formar moléculas e junta as moléculas
para formar objetos. Tudo o que é concreto, das estrelas aos planetas até
esta página, o olho que a lê, encerram eletromagnetismo nas fibras de
seu ser.[11]

Incluam-se, nesse tudo, as demais formas de vida vegetal e animal e,
nesta, o homem. De fato, não somos outra coisa senão uma montagem
química. Cerca de 96% do nosso corpo é constituído de carbono, hidrogênio, oxigênio e nitrogênio (CHON).

A criação com base apenas no resfriamento da sopa cósmica inicial
se formou de maneira quase espontânea. Os elementos mais simples em
número atômico e massa foram criados da forma como já se explicou.

Então, à medida que passava o tempo, alguns tipos de elementos exigiam maior complexidade, como era o caso do carbono, do ferro e de outros que foram fabricados pelas altas temperaturas existentes no interior
das estrelas. Tudo começou com uma enorme quantidade de gases, que
foi se alastrando por todo o espaço. Era o chamado material estelar espalhado. Existia no universo grande volume de poeira de gases e sedimentos
químicos das mais variadas espécies. Segundo a teoria de Laplace, essas
nuvens gasosas deram início a um processo de condensação. Paralelamente, houve um gradativo processo de interação gravitacional que juntou essas porções para a formação do Sistema Solar. Um processo semelhante
formou as miríades de estrelas, nebulosas, galáxias e todos os demais corpos celestes.

---

11. FERRIS, Timothy. *O despertar na Via Láctea*: uma história da Astronomia. Rio de
Janeiro: Campus, 1990. p. 143.

A concentração de matéria num núcleo faz a estrela liberar energia. É por essa razão que elas brilham. Porém, essas forjas estelares, da mesma forma, a partir dos átomos mais leves, criam átomos mais pesados.

Com base nesse processo, conforme Timothy Ferris, "cada estrela forja átomos de carbono, oxigênio, néon, sódio, magnésio e silício, depois níquel e cobalto e finalmente ferro. O ferro é o produto funcional de que mais se orgulha a estrela".[12]

As estrelas, como se depreende, são verdadeiros laboratórios químicos, capazes de transformar elementos mais leves em elementos mais pesados pela liberação de uma quantidade imensa de energia. Esse processo de fusão é conhecido como nucleossíntese.

Para terminar este capítulo, é de bom tom fazer referência à seguinte afirmação de Marcelo Gleiser: "Portanto, o carbono, o oxigênio e outros elementos pesados, que não só fazem parte do nosso organismo como também são fundamentais para a sobrevivência humana, foram sintetizados no interior das estrelas antes de serem projetados através do espaço estelar. Nós somos filhos das estrelas".[13]

---

12. FERRIS, 1990, p. 102.

13. GLEISER, Marcelo. *A dança do universo*: dos mitos de criação ao Big Bang. São Paulo: Companhia das Letras, 1997. p. 377.

# 5
# Onde estamos?

Depois da Teoria da Gravitação Universal de Newton, incompleta porque não conseguia explicar toda a fenomenologia físico-química universal, Einstein, um dos maiores pensadores da história da Astronomia, elaborou a Teoria da Relatividade Geral com suporte em sua célebre fórmula $E=MC^2$. Sua intenção foi descrever o comportamento do espaço, do tempo e da matéria. Para Einstein, nada pode se deslocar com velocidade maior do que a velocidade da luz, que para a sua teoria é uma constante absoluta.

Aparentemente, existem dificuldades para explicar o termo espaço-tempo. Claro que, para Einstein, não existe espaço sem tempo, nem tempo sem espaço. De fato, se olharmos para o espaço com um telescópio, estamos olhando para trás no tempo e vendo galáxias como eram há milhões ou até bilhões de anos, caso em que o espaço se confunde com o tempo. Por essa razão, os cientistas afirmam que, antes do Big Bang, não havia espaço nem tempo, particularidade que se constitui em um dos fundamentos da Lei da Relatividade.

O tempo existe para nós, que somos indivíduos. O nosso tempo é medido do nascimento até a morte. O tempo existe para um corpo celeste em caráter particular. Mas creio que não exista tempo para o Universo considerado como um todo, pelo simples fato de ele não ter tido início nem fim.

Segundo John Barrow, o tempo é uma síntese dos conteúdos materiais do Universo e suas configurações. Logo, a matéria é tudo e tudo é matéria.

ONDE ESTAMOS?

Ela é o início e o fim de todas as coisas. Não existe nada além ou aquém dela. Devo considerar o meu entendimento de que o espaço-tempo é a forma pela qual a matéria se revela ou se manifesta. O fato de ela ter evoluído a partir do Big Bang não significa que não contivesse desde os primeiros instantes as propriedades requeridas para elaborar complexidades.

Todavia, se a teoria da Relatividade deu respostas satisfatórias quanto às concepções concernentes ao macrocosmo, não conseguiu explicar as manifestações das partículas subatômicas. Para contrabalançar o impasse, alguns físicos conceberam a teoria da Mecânica Quântica. Tudo começou com o cientista alemão Max Planck, que em 1900 sugeriu que a luz, e todas as demais ondas eletromagnéticas não eram emitidas em caráter arbitrário, mas em determinadas quantidades ou unidades distintas denominadas *quanta*.

Paralelamente, Broglie, Bohr, Heisenberg e Schrödinger desenvolveram as leis que dirigem o movimento dos átomos, descoberta que permitiu introduzir a Mecânica Quântica no mundo da Física. Com base nesses novos conhecimentos, Maxwell comprovou a existência de uma íntima relação entre a luz e as forças eletromagnéticas. Daí nasceu a teoria eletromagnética da luz.

Aceitando as concepções de Planck, John D. Barrow, em sua obra *A origem do universo*, acrescentou: "A Mecânica Quântica nos diz como é o comportamento ondulatório de cada partícula de matéria e, portanto, qual a possibilidade de a matéria manifestar certas propriedades"[14]. Por conseguinte, matéria é, em Mecânica Quântica, não uma substância inerte, mas um agente ativo que o tempo todo faz escolhas entre alternativas de acordo com as leis da probabilidade.[15]

---

14. BARROW, John D. *A origem do Universo*. Rio de Janeiro: Rocco, 1995. p. 82.
15. DYSON, Freeman. *O infinito em todas as direções*: do gene à conquista do Universo. Tradução: Laura Teixeira Motta. São Paulo: Best Seller, 1988.

Ainda mais concreto e objetivo foi Fritjof Capra em *O tao da física*:[16]

Esse pensamento em termos de processo surge na física com a teoria da relatividade de Einstein. O reconhecimento de que a massa é uma forma de energia eliminou da ciência o conceito de substância material, e com ele também o de estrutura fundamental. As partículas subatômicas não são feitas de qualquer estofo material; são padrões de energia. A energia, no entanto, está associada com atividade, com processos, e isso implica que a natureza das partículas subatômicas seja intrinsecamente dinâmica. Ao observá-las, nunca vemos qualquer substância, nem qualquer estrutura fundamental. O que observamos são padrões dinâmicos, transformando-se continuamente uns nos outros – uma contínua dança de energia... Consequentemente, o elétron pode apresentar-se como uma partícula, ou então como uma onda. O que você vê depende de como você olha para ele.

Heisenberg, a seguir, cogitou que a incerteza na posição da partícula multiplicada pela incerteza de sua velocidade e o produto dessas duas pela massa da partícula nunca pode ser menor do que uma dada quantidade, conhecida como constante Planck.[17]

Com base nesses fundamentos, passamos a compreender que a atração de partículas de carga elétrica, ou magnética entre si, produz a luz e todas as outras formas de radiação, inclusive a radiação de onda longa chamada rádio, e a radiação de onda curta, chamada raios X e raios gama. A gravitação (acredita-se que os grávitons sejam os responsáveis pela gravitação universal) e o eletromagnetismo têm alcance infinito, por isso podemos ver a luz vinda de bilhões de anos-luz de distância.

Qual o significado dessas teorizações? Essa complexidade é a síntese do conhecimento científico da atualidade. Significa que elétrons e átomos se

---

16. CAPRA, Fritjof. *O tao da física*. São Paulo: Cultrix, 2000. p. 245.
17. Pelo princípio da incerteza é impossível determinar ao mesmo tempo a posição e a velocidade de uma partícula.

ONDE ESTAMOS?

movimentam em velocidades fantásticas mesmo parecendo que a matéria esteja imóvel. Em outras palavras, a ciência não consegue saber o local exato ocupado por uma partícula, pois, em um milésimo de bilionésimo de segundo, ela não está mais no mesmo local. Em resumo, tudo se move, o extremamente pequeno, em velocidades incomensuráveis e o tremendamente grande, em velocidades espantosas. Então estamos sujeitos mais à aparência, na doutrina quântica e na concretude da matéria, na teoria da Relatividade.

O mais importante em toda essa parafernália cósmica é que o homem conseguiu se comunicar através delas, mesmo sem jamais ter conseguido vê-las. Há alguns milhares de anos, nossos ancestrais apenas caminhavam. Depois aprenderam a montar animais. Há poucos anos, inventaram a máquina a vapor e os motores movidos por combustão. Passaram, então, a se deslocar a mais de cem quilômetros por hora. Enfim, inventaram o avião e o foguete interplanetário e conseguiram se movimentar a milhares de quilômetros por hora, e, nos últimos cem anos, o homem conseguiu controlar as ondas radioativas, usando-as para viajar quase à velocidade da luz, isto é, quase a trezentos mil quilômetros por segundo. Como logrou essa façanha?

Essas comunicações instantâneas têm suporte nas equações de Maxwell e na descrição das ondas eletromagnéticas. Elas comandam o comportamento dos transistores e dos circuitos integrados que são os componentes essenciais dos instrumentos eletrônicos, tais como rádio, televisão, computadores e demais artefatos eletrônicos. As equações de Maxwell também constituem a base química da biologia moderna.

Apesar do uso das ondas eletromagnéticas, os cientistas não descobriram se a luz é uma partícula ou uma onda, porque eletricidade é magnetismo e magnetismo é eletricidade. Por isso o fóton se comporta tanto como onda quanto como partícula. Na verdade, a onda de rádio ou a onda de luz são a mesma coisa, diferenciando-se apenas em comprimento e frequência.

Pode a teoria Quântica ser complexa, mas não restam dúvidas de que é excepcionalmente bem-sucedida. Talvez esse fato não contenha apreciável importância para o povo em geral. Realmente, a cultura apenas exige que se saiba como essas coisas aconteceram. Se assim é, interessa então conhecer resumidamente o desenvolvimento do pensamento científico desde os primeiros dias de nossa história inteligente até os tempos atuais.

Muitos anos antes de Cristo, Demócrito já falava em átomo. Aristarco, 1700 anos antes de Copérnico, concebia que o Sol era o centro do Universo. Tarefa tremendamente difícil, contudo, foi a de superar as ideias conservadoras de Aristóteles e Ptolomeu, responsáveis pelo enredamento da cosmologia por mais de mil anos. As igrejas cristãs absorveram e adotaram as ideias estacionárias de Aristóteles, que considerava a Terra e as estrelas firmemente fixadas no céu, tendo daí surgido o termo "firmamento". Com o passar dos anos, essas posições equivocadas foram sucessivamente lançadas por terra pela ciência. Constatando o perigo, o Concílio de Trento proibiu qualquer apreciação das escrituras que contrariasse a interpretação sancionada pelas autoridades eclesiásticas.

Em resumo, a Igreja sempre tinha razão, privilégio que manteve até 1543, quando Copérnico publicou sua obra *De revolutionibus orbium coelestium,* que demoliu de vez a física aristotélica. Naquela época, coincidiram algumas circunstâncias proveitosas. A República Comercial Veneziana florescia em meio a uma estrutura feudalista, na qual as ideias liberais podiam fluir livremente e onde passou largo tempo de sua vida um homem cujo conhecimento, modo de pensar e a coragem sobrepujariam para sempre o medievalismo das ideias aristotélicas-ptolomaicas. Seu nome era Galileu Galilei[18], que, com o influxo de suas ideias, alterou os mais de mil anos de conservadorismo, provocando o desmoronamento do religiosismo científico e o desmantelamento dos dogmas da Assembleia Trentina.

A mesma fogueira que queimou os ideais de Giordano Bruno não teve chamas suficientes para extinguir o exuberante ânimo de Galileu, mais tarde seguido por Johannes Kepler e Tycho Brahe. Daí em diante o mundo jamais seria o mesmo. O obscurantismo e as ideias retrógradas foram duramente canhoneadas pelos petardos da razão científica. O passado da ciência engajada estava definitivamente sepultado. Naquele momento,

---

18. Galileu viveu em Padova, onde por vários anos foi professor. Padova à época fazia parte da República Veneziana.

três modos de pensar se uniram para mostrar quanto era pequeno o mundo face à grandeza ilimitada do Universo. Coube a Galileu Galilei, Giordano Bruno e Pierre-Simon Laplace a prova de que o sistema solar situava-se nos confins da Via Láctea e que não passava de uma ínfima parte do Universo, um pequenino grão de areia nas vastidões sem-fim de uma galáxia formada por milhões de estrelas.

Nesses passos gigantescos devemos salientar os trabalhos de Copérnico, Galileu Galilei, Kepler, Newton, Planck, Broglie, Bohr, Heisenberg e Einstein. Com Copérnico descobrimos o Sistema Solar que Galileu consolidou. Kepler e Newton nos legaram leis importantes que regem o Universo, destacando-se, dentre elas, a teoria da Gravitação Universal, englobada mais tarde pela Relatividade Geral de Einstein. No entanto, a teoria da Relatividade está separada da teoria Quântica. Elas não estão ligadas por um princípio unitário ou por qualquer lei. O átomo, por exemplo, é governado não pela teoria Newtoniana, mas pela Mecânica Quântica, enquanto os movimentos da cosmologia são governados pela doutrina Einsteiniana. De qualquer maneira, onde falha Einstein entra Planck, e vice-versa.

Mesmo sem conseguir uma teoria unificada entre a Relatividade Geral e a Mecânica Quântica, a soma dos conhecimentos e as novas descobertas se constituíram em instrumental eficiente para que os astrônomos pudessem descrever com segurança os traços gerais da geografia do universo. *Grosso modo*, matéria é a maneira como as partículas se portam quando grande número delas se aglomera. Partindo dessa constatação, ficamos sabendo, então, que nossa galáxia contém aproximadamente cem bilhões de estrelas; que a Terra gira em torno do Sol há, aproximadamente, 28.700 quilômetros por segundo; que o Sistema Solar gira em torno do centro da galáxia a uma velocidade de 217 quilômetros por segundo e leva 226 milhões de anos para fazer uma volta completa na galáxia;[19] que, desde que

---

19. O Sistema Solar move-se à velocidade de 225 quilômetros por segundo em relação ao centro da galáxia, cuja revolução demora mais ou menos 230 milhões de anos (BRODY, David Eliot; BRODY, Arnold R. *As sete maiores descobertas científicas*. São Paulo: Companhia das Letras, 1999).

nasceu, o Sol deu apenas quinze voltas em torno dela; que nossa galáxia tem aproximadamente cem mil anos-luz de diâmetro e se movimenta a seiscentos quilômetros por segundo, ou mais de 1,6 milhão de quilômetros por hora, atraída gravitacionalmente por alguma concentração maciça e distante de galáxias.

Enfim, ficamos sabendo que o Sistema Solar está localizado a 26 mil anos-luz do centro da Via Láctea e que, daqui até os limites do Universo – limites segundo o nosso modo de pensar e o nosso conhecimento –, existem bilhões de galáxias com bilhões de estrelas cada uma.

Se tivéssemos condições de viajar à velocidade da luz, certamente levaríamos mais de quinze bilhões de anos para chegar até tais confins. Nessa viagem, encontraríamos bilhões e bilhões de buracos negros, que são objetos astronômicos com espantosa força gravitacional e que possivelmente se formaram de estrelas e de outros materiais que entraram em colapso. Seu número pode até ser maior do que as estrelas visíveis, que chegam mais ou menos a cem bilhões somente em nossa galáxia.

Passaríamos, ademais, pelas estrelas de nêutrons, que são chamadas também de pulsares, por emitirem impulsos de ondas de rádio devido à completa interação entre seus campos magnéticos. Essas estrelas têm um raio de, aproximadamente, dezesseis quilômetros e densidade de centenas de bilhões de toneladas por centímetro cúbico.

Continuando em nossa viagem, cruzaríamos pelas galáxias, bilhões e bilhões delas, desenhadas no espaço cósmico por todos os tipos e formas imagináveis desde grãos de lentilha, nebulosas elípticas, até formas espiraladas, algumas com até dez trilhões de estrelas. Encontraríamos Galáxias Vulgares e Rádio Galáxias, que são corpos celestes muito próximos dos quasares. Os quasares foram descobertos na década de 1960 e situam-se nos rincões mais longínquos do Universo, constituindo-se um enigma para a ciência, pois, sendo menores, produzem mais energia do que uma galáxia.

Pasmemo-nos a essa altura da viagem de bilhões de anos-luz, que, ao encontrarmos buracos negros em número infinito, estrelas em tão grande quantidade que não teríamos condições de contá-las, galáxias e mais galáxias, bilhões delas, com trilhões e trilhões de estrelas, e quasares com estupendas massas e energias, para no fim da viagem chegarmos à conclusão de que tudo aquilo que havíamos descoberto era menos que uma gota de orvalho em face da imensidão dos mares.

Usemos, pois, algumas ideias comparativas para ficarmos estupefatos com a quantidade de matéria que ainda descobriríamos. Acompanhemos o seguinte raciocínio. Noventa e oito por cento da matéria visível em nosso Universo é composta por três quartas partes (3/4) de hidrogênio e uma quarta parte (1/4) de hélio. O que sobra, mais ou menos um por cento, é que forma a matéria propriamente dita.

No entanto, os físicos descobriram uma matéria escura que interage gravitacionalmente com o Universo. Ela é composta por estruturas não definidas e é detectada apenas por sua atração gravitacional sobre a matéria visível. Sua massa se constitui por matéria desconhecida, não bariônica, isto é, não formada por prótons e elétrons. O que impressiona, tanto pelo volume quanto por seu aspecto misterioso, é que tudo o que existe, ou todo o universo conhecido, é menos que 10% da matéria escura.[20]

Tudo isso pode ser desconcertante, porém nossa viagem ainda não acabou. Nos limites que imaginamos para o espaço sideral, encontraríamos verdadeiras muralhas de galáxias, isto é, enormes conglomerados que ocupam a vastidão espacial que foi até onde conseguimos penetrar com nossos modernos telescópios. Essa concentração maciça de matéria foi denominada de "Grande Atractor", porque sua força de gravidade é tão espantosa que estamos literalmente sendo atraídos em sua direção. Talvez seja lá o centro do Universo resultante do Big Bang e para lá sejamos sugados para uma nova explosão total? Quem sabe?

---

20. A matéria escura é não luminosa – possivelmente porque a radiação emitida seja muito fraca. Por essa razão, ela não pode ser observada diretamente. Alguns astrônomos denominam essa forma exótica de matéria de "quinta-essência". Outros consideram que ela seja formada por anãs marrons e até por WIMPS (*Weakly Interacting Massive Particles*), alguma coisa parecida com a teoria das "supercordas".

RAZÃO X RELIGIÃO

Dentre todos esses trilhões de corpos celestes, alguns conhecidos amplamente, outros de difícil definição, formou-se numa das extremidades da Via Láctea, integrando um sistema que foi denominado Sistema Solar, um insignificante planeta, pequenino, inexpressivo, um verdadeiro nada que se chama Terra e que é o local onde habitamos. Por essa razão, ele é o mais importante de todos, além de ser o mais belo. Não sabemos se existe vida em qualquer outro canto do cosmos. Possivelmente sim. Embora haja bilhões de possibilidades, talvez esse fato nunca venha a ser comprovado. As estrelas mais próximas, Alfa Centauro e Cygni 61, estão a 4,2 e 11 anos-luz da Terra, respectivamente. Quer dizer, mesmo viajando à velocidade da luz, levaríamos muito tempo para ir e voltar. Pela Lei da Relatividade estamos proibidos de realizar esse sonho. Ainda assim, não sabemos se em seu campo de atração gravitacional existem planetas semelhantes à Terra. Pessoalmente, não creio que algum dia encontremos vida inteligente em outros sistemas. A impossibilidade de viajarmos a trezentos mil quilômetros por segundo e a impossibilidade de aptidão biológica para viagens que demandem anos nos torna definitivamente escravos do Sistema Solar ou apenas de nosso próprio planeta.[21]

Então, por que a insistência em viver de quimeras ou de sonhos meramente utópicos, com toda a certeza irrealizáveis, além de não resultarem em qualquer espécie de benefício aos povos da Terra?

Por que nossa incontida ansiedade para conquistar os planetas mais próximos? Será que não temos ideia da dor, da fome, da miséria que nos rodeia? Não temos o direito moral de sonhar com outros mundos enquanto estivermos destruindo o nosso e condenando ao extermínio uma civilização que levou milhares de anos para se consolidar. Um pouco de humildade não nos faria mal. Um pouco de amor pela nossa Terra não faria mal a ninguém. Um pouco de respeito pelas riquezas animais, vegetais e

---

21. Nosso organismo suporta um peso de aproximadamente quinze mil quilos. Com a evolução, aperfeiçoamos um sistema de equilíbrio, isto é, existe uma força de dentro para fora que empata com o peso, dando-nos condições de sobrevivência. Em qualquer parte do Universo, sem roupas especiais, simplesmente explodiríamos.

ONDE ESTAMOS?

minerais nos daria mais felicidade do que a presuntiva conquista espacial. Estamos aqui com todas as nossas imperfeições. Não percamos a esperança e esperemos que possamos transformar nossos defeitos em virtude e salvemos o lugar onde estamos antes que ele acabe, e com sua morte acabe, igualmente, a civilização. Nossas utopias estão aqui, e não fora do planeta. Noventa e nove por cento de todas as espécies já desapareceram. Será que a nossa burrice e a nossa incompetência também nos condenarão ao desaparecimento? Sejamos menos arrogantes. Este é o nosso lugar. Aqui estamos. Salvemo-lo.

# 6
# Enfim, a vida

Quem quiser explicar como a vida começou e como evoluiu, não poderá valer-se de simplificações. Pelo contrário, percucientemente, deverá percorrer as complexas etapas da evolução, desde os primeiros sintomas de vida até o arquétipo humano, o que não é uma tarefa fácil, pelo contrário, muito problemática e repleta de conjecturas, pois apenas conhecemos os degraus de sua pirâmide, sem saber, contudo, acerca de percentagens, composições e os instantes em que os fenômenos bioquímicos foram se realizando. O edifício da vida está aí. É fato inegável que sua construção decorreu de estágios gradativos, isto é, foi se constituindo aos poucos. Podemos dizer que tudo se implementou por meio de uma prodigiosa interação entre a probabilidade e a espontaneidade. Nada foi criado ou feito para a vida surgir, mas, sem as condições determinadas pelas coincidências, a vida não teria brotado. O objetivo dos eventos não era a criação, mas desaguou nela.

O homem é um nada visto em caráter isolado, e é um tudo se admitirmos o somatório de suas próprias circunstâncias físico-biológicas. O ato de respiração é uma necessidade, e não uma vontade. O mesmo sucede com a circulação sanguínea e com as batidas do coração. Em matéria de metabolismo, nós, conscientemente, comandamos pouca coisa. Até o ato de comer. Embora dependa de nossa vontade, sem a intervenção do cérebro não sentiríamos fome. As mitocôndrias[22] levam energia para todas as partes do corpo, independentemente de nossa vontade. Se elas deixassem de trabalhar apenas um segundo, morreríamos.

Até as guerras, tendo por um lado batalhões de maléficas bactérias e perniciosos vírus que agridem nosso organismo, encontram resistência num enorme número de guardiões de nossa saúde sem que isso dependa de deliberações nossas. Todas as estratégias e comunicados de guerra são adotados à nossa revelia. Os genes comandam a formação de nosso ser biológico e, junto com o DNA, formam o próprio instinto de organização vital. Temos que nos convencer de que a matéria foi se organizando e foi, nos milênios, montando o edifício da construção humana, quark por quark, próton por próton, átomo por átomo, célula por célula, proteína por proteína, molécula por molécula até o topo da criação. Nós somos o seu produto mais pomposo, pronto e acabado. Nós somos o êxtase final da criação. Nós somos os computadores biológicos da natureza, pelo menos até esta quadra da vida. Existem, ainda, alguns bilhões de anos pela frente, e, até lá, não temos condições de saber como tudo vai evoluir.

Nessa altura, somos obrigados a nos perguntar: como tudo isso aconteceu?

Se alguém não acreditar na capacidade que tem a célula de se multiplicar, deve correr os olhos, até elementarmente, pela teoria do embriologismo, desde o momento em que um espermatozoide impulsionado por seu apêndice remador (ondulipódia) aportou no óvulo e o penetrou para formar uma célula que aos poucos foi se construindo, se multiplicando e gerenciando a formação dos órgãos e dos tecidos, como um engenheiro comanda uma obra e os pedreiros vão construindo tijolo por tijolo, parede por parede, o edifício inteiro.

---

22. A mitocôndria é uma organela oblonga que funciona como uma usina química que produz energia para as células toda vez que precisamos dela. Nas árvores, essa energia é oriunda da luz solar e se forma por meio da fotossíntese por um processo químico semelhante.

Milhares de genes controlam a energia recebida das substâncias, postas à disposição pelas mitocôndrias e transferidas ao óvulo para formar, aqui o fígado, ali o cérebro, lá o coração, depois a ponta dos membros e assim por diante, tudo numa sincronia impressionante, sem nada dar errado até o instante do nascimento. Abstraindo complexidades, foi assim que a vida surgiu. Uma célula num determinado momento se duplicou e o fenômeno vital iniciou seu curso. Daí em diante, passamos a ser a resultante do "diktat" genético.

Mas o que é a vida? A vida não se resume apenas ao ato de nascer. Não é apenas uma célula viva. Nem provém de matéria animada por estímulo espiritual. A vida é nutrição, respiração, crescimento, reprodução; acontecimentos que não são frutos do acaso. Ela decorre da montagem de substâncias químicas que foram se agregando, se transformando, até um determinado momento em que conseguiram, à custa de certas propriedades, se reproduzir e se multiplicar. Portanto, ela não proveio de fenômenos incognoscíveis nem teve origem na sobrenaturalidade.

Como disse Oparin, a vida não é uma manifestação da divindade nem produto de geração espontânea, mas resulta de uma forma particular da organização da matéria. A concepção darwiniana, que apostou forte na teoria evolucionista, comprovou, definitivamente, que nenhum ser superior animou a matéria para seu regozijo e glória. Em outras palavras, não somos produtos prontos e acabados, mas resultado de uma lenta evolução que levou milhões de anos para alcançar o presente estágio de consciência e inteligência. O mérito de Oparin, cujas ideias foram estampadas no livro *A origem da vida*, foi ter sido, ao que se sabe, o primeiro autor a romper com as teorias criacionistas presentes na ciência biológica e nas consciências religiosas desde as lendas místicas do Egito e da Babilônia, desde o plano aristotélico, passando por Santo Agostinho e São Tomás de Aquino, que ensinavam que os seres vivos surgiram da animação da matéria inerte por um princípio espiritual (criação do homem à semelhança dos deuses), até os dias de hoje, apesar do avanço científico dos últimos decênios.

Embora a vida seja o fenômeno mais complexo que conhecemos e nós sejamos os seres mais complexos que a natureza criou, em qualquer

ENFIM, A VIDA

hipótese ela não deixa de ser, como afirmou Christian de Duve,[23] uma "manifestação obrigatória das propriedades combinatórias da matéria". Prosseguiu Duve afirmando que devemos excluir:

a) o vitalismo, que considera os seres vivos de matéria animada por um espírito vital;

b) o finalismo, que presume causas teleológicas nos processos biológicos; e,

c) o criacionismo, que invoca a aceitação de concepções religiosas com base nos mitos de criação.

Afastados esses argumentos, não remanescem mais dúvidas de que somos descendentes de um antepassado comum que, segundo a ciência, surgiu por volta de 3,6 a 3,8 bilhões de anos, cuja matriz se transmitiu pelas gerações que se seguiram e cuja história não trata apenas de um crescimento vertical em direção à complexidade; a vida é também uma expansão horizontal em direção à diversidade.

Como já dissemos, a maior parte da matéria viva é formada principalmente por carbono, hidrogênio, nitrogênio, oxigênio, fósforo e enxofre.

Numa certa época do passado, radiações fortes de energias e descargas elétricas foram constantemente recombinando átomos, cujas ligações terminaram por produzir aminoácidos e proteínas, além de outros blocos básicos formadores dos constituintes biológicos de importância fundamental para usar matéria existente em seu entorno, uma espécie de caldo, segundo os cientistas, para produzir as primeiras células, que, com o passar das épocas, sem que se saiba bem como os eventos tenham ocorrido, conseguiram se replicar, formatando dessa maneira o degrau básico que se refletiria em todas as formas de vida, geradas pelas mutações e conduzidas pela seleção evolutiva.

---

23. Christian de Duve foi prêmio Nobel em biologia e medicina em 1974. Professor emérito da Faculdade de Medicina da Universidade de Louvain e da Fundação Andrew Mellon, na Universidade de Rockfeller, em Nova York.

Ao que se sabe, não existe uma prova fundamental a atestar em caráter induvidoso o primeiro instante da criação, isto é, não existe uma comprovação definitiva a afirmar com segurança suas formulações químicas. Se essas dificuldades fossem superadas, provavelmente o homem poderia reconstituí-las para dar vida à matéria. Os sucessos nesse terreno não contêm explicações fáceis, porém as teorias comprovaram sem erros e mistérios a existência dos cânones da mutação e da evolução.

Já vimos em um capítulo anterior, quando tratávamos da comprovação do Big Bang, que uma das provas concretas fora demonstrada pela descoberta da expansão do cosmos. Se houve expansão, diziam os entendidos, era sinal que, num determinado momento, toda a matéria se encontrava concentrada num ponto único. Assim, da mesma forma, comprovada a evolução – e quanto a isso não há dúvidas –, ela evidencia que tudo começou com uma unidade básica: a célula. Esse processo biogênico aconteceu há, aproximadamente, 3,8 bilhões de anos e perdurou por mais ou menos três bilhões. Apenas nos últimos seiscentos ou setecentos milhões de anos as células conseguiram formar organismos multicelulares. Em todos esses acontecimentos, o principal e o fundamental é que, no momento em que a célula conseguiu fazer uma cópia de si mesma, aí a vida começou. Acredito que essa capacidade de divisão, adaptação e mutação contenha as mesmas características e use as mesmas maquinarias químicas, hoje existentes na multiplicação de vírus e bactérias. Sobre esse tema assim se manifestou John Gribin:[24]

> A vida começou quando, em algum lugar e em algum instante do tempo, uma combinação de reações químicas produziu uma dada molécula capaz de gerar cópias de si mesma, desencadeando novas reações químicas. A partir desse momento a história da vida tem sido a competição entre diferentes formas de vida em busca de alimento, ou seja, os elementos químicos e compostos necessários para se obter cópias... Em alguns casos, tal como em uma bactéria, as próprias células são os organismos

---

24. John Gribbin é um conceituado astrofísico da Universidade de Cambridge; autor de mais de trinta livros sobre ciência astronômica.

vivos completos; em outros, muitos milhões de células se combinam entre si para produzir, digamos, um ser humano ou uma árvore.

Em todas as formas de vida existentes, a matriz genética é impressa em moléculas de ácido desoxirribonucleico. Daí em diante, surge um novo fenômeno para dar continuidade aos acontecimentos: a seleção darwiniana. Com o correr do tempo, os organismos iniciaram as fases de adaptação ao meio ambiente. A vida inicialmente aquática conseguiu usar o oxigênio e transportar-se para a terra. Enquanto as bactérias iam evoluindo para estágios de captação e expelição de matéria alimentícia, as células vegetais passaram a absorver o carbono inorgânico do ar sob a forma de gás carbônico e, com o auxílio da energia solar, produzir as substâncias necessárias. Houve época em que a maior glória da natureza era a criação dos vermes, e foi a partir deles que foram criados orifícios de entrada e saída de alimentos. Concomitantemente, apareceu um companheiro para o DNA, o GENE, que em seu conjunto formou o genoma, responsável pela criação do programa de construção da criatura viva.

Concernentemente a esse código, assim se manifestava Alfred Hermann:

> O código contém bilhões e bilhões de instruções e de sinais. A "construção" de uma simples minhoca precisa de tal número de instruções que a imaginação mal pode conceber. O código genético contém as instruções referentes à "construção" de cada órgão nos seus detalhes mínimos, bilhões de células e neurônios, todo o psiquismo, inclusive a herança das qualidades e defeitos.[25]

De todas as etapas, possivelmente uma das mais importantes foi o desenvolvimento da reprodução sexuada. No mundo vegetal, diz Duve, tal aperfeiçoamento consistiu na:

---

25. HERMANN, Alfred. *Teilhard, Melvin Calvin e a origem da vida*. Petrópolis: Vozes, 1968. Coleção Cadernos Teilhard, 9.

[...] mudança de esporos para sementes e daí para flores e frutos. Nas plantas, o pólen é a célula masculina e o óvulo, a feminina[26]. No mundo animal, a fecundação fortuita na água cedeu lugar à cópula. Primeiro os ovos fertilizados eram expelidos e se desenvolviam na água, depois na terra, no interior protegido do ovo amniótico, e, finalmente, no interior do útero para um curto período de desenvolvimento nos marsupiais e, mais tarde, por um período mais longo nos placentários.

Os filhotes famintos, por sua vez, começaram a lamber substâncias graxas excretadas pelas glândulas sob o pelo do peito da mãe. Uma coisa leva à outra. A secreção se transformou em leite e as glândulas em órgãos de alimentação (glândulas mamárias).

Embora atualmente só exista 1% das espécies que já existiram, essas extinções não impediram que chegássemos aos nossos dias com uma impressionante biodiversidade. O biólogo Edward O. Wilson arrolou um total de 1.402.900 espécies catalogadas. Mais da metade é formada por insetos (751.000), aos quais se somam mais 123.400 artrópodes que não são insetos e 106.300 outros animais invertebrados. Em contrapartida, há apenas 43.300 espécies de vertebrados conhecidas, das quais menos de 10% são mamíferos.[27] As plantas representam 248.400 espécies; os fungos, 69.000; os protistas, 57.700 (entre os quais 26.900 são algas fototróficas), e há apenas 4.800 espécies de bactérias. Segundo Wilson, o número de espécies que habitam a Terra hoje vai de dez a cem bilhões, mais da metade ainda não catalogadas. Outros cientistas estimam que as quantidades são bem menores, isto é: de três a dez bilhões. Porém, devido à devastação humana, condenamos ao extermínio de 27 mil de espécies a cada ano, o

---

26. Em certas árvores, principalmente nas rosáceas, as flores exalam um aroma agradável logo que desabrocham, muito provavelmente voluptuoso para os insetos. Todavia, após a fertilização, o perfume se deteriora, e a flor passa a exalar um cheiro nauseabundo que, por incrível coincidência, lembra o cheiro de esperma seco ou até de uma vulva não devidamente higienizada.
27. Trabalho duro deve ter tido Noé para acomodar tudo isso dentro de uma embarcação.

que significa que grande parte do livro da vida é destruída muito antes que possamos lê-lo.

Dentre essas espécies, uma se salientou em caráter ímpar: o homem, cuja família propriamente dita tem cerca de sete milhões de anos. Naquela época, os humanos e os chimpanzés compartilhavam um ancestral comum. Há cerca de seis milhões de anos, alguns habitantes das árvores passaram a habitar as savanas, e assim deram início à linhagem evolutiva da qual descende a humanidade, cuja anatomia moderna começou a aparecer na África ou no Oriente Médio por volta de cem mil anos. Segundo Richard Leakey:[28] "A transformação de formas arcaicas do *Homo sapiens* em formas modernas ocorreu primeiramente na África, há cerca de cem mil ou 140 mil anos. Todos os humanos de hoje são descendentes daquelas populações".

Como o ADN é herdado pelo lado materno, ele nos conduziu a uma única ancestral fêmea, hipótese levantada em 1987 que se constituiu num novo modelo para as origens dos humanos modernos. Essa fêmea foi denominada Eva mitocondrial. Ela teria vivido na África há mais ou menos 150 mil anos.

Compartilhamos 99,9% de nossos genes com os chimpanzés, e somos virtualmente idênticos no DNA. Segundo os entendidos, o que fez a diferença foi a fala, que surgiu da mente, a mais misteriosa das qualidades humanas. Mas, por mais misteriosa que seja, ainda continuam sendo, tanto a consciência como a mente, produtos da evolução. O cérebro produz o pensamento, asseverava Pierre Cabanis, assim como o fígado secreta a bile.

O homem não é um ser superior. Ele faz parte da natureza. Foi criado nas mesmas condições. Como todas as demais espécies, ele também

---

28. Autor de vários livros. Para responder à pergunta sobre o que fez dos humanos, humanos, Leakey escreveu *A origem da espécie humana* (1995). Ele pertencia a uma renomada família de paleontólogos. Descobriu na África um esqueleto remanescente do *Homo erectus* que muito contribuiu para a nossa compreensão da evolução humana. Também é autor de *O povo do lago*, *One pife*, *Origins*, *Origins reconsidered* (em coautoria com Roger Lewin) e *Conservation: save the elephants*.

depende da matéria criada para sobreviver. Não sobreviveríamos sem oxigênio. Os animais e as árvores também. Nós, humanos, não viveríamos se não existissem animais e vegetais para nos alimentar. Mas tanto animais quanto vegetais podem perfeitamente sobreviver dispensando a companhia humana. Sob esse prisma, o ser humano é uma das mais frágeis criaturas. Então por que ele destrói exatamente o sistema ecológico do qual depende?

Sob o ponto de vista da criação, nossa origem não é diferente da esponja (o único animal que não tem neurônios), da ameba, de qualquer animal ou de qualquer árvore. O processo físico-químico da criação obedeceu às mesmas sintetizações químicas. Se existe diferença, ela se revela pelas lutas que as espécies travam. As árvores entram em conflito com outras árvores para conquistar espaço e se transformar em dominantes nos territórios que disputam. Contudo, não ultrapassam os limites impostos pelas condições apropriadas de sobrevivência. Os animais lutam por espaço, território e alimento com o objetivo de conservação da espécie. Fazem isso sem deteriorar o meio ambiente. Só o animal homem destrói, ou por prazer, ou por ignorância, ou por perversidade, isto é, por seus defeitos. Talvez essa particularidade signifique que as demais formas de vida vegetal ou animal sejam mais perfeitas. Para dissipar possíveis dúvidas e evitar que fiquemos embasbacados, basta fazer comparações como, por exemplo, quem enxerga mais, o homem, ou o lince, ou a mosca drosófila, ou a águia? Quem tem o sentido do olfato mais desenvolvido? O homem ou os animais? Quem tem mais organização: as formigas, os cupins, as abelhas, os insetos em geral ou o ser humano? Quem vive mais, o homem ou a tartaruga?

Dirá alguém: mas o homem pensa!

Pensa, mas erra. É que ele imprime nas suas atividades comerciais, agrícolas e industriais, a soberba, o orgulho, a prepotência e o egoísmo, causando uma inexorável atividade destruidora nos recursos naturais. Nada nos leva a concluir que ele faça exames de consciência no desempenho de sua profissão, mesmo porque está submetido a uma máquina industrial infernal que, com uma voracidade irreversível, vai devastando um

ENFIM, A VIDA

sistema que levou milhões de anos para estabelecer o natural equilíbrio da natureza e do meio ambiente.

Forçando a maneira de pensar e adotando um raciocínio não totalmente correto, daria até para dizer que, no momento em que criou a consciência ou a mente, o homem perdeu o instinto pelo qual ele automaticamente optava por uma forma mais apropriada de procedimento. Provavelmente, um erro de montagem neurônica-cerebral fez a espécie dar mais errado do que certo, pelo menos até esta quadra do desenvolvimento psicossocial da humanidade. Embora a luta pela sobrevivência seja uma característica de todos os seres vivos, tornou-se evidente na espécie humana que o egocentrismo, as desigualdades e as componências raciais e religiosas manifestam características perturbadoras no que diz respeito ao processo civilizatório. Esse tipo de seleção social tem comprovado que sempre vencem os mais fortes e os mais aptos. Assim são também as nações, umas mais fortes e mais poderosas que as outras e, por isso mesmo, sempre opressoras. E, se foi assim até hoje, nada indica que as coisas tendam para uma mudança de comportamento para que a compreensão viesse a balizar o relacionamento dos seres. As árvores, por um princípio de predomínio da variedade, demarcam territórios. Os animais guiam-se pelo instinto. Só o homem prefere guerrear infectado por defeitos obliteradores da compreensão e do amor. Nesse ponto, até as religiões falharam. Elas não conseguiram, em matéria de essencialidade, mudar nada. Embora pareça paradoxo, a inteligência ofuscou-lhe a lucidez. Por acaso, não foi por essa razão que Einstein, escrevendo a Freud em 1932, afirmou que "o homem carrega em si uma ânsia de ódio e destruição"?

# SEGUNDA PARTE

# O primado do espírito

# 1
# O animismo

Os estudos sobre religiões e crenças nunca contiveram referências específicas sobre a origem do Universo e a origem da vida com bases científicas. A aceitação de deuses e espíritos sempre dispensou as reflexões da ciência. Todavia, temos o dever de nos perguntar se ciência e religião são conceituações realmente distintas ou ambas provêm de uma origem comum.

É evidente que hoje existe uma quase infinita separação entre ambas, mas houve época em que elas se confundiam. Naquele tempo, as explicações quanto à origem da vida e das crenças eram dadas exclusivamente pelas religiões. Quando, por exemplo, a Bíblia disse que Deus criou o céu, a terra, o dia e a noite, disse, igualmente, que criou o homem à sua imagem e semelhança soprando-lhe uma alma. Segundo o Velho Testamento, esse foi o instante da criação, tanto da matéria quanto do espírito. Não são diferentes os ensinamentos de Zaratustra. Na doutrina do Zoroastrismo,[29] Yavé apenas muda de nome para Aura Masda e, como o Deus dos cristãos, dos judeus e dos maometanos, foi o supremo criador de tudo que existe. De lá para cá, muitos anos se passaram e, à medida que a ciência veio evoluindo, as teogonias foram se desmoronando.

Pelo argumento religioso houve, na gênese da concepção da matéria-espírito, uma interpenetração dos campos físico e espiritual, um dualismo

---

29. Zoroastro era como os gregos chamavam Zaratustra.

que se tornou patrimônio das crenças da maioria das religiões. Entretanto, se adotarmos argumentos racionais, temos que nos perguntar se os deuses criaram os homens constituídos de matéria e espírito ou se o espírito em forma de consciência surgiu mais tarde como produto das manifestações naturais da matéria. É evidente que essas ponderações não nos levam a nada se, primeiramente, não fizermos uma abordagem de como ocorreram os fatos concernentes à criação e à evolução, que, por derradeiro, modelaram a mente.

De Darwin até os dias de hoje, já não se pode mais duvidar de que o homem seja o produto de uma montagem evolucionista. Essa constatação significa que toda tentativa de explicação do fenômeno matéria, vida e mente pelo uso de argumentos teológicos fracassou rotundamente. Da mesma forma, é ponto pacífico que toda matéria vivente descendeu de um único ancestral denominado "célula" e que surgiu há uns 3,5 bilhões de anos. A célula é, consequentemente, a mais antiga unidade de vida e, logo que surgiu, montou uma impressionante estratégia com base numa fantástica maquinaria química para conseguir se reproduzir e se diversificar. Mesmo assim, somente após três bilhões de anos apareceram os primeiros microrganismos e, em sequência, a vida multicelular. Já vimos como os átomos foram se juntando para formar a matéria. O processo referente às células não foi diferente. Elas foram se recombinando e constituindo estruturas organizadas, cada vez mais sofisticadas, até transmudar-se em matéria consciente. Com base nessas aglutinações, Christian de Duve disse que "a história da vida não é apenas um crescimento vertical em direção à complexidade. Ela é também uma expansão horizontal em direção à diversidade". Em outras palavras, tudo o que somos hoje, se recuarmos aos primórdios de nossa origem, não éramos mais do que pequeníssimos organismos celulares, ou, se quisermos sintetizar, somos produto das reações combinatórias da matéria, que, a partir do caldo inicial, agregou os componentes postos à disposição da vida pelos arranjos da artesania química.

Conforme já esclarecemos, a espécie humana tem centenas de milhares de anos. Mas foi somente nestes últimos sete milhões de anos que o homem e os chimpanzés bifurcaram-se de um ancestral comum. Somos praticamente iguais a essa espécie de macacos. Já referimos quanto à semelhança genética e à identidade do DNA. Até socialmente éramos semelhantes, pois habitávamos as mesmas florestas. Talvez, por um detalhe evolutivo, ou por uma pequena mutação qualquer, usamos os sentidos, então disponíveis, para descer das árvores, andar com os dois pés e habitar as savanas. Esse evento ocorreu na África há seis milhões de anos. O bipedismo foi, com toda a certeza, a primeira diferença que nos separou dos grupos africanos chamados *australopithecus* e *homos.* Somente há uns quatro ou 5,5 milhões de anos surgiram os nossos antepassados propriamente ditos. Tudo começou com os *australopithecus* na seguinte ordem: *Anamensis, Afarensis, Africanus, Abolis, Robustus* e *Erectus,* cuja linhagem há cerca de um milhão de anos desembocou no *Homo habilis* e prosseguiu até culminar com o *Homo sapiens arcaico* há 150 mil anos. Somente agora, nestes últimos cinquenta ou sessenta mil anos, é que o *Homo sapiens* adquiriu formas modernas. Os humanos de hoje são seus descendentes.[30]

Como o DNA é herdado pelo lado materno, afirma Richard Leakey que ele nos conduz a uma única ancestral fêmea que viveu na África há mais ou menos 150 mil anos. Ela fazia parte de um grupo de mais ou menos dez mil indivíduos. Não era uma Eva solitária com o seu Adão.

Esse é o perfil da evolução, que nos permite afirmar que todos os seres humanos descendem de um mesmo grupo de antepassados africanos. Segundo os historiadores, seus descendentes foram os responsáveis pela revolução agrícola ocorrida há dez mil anos e pela edificação das primeiras cidades, há cinco mil anos.

Não seria mais prático viver em casas especialmente construídas desde o início do processo de humanização? Não teria sido mais cômodo criar condições de subsistência baseadas no cultivo do solo do que arriscar cotidianamente a vida na obtenção de alimentos? A resposta parece óbvia. Quanto mais percorríamos os caminhos em direção à matriz humana, menos desenvolvido era o cérebro. Quanto mais complexas eram as tarefas

---

30. A origem do homem como espécie, segundo os paleontólogos, tem sete milhões de anos.

O ANIMISMO

a cargo dos primeiros homens, maiores eram as instâncias requeridas ao sistema que engendrava o pensamento e o raciocínio. Essas exigências determinaram uma ação dupla. De um lado o cérebro aumentava de volume e, de outro, criava os neurônios necessários para que fossem feitas as sinapses indispensáveis às soluções dos problemas que eram apresentados pelo sistema neurogênico. A opção das florestas pelas savanas; a passagem das cavernas para habitações e depois para o cultivo de alimentos, além de consumirem muito tempo, dependiam de processos racionais de adaptabilidade.

Esse aprendizado em direção ao desenvolvimento social comprova que as espécies que viviam nas florestas ainda não tinham desenvolvido inteligência suficiente para habitar casas. A mente, como a matéria, o universo, a vida, dependeu de gradualismos. Ela evoluiu a partir de propriedades congênitas e instintivas para raciocínios convenientemente organizados e apropriados às adequações circunstanciais. Nos primórdios da raça humana, os indivíduos eram caçadores-coletores. Para essa atividade, usavam uma inteligência condicionada aos sistemas de caça, que por sua vez estavam de acordo com o próprio estágio de desenvolvimento cultural. Mas, ao adotarem a revolução agrícola como método de produção de alimentos e no momento em que passaram a construir cidades, algo notável aconteceu. O desenvolvimento da consciência do trabalho, concomitante com a programação das tarefas a serem realizadas. E, se isso não sucedeu milhares de anos antes, foi porque a inteligência não surgiu como propriedade cerebral espontânea-instantânea, mas como apogeu de um processo que levou milhões de anos para alcançar os estágios atuais, e que levará outro tanto (se até lá a Terra ainda apresentar condições de vida) para se aprimorar cada vez mais e atingir aptidões inimagináveis.

Por essas observações podemos concluir que a construção do sistema nervoso-neuronal obedeceu aos mesmos critérios da evolução de todos os demais órgãos do corpo humano. Se o homem conseguiu, pelos procedimentos mencionados, alcançar os atuais níveis de inteligência, não teríamos como negar que, aplicando as mesmas formulações a alguns outros milhões de anos, outras espécies animais teriam condições semelhantes para também se tornar inteligentes no sentido de terem consciência de suas individualidades e de adquirirem hábitos culturais. Alguns cientistas até admitem que o fato de termos usado o dedo polegar para segurar objetos com firmeza foi fator de rápido desenvolvimento da mente. Essa particularidade conferia aos *homos* maior aptidão para a execução das tarefas. Por outro lado, parece não haver dúvida quanto a uma especial relação entre a execução do trabalho e o aumento da capacidade cerebral.

Outros consideram, sendo esta uma verdade irrefutável, que a comunicação por meio da linguagem imprimiu maior celeridade ao desenvolvimento mental, ao mesmo tempo que ampliava as competências intelectuais. Portanto, tendo em vista o incipiente desenvolvimento racional dos humanos primitivos, faltava-lhes capacidade para a criação de espíritos e deuses. O homem somente tomou conhecimento de que ele era ele mesmo, isto é, uma individualidade, quando teve consciência de si próprio. E, se não tinha consciência de si próprio, não tinha inteligência suficiente para conceber deuses. Houve um momento em que a mente funcionou produzindo pensamento e raciocínio. Daí em diante, os progressos das faculdades intelectuais foram extraordinários em todos os campos da atividade humana.

O homem se transformou num ser inteligente, senhor do mundo e de seu destino. Transformou-se também no maior predador e num ser profundamente ganancioso. Para se impor aos membros de sua espécie, criou uma ordem jurídica e arregimentou exércitos para reinar com poder e glória por todos os séculos subsequentes. Mas não parou aí. Inventou, a partir dos primeiros estágios civilizatórios, deuses, seres sobrenaturais, espíritos, crenças e religiões. Houve no correr da história um comportamento dualístico. A sobrenaturalidade era concebida ou por necessidade emocional ou porque explicava fatos e coisas até então inexplicáveis, como o sol, a lua, as estrelas, o tempo, o trovão, o relâmpago, a chuva, as enchentes, os vulcões, os eclipses, as estrelas cadentes, os presságios dos cometas, as visões, os demônios, os fantasmas, os seres das florestas, os monstros do mar e enfim, a morte, o mais misterioso dos acontecimentos. Ao mesmo tempo que criava deuses e espíritos, o homem logo se transformava em um ser dependente, demonstrando por meio de ritos e cerimônias a sua submissão.

De qualquer forma, não se pode ter ideias claras a respeito de qualquer religião sem que se leve em consideração dois aspectos fundamentais:

a) o estágio cultural da civilização que deu origem a determinada crença; e

b) a situação de desenvolvimento do homem, não somente quanto ao seu nível intelectual, mas principalmente quanto à sua capacidade de interpretar os fenômenos naturais. Por qualquer dos lados que se façam as sondagens, descobriremos que as religiões, as crenças, os mitos, os cultos, os ritos e as cerimônias foram criados pelos homens, e não por deuses.

Mas que homens eram esses que criavam religiões? Seriam homens das cavernas? Líderes carismáticos? Homens de grande sensibilidade moral e social? Eruditos como os antigos sábios chineses ou feiticeiros das religiões nativas? Ou, ainda, xamãs siberianos, ameríndios ou ianomâmis, ou, para terminar, pajés tupis-guaranis? As religiões existem por causa dos deuses ou os deuses existem por causa dos homens? Como tais mistérios poderão ser esclarecidos sem que se apele à parafernália mística que nos faz retornar alguns milênios para perquirir a respeito de espíritos e entidades sobrenaturais e acompanhar o processo cultural do homem concomitante ao processo civilizatório da humanidade?

Conforme consta no primeiro volume da *História geral das civilizações*,[31] no fundo misterioso das cavernas desenrolavam-se cerimônias dirigidas por feiticeiros. Da magia nascia a religião, e tanto uma como outra se associavam à arte. Já asseverou Charles Ainchelin que "a magia é essencialmente religiosa, do mesmo modo que a religião é essencialmente mágica".

---

31. AYMARD, André; AUBOYER, Jeannine. *História geral das civilizações*. São Paulo: Difusão Europeia do Livro, 1957. v. 1.

RAZÃO X RELIGIÃO

Os vestígios de religiões pré-históricas ainda permanecem. Enormes blocos de pedra chamados de megálitos ou dólmens encontram-se espalhados por todo o norte da África e da Europa. No topo desses monumentos foram colocadas pedras maciças, muitas pesando mais de cem toneladas. Impressionante é a visão de Stonehenge. Quase uma centena de pedaços de pedra, pesando de vinte a sessenta toneladas cada um, foram levados do País de Gales para o sul da Inglaterra por uma distância de 380 quilômetros sem que se possa saber de que forma o transporte foi feito. Na Ilha de Páscoa, extraordinárias estátuas monolíticas se elevam em direção ao céu a uma altura de até dez metros. Elas sugerem um profundo expressionismo místico repleto de simbolismos e dão a impressão de que lá se reuniam humanos e deuses para reafirmar aliança e imortalidade. Perguntamo-nos, assombrados, como o homem primitivo encontrou tanta arte, engenho e técnica para movimentar e levantar essas colossais catedrais do passado. Nem deuses, nem espíritos nos contaram como conseguiram tais proezas em uma época em que não existiam guindastes. Provavelmente, no mesmo período da história, o antigo povo egípcio, quer dizer, de Heródoto "o mais escrupulosamente religioso povo de toda história", construiu enormes pirâmides.

Na América, maias e astecas demonstravam suas crenças levantando construções admiráveis. Mais para o sul, no Altiplano Andino, os incas, um povo adorador do Sol, Inti, construíram no cimo das serranias, Machu Picchu, uma cidade sagrada, uma espécie de Lhassa Andina, em local de difícil acesso, talvez para salvar dos invasores a pureza das ideias religiosas ou evitar a contaminação dos não iniciados, ou até de espíritos impuros.

Sobre Machu Picchu, o Padre Waldomiro O. Piazza menciona:

> A recente descoberta de uma misteriosa cidade incaica, aninhada no cimo de Machu-Picchu (pico antigo), em 1911, pelo pesquisador Hiram Bingham, da Universidade de Yale, talvez traga alguma luz sobre os dois mitos citados, pois parece tratar-se de uma cidade sagrada dos incas.
>
> Com efeito, encontra-se em sua parte mais elevada uma pedra lavrada de forma misteriosa, chamada Intihuatana (condensador do Sol), que

O ANIMISMO

parece ter servido não só como "relógio do Sol", mas como instrumento de pesquisas atmosféricas e astronômicas, que deviam servir à agricultura intensiva praticada pelos incas, mas também aos seus ritos sagrados.

Além disso, há uma construção dotada de três janelas, simetricamente dispostas, de tal forma que a luz do Sol, vinda do oriente, marca exatamente o início e o fim das quatro estações do ano. A janela central assinala os equinócios da primavera e do outono (21 de março e 23 de setembro), a do lado direito, o solstício de verão (22 de dezembro), e a do lado esquerdo, o solstício de inverno (22 de junho). Lembremo-nos de que o mito, acima referido, fala dos quatro irmãos e das quatro irmãs Ayar, filho de Inti (o Sol), que empreenderam a fundação dos incas...[32]

Se não se pode apontar o instante do nascimento das religiões, essas construções majestosas comprovam não apenas que a fenomenologia mística já existia na Pré-História, mas, primordialmente, que a natureza religiosa do homem se fundamentava e se fundamenta em essencialidades permanentes. O homem era e ainda é preparado para a religião desde a mais tenra idade. Onde houvesse agrupamento humano, existiam crenças como fatores intrínsecos à vida. A falta de explicações razoáveis para a vida e para a morte exigia a adoção de princípios religiosos ligando ascendente com descendente, antepassados com o mundo dos vivos, o que era feito por meio de um princípio espiritual denominado alma. Mesmo distantes de nós, dez, vinte ou trinta mil anos, temos que convir que o útero das religiões foram as cavernas, local onde o culto era dirigido por feiticeiros, que se destacavam do grupo por serem iniciados em práticas atinentes aos mecanismos das projeções sobrenaturais destinadas à comunicação com o etéreo mundo dos espíritos.

As religiões primitivas eram as religiões das cavernas, dos dólmens, das montanhas e dos locais sagrados, e mais tarde das pirâmides e de outros monumentos, mas, de preferência, eram as religiões dos espíritos, isto

---

32. PIAZZA, Waldomiro O. *Religiões da humanidade*. São Paulo: Loyola, 1996. p. 222-223.

é, religiões que acreditavam nos espíritos, quer herdados, como era o caso dos recém-nascidos, ou remanescentes, como era o caso dos espíritos dos mortos.

Conforme a Geografia, a crença nos espíritos, amiudadamente, mudava de nome. Na Oceania havia o *mana*, uma espécie de espírito universal e comum a toda tribo ou a todos os membros de um clã. Em geral, o mana fluía de uma coisa para outra, e podia ser manipulado para alcançar determinados fins. Talismãs, amuletos, pedras e remédios contêm essa força, esses poderes mágicos, sendo possível utilizá-los para propósitos benéficos ou malignos. Na atmosfera religiosa dos antigos romanos, havia um sucedâneo chamado de *numina*. Os espíritos eram denominados *nats* pelos tibetanos e birmanes. Na Tailândia havia os *phi*; no Vietnã, os *hon*; e no país dos quemeres, os *pralu'n*. No Magreb, essa força invisível chama-se *baraka*; os iroqueses denominam-na *Orenda*; e os algonquinos,[33] de *manitu*. Na África e no Brasil, há um princípio vital denominado pelo Candomblé e pela Umbanda de *axé*, impulso mágico e sagrado que se encontra em todo o ser animado e em todas as coisas.

Essas religiões foram denominadas Animistas e, possivelmente, ainda hoje, o animismo seja o tipo mais disseminado das crenças. Ele tem, como polaridade geradora, o sobrenatural, o mistério, o incognoscível, que são os fenômenos fertilizadores de ambiente fecundo para uma farta criação de espíritos constituintes de um mundo invisível. Segundo algumas crenças, os espíritos ocupam todo o espaço, sempre se movendo em volta do homem. Era o que acontecia na China. O culto dos ancestrais foi a mais antiga religião chinesa, também baseada num animismo primitivo, cujos espíritos se encontram misturados à vida dos homens. No Japão, o Xintoísmo é sobretudo o culto dos Kami, os espíritos dos mortos.

Os espíritos podiam ser amigos ou inimigos, bons ou maus. Pelo sim ou pelo não, foi nesse mundo enfunado de ocultismo que o homem buscou protetores poderosos.

---

33. Tribo indígena do sul do Canadá.

## O ANIMISMO

O homem do início dos tempos acreditava que animais e pássaros tinham alma. O animismo considera que tudo na natureza é animado por espíritos ou divindades que habitam árvores, regatos, montanhas, formações rochosas etc. Acreditava também nos poderes mágicos de coisas, artigos, figuras e imagens do artesanato religioso, transformadas em objetos de veneração e campo fértil para a magia e para a superstição. Allan Kardec pretendeu dar cunho científico ao espiritismo dizendo que uma alma ocupa muitos corpos até se depurar; que a missão dos espíritos é instruir e esclarecer os homens; que os espíritos são tão rápidos quanto o pensamento; que o espírito tem sua infância; que a alma é o espírito encarnado; que os espíritos estão por toda parte e que eles povoam infinitamente os espaços infinitos.

A morte, o passado e o futuro estimularam a crença nos espíritos. Os mortos não desapareciam da memória dos vivos. Os espíritos ou a alma dos mortos permaneciam para povoar o mundo dos que continuavam vivos.

Na verdade, os espíritos nasciam dentro da consciência humana, e não fora dela. A imaginação era endógena, e não exógena. Os espíritos e as almas viviam porque, antes de povoar céus e terras, passavam a fazer parte da imaginação dos homens como projeções de conteúdos inconscientes. Assim foram criadas as almas, os fantasmas, os seres sobrenaturais e as divindades para todos os gostos e interesses. O próprio Cristianismo criou espíritos, anjos e demônios, como peças essenciais ao seu sistema.

Essas idealizações sistemáticas são indispensáveis às religiões. Espíritos, almas, morte e vida fazem ligações entre o passado, o presente e o futuro. Por encargo moral e emocional, o homem necessitou da força do passado para ter fé numa vida futura. Os mortos mereciam devoção. Desde a Pré-História até o fim da Antiguidade, os cadáveres sempre foram objeto de cuidados particulares. Eram inumados segundo ritos especiais. Suas tumbas eram repletas de objetos familiares, imagens, pedras preciosas, artigos de ouro, textos evocativos e outras quinquilharias, com o propósito de acompanhar o falecido depois da morte.

Há poucos anos descobriu-se, na China, pessoas mumificadas com os músculos ainda maleáveis. Os chineses devem ter superado os egípcios na técnica da mumificação.

Tais práticas provaram a generalidade da crença na sobrevivência. Elas tiveram grande influência na antiga civilização egípcia de um extremo a outro de sua história. O *Livro das pirâmides*, o *Livro dos sarcófagos* e o *Livro dos mortos* compreendiam textos litúrgicos; a vida do rei no outro mundo; fórmulas de proteção aos defuntos, dos perigos que os ameaçavam no além-túmulo e fórmulas mágicas referentes à sorte dos falecidos. Perto dali, as tumbas de Ur, que datam das imediações do ano 3000 a.C., descobertas há cinquenta anos, revelaram a considerável força da crença numa vida futura. Quer nas planícies da civilização mesopotâmica, quer nas terras centro-americanas, tanto astecas quanto maias, e em geral todos os povos primitivos ou modernos acreditavam e acreditam na sobrevivência após a morte.

Para os egípcios, os mortos deveriam comparecer diante de Osíris para serem julgados. O mesmo ocorria no Zoroastrismo, que tinha como apologética a imortalidade da alma, o julgamento dos homens e a ressurreição dos corpos. Esses mesmos princípios foram adotados pelo Cristianismo.

Embora o Deus do Velho Testamento seja mais antigo que o Deus do Zenda-Avesta, não está claro qual religião influenciou a outra. Acreditam os mais versados nesses assuntos que o Masdeísmo emprestou ao Judaísmo e ao Cristianismo as lendas a respeito do dilúvio, da vinda de um messias, da ideia da ressurreição e do juízo final. Mário Curtis Giordani, na obra *História da Antiguidade Oriental*, diz que: "são inegáveis as semelhanças entre os episódios do Gênesis e a narrativa encontrada nas tabuinhas cuneiformes". É impressionante que, se formos à Austrália, à Nova Zelândia ou à Melanésia, encontraremos o mana, que é uma força absolutamente distinta de toda a força material e, conquanto seja uma alma individual, não é senão uma porção da alma coletiva do grupo; é a força anônima que está na base do culto.

Mas, se observarmos as religiões da Índia, deparamo-nos com o Dharma, que no Hinduísmo significa o fundamento cósmico e social, a norma reguladora da vida. Na mesma Índia, o Jainismo afirmou a substancialidade da alma (*atman*), que, no dizer de Delumeau "vai até o ponto de considerar que tudo no universo, mesmo as plantas, os minerais e

O ANIMISMO

os elementos naturais, como o ar e a água, é animado e dotado de sensibilidade".[34] Os hindus creem num poder invisível e supremo: Brahman, que se manifesta através de uma pluralidade de divindades. Os australianos admitem que a alma de um antepassado aparece num corpo novo. Para eles existe uma região onde "vivem" as almas que depois voltam para reencarnar.

Se fosse viável um resumo, mas não é, constataríamos em todos os períodos da história a evidência do mistério e a presença constante do medo da morte. A alma surge como consequência inevitável do estágio primitivo. Religião é ligar ou religar. A alma é a primeira manifestação entre o passado e o presente, entre os vivos e os mortos. Toda vida primitiva era religião e todos os objetos continham um sentido religioso. Se os homens tinham alma, por que não a teriam também os animais e as árvores? A alma foi, portanto, um apelo irresistível no sentido de dar à vida uma expressão espiritual, um algo mais, alguma coisa que fica, que vive, que é imperecível.

Nada melhor para homenageá-la do que reverenciá-la em lugares adequados. Os historiadores mencionam as cavernas e as "catedrais de pedra". Mas também eram locais sagrados os rios, os vales, as montanhas, quase todos os animais, e assim por diante, pois tudo portava um espírito, logo, tudo era sagrado.

A alma, o mana, o numina e os espíritos em geral eram as forças etéreas que permeavam o universo e animavam as religiões primitivas. Os antropólogos usam essas essências imateriais para definir a verdadeira força espiritual das crenças. Por que então o mana, ou um plasma equivalente, não poderia ser o próprio espírito dos mortos que se incorpora nos médiuns? Por que não poderia ser, outrossim, toda a sorte de entidades de outras dimensões, "consciências cósmicas", energias superiores, corpos energéticos, ou anjos e demônios em número infinito, tantos quantos a imaginação pode criar? E, por acaso, esses fenômenos não teriam desaguado em todas essas ondas exóticas de mentalizações, tarôs, búzios, adivinhações, magos, bruxos, grupos secretos de toda a ordem e tudo aquilo que

---

34. DELUMEAU, Jean (org.). *As grandes religiões do mundo*. Lisboa: Presença, 1977.

RAZÃO X RELIGIÃO

sempre se manteve na parte obscura e menos esclarecida das civilizações? Por aí se vê como são fortes as crenças e as religiões. O tempo passou e elas persistem quase na forma primitiva. Os feiticeiros de ontem são hoje os xamãs, os médiuns e toda sorte de "pastores" pentecostalistas, milagreiros e embusteiros, em cujos rituais a prestidigitação e a magia se consubstanciam em prédicas alucinatórias. São eles que se encarregam de fazer a ligação entre os vivos e os seres do outro mundo. São eles que se deixam tomar posse para que os espíritos falem e ajam pelas suas bocas no decorrer das cerimônias cujo ritual implica danças, cantorias e ruflar de tambores (que servem para o chamamento dos espíritos e para provocar os transes mediúnicos).

Como se vê, ainda persiste uma ponte indestrutível entre os mistérios das antigas crenças e as práticas fetichistas atuais. Fomos inicialmente um produto espiritual das cavernas, depois passamos pelos dólmens, pelas pirâmides, pelas estátuas enormes, pelos mistérios de Elêusis, pelo Oráculo de Delfos. Passamos também pelos xamãs, pelos espíritos das florestas, pelos duendes e chegamos ao século XXI ainda concedendo valores às mesmas crenças, venerando os mesmos espíritos, acreditando nos mesmos mistérios, aceitando tudo quanto é espécie de entidade cósmica, desde as almas penadas até os fantasmas, desde os espíritos que se incorporam até os espíritos que se encarnam, reencarnam e transmigram.

Mas dirá alguém: o Cristianismo, o Hinduísmo e o Islamismo, onde se situam, como ficam?

Bem, responderíamos que as diferenças não são tanto quanto às substâncias, mas sim quanto às escrituras, às concepções teológicas, aos princípios morais, às características antropomórficas dos deuses, aos ritos, às cerimônias, aos dogmas e quanto à organização de cada igreja. Permanecem presentes em todas as religiões, como regra geral, os espíritos, as almas, os deuses, as perfeições, o atingimento do iluminismo ou, como é o caso de uma das ideias dominantes do Brahmanismo: a libertação do ciclo (Samsara), com renascimentos e mortes, ao qual está sujeita a alma humana. As religiões foram confeccionadas pelas revelações, pelas inspirações, pela elaboração de mentes iluminadas (Buda), como também pela fé e pela moral. Mas a base permanece a mesma. Vida e morte. Divino e profano. Anjos e demônios. Corpo e alma. O bem e o mal, o amor e o ódio. Deus e o Diabo. O Inferno e o reino de Deus. Enfim, a naturalidade e a sobrenaturalidade. Esses maniqueísmos ainda hoje persistem e tanto podem fazer parte de cerimônias alicerçadas no aristotelismo tomista dentro de uma esplendorosa catedral quanto se transformar num momento de prece de um culto professado numa indevassável mesquita muçulmana pelo fundamentalismo xiita, ou de participar em um humilde terreiro de um ritual afro-brasileiro acompanhado de vulgar glossolalia umbandista, ou, até, de um delírio alucinógeno de uma seita carismática ou, enfim, de uma indecorosa sessão de exorcismo de uma religião pentecostalista.

O animismo, como se pode concluir, foi e continua sendo um sistema de crenças responsável pela criação irracional e prodigiosa de um mundo baseado na sobrenaturalidade dos espíritos, sem os quais não haveria culto nem prática religiosa.

## O animismo afro-brasileiro

Este subtítulo poderia ter outras duas denominações. Poderia ser chamado de monoteísmo africano ou, ainda, de politeísmo afro-brasileiro. Se as religiões africanas fossem avaliadas em caráter de autonomia, poderiam ser classificadas de monoteístas. Várias delas afirmam terem deuses criadores. Para os iorubas, o ser supremo se chama Olorum, para os bantos, Zambi. Mas quais são suas características principais? Basicamente, elas não conseguiram se libertar do primitivismo, do sistema mágico-fetichista, da simbiose com a floresta, do sentido autóctone que elas têm, tudo isso para dizer que são prioritariamente religiões nativas com uma essencialidade difusa: o caráter animista. Nelas, os espíritos, que são chamados de orixás, estão mais próximos do homem do que os deuses. Então, examinadas em seu conjunto, as religiões africanas podem ser consideradas religiões politeístas.

Para Albert Samuel,[35] o animismo está sempre vivo. Ele é a religião de grande parte da África, onde somaria 130 milhões de adeptos. Na Ásia e

---

35. SAMUEL, Albert. *As religiões hoje*. São Paulo: Paulus, 1997. p. 31.

na América existem cultos animistas. Estima-se que existam no mundo duzentos milhões de animistas, daí por que eles não podem ser desconsiderados pelo presente ensaio.

Não tendo por base livros sagrados, as religiões africanas sustentam-se nas tradições orais e nos rituais, embora estes sejam, muitas vezes, carentes de explicações racionais. Outra característica é que elas são confinadas a tribos e clãs que conservavam sua riqueza lendária, que, vez por outra, lembra a mitologia grega, tanto em relação aos mitos de criação quanto pelas histórias de seus deuses, suas relações com os orixás e destes com os povos a que pertencem.

Elas ainda conservam características pré-civilizatórias. Mesmo assim, nunca deixaram de ser religiões matrizes. O animismo fixou o balizamento inicial, pois foi a partir dos espíritos e dos deuses que, sequencialmente, configuraram-se as religiões. Houve um momento em que os sopros vitais com origem nos espíritos permeavam e contaminavam os povos da Terra. Quando os espíritos saíram das florestas e chegaram às cidades, se podemos usar essa alegoria, o mundo, que se civilizava progressivamente, estabelecia novas religiões, sempre adequadas ao seu desenvolvimento social, mas sem dispensar as contribuições animistas.

As religiões urbanizadas passaram a se constituir de uma força poderosa com eficácia para manter a estratificação social e estabelecer comandos de poder. Essa particularidade fez surgir poderosas autoridades religiosas, sempre situadas num plano estatal superior, tanto que, muitas vezes, sacerdotes e reis, e o caráter sagrado de suas funções, se confundiam num só personagem. Isso aconteceu no Egito, com a natureza divina de seus soberanos; na Mesopotâmia, onde os deuses eram amigos dos reis, principalmente de Dario, que "recebeu de Deus um reino rico em cavalos e rico em homens"; na Índia, onde os brâmanes situavam-se no topo da pirâmide social; e na Idade Média, quando o Cristianismo, cercado de privilégios e regalias, com propriedades espalhadas pelos quatro cantos do Velho Continente, assumiu poderes laicos, impondo a todos, indistintamente, sua doutrina e seus cânones.

Se, por um lado, os cultos nativos tinham seus sistemas tribais, por outro as religiões dos povos civilizados estavam imbricadas com o sistema social da nação. Os cultos politeístas interessavam à Grécia e a Roma como maneira de conciliar seus deuses aos interesses do Estado, assim como o monoteísmo foi essencial para a fixação do Cristianismo e, logo após, para a consolidação do Império Romano, como da mesma forma o Islamismo veio atender ao projeto expansionista dos povos árabes.

Conquanto as nações fossem adotando novos modelos culturais, esse fato não significava que as religiões perdessem sua força social delineadora. Continuamos, hoje, tão sufocados como nos tempos faraônicos. O fundamentalismo continua imperando de modo absoluto como estigma das religiões que sempre atuaram e atuam fortemente no seio das populações. Atualmente, o integrismo bíblico se generaliza tanto quanto as religiões se multiplicam. Infelizmente, o homem aceita passivamente o fato de ser o próprio objeto desse sentimento opressor.

Chegamos ao século XXI sem prescindir das almas, dos espectros, dos deuses, dos espíritos desencarnados, dos seres do plano astral, do *axé*, do *atmã*, dos símbolos totêmicos, do anjo da guarda, dos guias protetores e dos eguns. O número dos seres espirituais é variado e quase astronômico.

Mais ainda. Para as religiões afro-brasileiras sobraram os orixás, os pretos-velhos, os caboclos, os espíritos indígenas e os eguns. Esse é o substrato brasileiro, derivado de emanações espirituais vindas da África. As religiões afro jamais participaram das estruturas dominantes das nações americanas. De regra, se radicaram, e ainda se radicam, nas periferias das cidades, nas classes mais humildes, em guetos sociais de múltiplas componências, onde o Cristianismo por séculos deixara de atuar.

Os portugueses não toleravam os cultos dos escravos, portanto os batizavam e os tornavam cristãos à força. Também trocavam os nomes deles, violando assim seus sentimentos próprios de identidade. Mesmo assim, por subterfúgios, os escravos promoviam as sessões associando orixás aos santos católicos.

Na África existiam em torno de seiscentos orixás. No Brasil foram reduzidos para cinquenta, aproximadamente. Os orixás seriam entidades ou manifestações de fluidos cósmicos ou energias de antigos membros da tribo dos mortos, que comandariam os atos da vida humana, em rituais que conservaram acréscimos fetichistas, adivinhatórios, medicinais (rituais de cura), amuletos, ocultismo, artes mágicas e danças para diferentes evocações.

| Orixás de maior importância |
| --- |
| Xangô: personificação do raio e deus da justiça |
| Ogum: deus da guerra, das lutas e das demandas |
| Oxalá: orixá dos lagos |
| Oxóssi: divindade da caça; deus das matas |
| Xapanã ou Omolu: divindade das doenças |
| Aganju: divindade da terra firme |
| Iemanjá: filha de Obatalá e de Oduduá; divindade da água |
| Orugan: divindade do ar |
| Dadá: orixá dos vegetais |
| Olokum: divindade do mar |
| Ifá: orixá da adivinhação |
| Exu: mensageiro entre os homens e os orixás; espírito protetor |

Existem exus malformados, que são espíritos maus e agem na Quimbanda em grupos e subgrupos chamados "cabeças de legião". Na Umbanda, existem 49 exus intermediários. Eles possuem várias linhas e vibrações originais que os ligam aos principais orixás. Tanto na Umbanda quanto na Quimbanda eles atuam como polícia de choque na repressão ao submundo astral.

| Principais orixás ou deuses da nação Nagô |
| --- |
| Obatalá: filho de Olorum; o pai da humanidade. É um orixalá, está acima dos orixás |
| Oxalá: Senhor do Bonfim, Jesus |
| Xangô: deus do trovão, do fogo celeste |
| Ogum: deus do ferro, da guerra, das demandas |
| Oxóssi: deus da caça, dos vegetais |
| Iemanjá: deusa das águas |
| Oxum: deusa do rio |
| Ifá: mensageiro dos deuses; o oráculo dos orixás |
| Dadá: deusa dos vegetais |

| |
|---|
| Olokun: deus do mar |
| Okô: deus da agricultura |
| Olochá: deusa dos lagos |
| Obá: deusa do rio Oba |
| Age-Chalagá: deus da saúde |
| Oyá: deusa do rio Níger |
| Chapaña: deus da varíola, da peste |
| Age-Chalugá: Aja ou Aroni |
| Oxamby ou Oxanin: os deuses da medicina; os que podiam curar |

## Orixás do sincretismo afro-católico

| ORIXÁ AFRICANO | SANTO CATÓLICO | ESTADO/CIDADE |
|---|---|---|
| Exu | São Bartolomeu | Rio/Recife/Bahia |
| Ogum | Santo Antônio | Bahia |
| Ogum | São Jorge | Rio/Recife |
| Obaluayê | São Francisco | Bahia |
| Obaluayê | São Sebastião | Recife/Rio |
| Omulu | São Bento/São Caetano | Bahia/Recife |
| Omulu | São Roque – São Lázaro | Rio/Recife |
| Oxum | Nossa Senhora das Candeias | Bahia |
| Oxum | Nossa Senhora do Carmo | Recife |
| Oxum | Nossa Senhora da Conceição | Rio |
| Iemanjá | Nossa Senhora da Conceição | Bahia/Recife |
| Iemanjá | Nossa Senhora da Glória | Rio |
| Oxalá | Nossa Senhora do Bonfim | Rio/Bahia/Recife |
| Oxóssi | São Sebastião | Rio |
| Ibeji | São Cosme e São Damião | Rio/Bahia/Recife |
| Ossãe | Santa Luzia | Vários estados |
| Xangô | São Jerônimo | Vários estados |
| Nanã | Sant'Ana | Rio/Bahia/Recife |
| Iansã | Santa Bárbara | Vários Estados |

Fonte: RIVAS NETO, 2002; SILVA, 1996.

Além dos deuses, dos cultos e dos orixás, devemos às religiões africanas os terreiros com as mais variadas cerimônias, cuja síntese denominamos Candomblé e que mais tarde deu origem a diversas heresias. A principal delas se chama Umbanda.

O Candomblé no Brasil incorporou elementos das religiões africanas (Nagô, Banto, Luanda, Benguela etc.) e cultua exclusivamente orixás, misturando as crenças e os rituais praticados pelos escravos que aportaram na Bahia.

É evidente que na nova terra o Candomblé perderia seu cunho africano mais autêntico. A escravidão havia esfacelado a sociedade das tribos e dos clãs. Restaram os orixás, que foram se adaptando à nova ordem e aos novos costumes. Os mitos, os ritos e as cerimônias passaram a ser um reflexo da nova estrutura social, de cunho escravagista e, por consequência, injusta e iníqua. Os cultos também mudaram de denominação conforme o estado. Em São Luís do Maranhão, a "Casa de Mina" era a designação que se dava ao rito daomedano. No Rio de Janeiro, no Espírito Santo e em São Paulo era macumba. Catimbó era a variante no Piauí e no Rio Grande do Norte. Xangô na Paraíba e em Sergipe; batuque no Rio Grande do Sul e assim por diante.

Ao que parece, a Umbanda surgiu em fins do século XIX. Para alguns, teve origem no Rio de Janeiro, nas primeiras décadas do século XX[36]. Outros acreditam que a Umbanda seja o culto que os espíritos humanos encarnados prestam a Obatalá por intermédio dos orixás. Ainda há quem afirme que a Umbanda teve origem na macumba, e, à medida que crescia, ia lhe fazendo oposição. Alguns autores negam que a Umbanda tenha tido origem no africanismo e a descrevem como uma religião de caráter universalista, cujo objetivo seria adaptar as verdades universais ao entendimento de cada povo.[37]

---

36. Conforme ORO, Ari Pedro. *Axé Mercosul*: as religiões afro-brasileiras nos países do Prata. Petrópolis: Vozes, 1999. p. 18.

37. RIVAS NETO, F. *Umbanda*: a proto-síntese cósmica. São Paulo: Pensamento-Cultrix, 2002. p.15.

Sem medo de errar, a Umbanda, que teve origem no pan-africanismo religioso, na sequência agregou as liturgias de índios e de brancos.

Na verdade, não se sabe bem onde termina o Candomblé e onde nasce a Umbanda. Há um continuísmo, embora o Candomblé nunca tenha sido Umbanda e a Umbanda nunca tenha deixado de ser culturalmente Candomblé. A Umbanda vem progredindo mais do que o Candomblé e abarcando um crescente movimento religioso mediante o funcionamento de milhares de tendas, terreiros, centros e casas espalhadas por todo o território nacional, de onde se propagou para a Argentina e para o Uruguai. É composta por sete linhas: Oxalá, Iemanjá, Ogum, Oxóssi, Nagô, linha das Crianças e linha dos Africanos. Umbanda e Candomblé são verso e reverso um do outro, e ambos têm como característica fundamental a incorporação das entidades nos médiuns.

Conforme o médico psiquiatra Nina Rodrigues, em *L'Animisme fetichiste*[38], os pais de santo e os filhos e filhas de santo ficavam possuídos pelos orixás. De qualquer forma, a melhor maneira de dizer o que compõe a Umbanda é asseverar que ela se insere em três raças – negra, ameríndia e branca –, fundindo-se no culto africano dos escravos, no culto indígena dos espíritos e no Catolicismo dos portugueses. Deduz-se daí que o culto umbandista está fundamentado em um tripé por meio do qual são invocados "caboclos", "pretos-velhos" e "crianças", em cerimoniais ligados aos diversos matizes dos cultos africanos.

Os orixás se comunicam com os homens de duas maneiras: pela incorporação, quando entram em transe para fazer revelações, predições, dar conselhos e, enfim, assistência espiritual, afetiva, terapêutica e econômica, ou por meio de búzios e outros processos de adivinhação. A incorporação acontece nas sessões de terreiros conduzidas pelo pai de santo (babalorixá) ou mãe de santo (yalorixá), durante as quais o corpo do médium é tomado por uma entidade em um fenômeno físico-psicológico chamado transe mediúnico. Nesse caso, o médium seria o responsável

---

38. NINA RODRIGUES, Raimundo. *L'Animisme fétichiste des nègres de Bahia*. Brasil: Reis & Companhia, 1900.

RAZÃO X RELIGIÃO

pela comunicação entre os espíritos e os seres encarnados. A função do babalorixá, que também tem o nome de cacique, babalaô, príncipe da umbanda e chefe de terreiro, é a de identificar os espíritos que baixam. A eles compete, na condição de mestres, dar passes, consagrar imagens de santo, explicar a doutrina, ministrar a instrução religiosa e, principalmente, preparar a iniciação e formação dos filhos e filhas de santo. O transe se constitui na síntese emocional como instrumento de liberação do inconsciente facultando o controle mental que permite que o incorporado possa responder às perguntas propostas.

Nessa altura, cabe um questionamento: qual a natureza da manifestação? Seria uma reação psíquico-emocional? Um profundo estado alterado de consciência? Teria como causa uma intensa descarga químico-psicológica? Ou, enfim, uma apropriação da mente do médium por uma entidade espiritual? Uma particularidade é verdadeira: não pode ser exclusivamente simulação. Para Roger Bastide, "o transe propriamente dito não se produz senão depois, juntamente com a mudança de personalidade"[39], uma espécie de metamorfose. O orixá incorpora no homem que se torna um simulacro da divindade. Roger considera que o êxtase é real, embora tudo o que o médium disse e fez no decorrer da crise é esquecido ao despertar.

Essa explicação não encerra nenhuma fórmula exclusivista. Em primeiro lugar, quer nos parecer que "despertar" não seja o termo tecnicamente apropriado. Em segundo lugar, pentecostalistas, carismáticos, místicos e uma infinidade de pessoas que se extasiam com deuses e entidades transcendentais podem, também, ser tomadas por essa forma de delusão sensorial.

Há aqueles que entendem que a mecânica da incorporação, em sua fase semi-inconsciente, se processa quando a entidade astral influencia parte do campo mental do médium.[40]

---

39. BASTIDE, Roger. *O Candomblé da Bahia*. São Paulo: Companhia das Letras, 2001. p. 193.
40. RIVAS NETO, 2002, p. 137.

O ANIMISMO

Oro afirma que, sob o "ponto de vista científico, a possessão constitui uma forma de transe, um estado modificado de consciência que afeta o corpo e a mente do possuído"[41]. Essa perturbação dá origem à ligação com uma entidade geradora de uma interação compartilhada, uma espécie de comunhão desejada que extingue as fronteiras entre o natural e o sobrenatural. Para Nina Rodrigues, seria apenas uma expressão psicopatológica, ou sociológica-patológica, como diria Clousot.[42]

Merece menção a opinião de Pièrre Verger, pesquisador francês radicado no Brasil, citado por Bianca de Souza[43]. Para ele, "orixá seria em princípio um ancestral divinizado que em vida estabeleceu vínculos que lhe garantiam um controle sobre certas forças da natureza, como o trovão, o vento, as águas etc. O poder-axé do ancestral-orixá teria, após a morte, a faculdade de encarnar-se momentaneamente em um de seus descendentes, durante um fenômeno de possessão por ele provocado. O escolhido para a manifestação é denominado *elegum*, aquele que permite ao orixá voltar à Terra para saudar e receber provas de respeito de seus descendentes que o evocaram". Essa teoria, entretanto, só é válida para o continente africano.

Os estudiosos acreditam que, no Brasil, os orixás não passam de arquétipos universais, ou seja, tipos humanos imaginários que invariavelmente têm as mesmas características e aparecem em diversas culturas de formas variadas. Admitida essa concepção, os deuses da África perdem o caráter divino e transformam-se em meras manifestações psicológicas. Nina Rodrigues "não via mais do que simples manifestações de histeria nos transes místicos e nas crises de possessão que caracterizam o culto público dos africanos brasileiros"[44].

---

41. ORO, 1999, p. 107.
42. BASTIDE, 2001, p. 46.
43. ALGURAZAY, Domingo *et al. Religiões Africanas – Candomblé*: origens, deuses e rituais. p. 6/7.
44. BASTIDE, 2001, p. 21.

RAZÃO X RELIGIÃO

Enfim, o estudo estrutural da liturgia de possessão não é diferente dos estados místicos de alterações de consciência de outras religiões, como ocorre, por exemplo, no Xamanismo. Segundo Bastide, os iniciados, tangidos pelo ritmo dos tambores, sequenciados pela repetição de passos e coadjuvados pela respiração ofegante, "viajam" numa extensão fictícia que eles próprios constroem. Dessa forma, "simulam personagens imaginários que lhes dão acesso a estados psíquicos intermediários entre o consciente e o inconsciente. Ver-se-á aí a gênese de uma experiência do sagrado material que exclui, por um momento de exaltação, toda a transcendência?".[45]

Em outras palavras, o cérebro, em resposta ao ritual, provoca configurações surrealistas, responsáveis pela sensação que a pessoa tem de estar saindo do corpo, pensando ouvir vozes ou imaginando sentir a presença de espíritos. Quanto mais incultas, ingênuas e frágeis psicologicamente são as pessoas, mais facilmente são atingidos esses patamares de transgressão da realidade, especialmente quando turbinadas com ideias religiosas extravagantes, responsáveis por sobrecargas emocionais que fazem aceitar o transe como decorrente de fenômenos sobrenaturais.

Esse circunstanciamento nos leva à conclusão de que é o cérebro que cria toda essa fenomenologia, como resposta a um estado, intensa e compulsivamente, desejado pelo médium.

*** 

Afirmamos anteriormente que as religiões africanas vinham se mantendo por meio das tradições orais. Dispensável esclarecer que inexistia escrita na cultura negra africana.

No Brasil, nestes últimos tempos, pessoas ligadas a cultos umbandistas têm editado dezenas de obras com o objetivo de reconstruir as doutrinas de modo preferencial com relação à Umbanda, que recebeu acréscimos de dogmas, leis, teorias e mistérios, com montagens teológicas estruturadas

---

45. BASTIDE, 2001, p. 345.

em hierarquias, numerologias sagradas, pictogramas, tudo rejuntado por uma teleologia cosmológica que prega o retorno às hierarquias galácticas solares.

É difícil aceitar essas teorizações surgidas, como se afirmou, nestes últimos tempos e ministradas por guias espirituais intermediários das mensagens recebidas do além. Enfim, a Umbanda, que já se apossou de Jesus Cristo (Oxalá) e de alguns santos católicos, quer ter a própria "Bíblia". E assim vão surgindo cultos afro-brasileiros que variam conforme as regiões.

Daqui a mil anos, se até lá houver sobrevivência humana, tais escrituras serão consideradas o "Velho Testamento", ou melhor, o *Bhagavad Gita* umbandista, pois as religiões africanas obtiveram mais contribuições das religiões orientais do que do Cristianismo.

A Umbanda, porém, converteu Jesus em um dos personagens centrais de seu sistema. Essa infusão foi necessária para que as religiões afro pudessem vicejar em países latinos.

Após implantar um ícone católico de largo espectro, a Umbanda, através de seus principais "teólogos", empilhou uma miscelânea de peças religiosas-sincréticas, algumas extravagantes, outras destituídas de clareza racional, apelando, ainda, para vocábulos excêntricos, como protossíntese cósmica, protossíntese religioso-científica, corrente astral, raça e alfabeto adâmicos, zonas luminosas, triângulo místico, aspectos geométricos e qualitativos, potestades máximas das galáxias, hierarquia solar, "karma" evolutivo, magia astrofísica, ordem iniciática do cruzeiro divino, entre outras. Realmente, são fantasias esotéricas dignas do Caboclo das Sete Encruzilhadas. Toda essa parafernália mística não passa de teratologia astrológica. Claro está que a Umbanda busca um caráter universalista para a sua doutrina, mas seu sincretismo, além de absurdo, não deixa de ser um ajuntamento heterogêneo de Hinduísmo, Cristianismo, Africanismo e Espiritismo, evidentemente com derrapagens para situações estratosféricas, em que são encontradas zonas luminosas, solares e subcrostais (uma espécie de purgatório), sem o mínimo fundamento ético e moral, estreitando-se, repetidas vezes, para alusões em direção a um universo de ficção falaciosa.

No livro *Umbanda:* a protossíntese cósmica[46], Rivas Neto afirma que os seres espirituais são eternos, incriados e indestrutíveis, embora sujeitos a aperfeiçoamento por meio de evolução gradativa dependente de determinado número de reencarnações (conceitos de inspiração bramânica). Mas seria possível que seres incriados, eternos e indestrutíveis tivessem corpos astrais deficientes? Por acaso um ser com tais propriedades não deveria ser obrigatoriamente perfeito? Dispensada até por questão de lógica a reencarnação "para alcançar patamares de consciência em planos ou zonas mais elevadas".

A tentativa de impor uma versão civilizada para a Umbanda e o constrangimento de buscar a noção hinduísta de carma, como modo de atingir a perfeição como seres iluminados (idealização budista), isentando-os de novas reencarnações (moksha), carece de lógica e de racionalidade, tornando impossível sua aceitação, mesmo porque esse intento viola os conteúdos básicos africanos.

Não se pode negar que foi do uso de métodos idênticos que se originaram o Budismo, o Jainismo, o Cristianismo, o Islamismo, o Protestantismo e as Igrejas Pentecostais, mas pelo menos essas heresias, ou alterações substanciais dos contextos precedentes, não derivaram para governos cósmicos com a exaltação absurda de alegorias delirantes.

---

46. RIVAS NETO, 2002.

# 2
# O totemismo

Não se sabe ao certo em qual fase do animismo aparece o totemismo, mesmo porque tanto um quanto o outro se mantêm firmemente, ainda hoje, como expressões de religiosidade, principalmente em um grande número de sociedades tribais.

Se fosse lícito estabelecer uma classificação das religiões, poderíamos dividi-las em grupos de acordo com as seguintes categorias:

a) animistas, totêmicas, nativas e xamanísticas;
b) politeístas;
c) agnósticas;
d) monoteístas; e
e) religiões nascidas da clonagem de outras – espíritas, neoespiritualistas, religiões da Nova Era, orientalistas, pentecostalistas e demais seitas disseminadas aos milhares pelo mundo afora.

Classificação que não é exaustiva nem tem pretensões de ser sociologicamente perfeita, apenas adequada a uma ordem cronológica de acordo com o curso da história. Na verdade, as crenças nunca foram completamente compartimentadas nem delimitadas no tempo, e sempre dependeram de situações socioculturais.

Ainda há nichos do animismo, xamanismo e totemismo, com algumas diferenças quanto a ritos e cerimônias, na Oceania, na África e na América.

Os xamãs cantam e dançam em volta do fogo para invocar espíritos. As religiões afro dançam e cantam nos terreiros com a mesma finalidade. O transe e a incorporação são fenômenos psicológicos que contagiam tanto o umbandista quanto o xamanista. A incorporação, o transe e as convulsões são estados emocionais característicos das mais variadas crenças.

Desde os tempos pré-históricos, os agrupamentos humanos tinham necessidade de explicar a origem do universo e da humanidade. Então nasceram os mitos, e com eles os deuses. Já afirmamos algumas vezes que essas idealizações deveriam ser entendidas a partir do contexto cultural do qual os grupos étnicos faziam parte.

As famílias foram as verdadeiras formadoras das sociedades primitivas. O conjunto de membros de uma ou várias famílias de um mesmo grupo constituiu o que os sociólogos denominaram "clã". Os clãs representavam a reunião de famílias aparentadas por uma descendência comum (consanguinidade), ou por um culto que se realizava sob a autoridade de um chefe. O chefe foi uma criação totêmica que substituiu tanto o feiticeiro quanto o guia animista.

Mas, afinal, o que é totem e qual o seu significado?

Não deixa de ser uma espécie de anjo protetor da tribo. Em termos cristãos, seria um anjo da guarda. Em um conceito medieval, seria um brasão a indicar a estirpe de uma raça, de um povo ou de um país. Mas, para as sociedades totêmicas, que é o que interessa, esse símbolo era representado por uma escultura, por uma árvore, por uma ave, por um animal, como era o caso do javali e do porco na Judeia, e da vaca na Índia.

A ligação com a tribo era feita por meio de um culto estabelecedor de contatos com os espíritos totêmicos. O símbolo totêmico era o sinal particular de um determinado agrupamento humano; era o laço social que unia o clã. O totem é o código espiritual do clã.

Segundo Taylor e Wilken, o totemismo seria uma forma particular do culto dos antepassados, enquanto Jewons vinculava o totemismo ao culto da natureza. Todavia, para adotar uma conceituação mais adequada, façamos uma referência a Félicien Challaye, que entendia o totemismo como "uma religião que subordinava um grupo de homens, chamado clã, a determinada espécie de seres sagrados, ou, por vezes, de coisas sagradas, chamadas totens".[47]

De acordo com Karen Farrington, "um totem é um monumento entalhado que representa a planta sagrada ou o animal do qual os povos tribais acreditavam descender".[48]

O totemismo era fortemente encontrado tanto em tribos indígenas americanas quanto entre os aborígenes australianos. Conforme Burns: "o totem designa o clã e sua imagem, representada por figura esculpida e pintada, lhe serve de símbolo e bandeira na paz e na guerra. É o laço social que une os clãs originando as fraternidades ou frátrias, cujas uniões formam as tribos, as nações e os impérios".[49]

Cada família na Austrália adotava um animal ou um vegetal como sua arma e marca distintiva. Os malaios imaginavam que crocodilos, tigres e árvores tinham alma. Em outras populações, o touro, o cavalo, o cachorro, a serpente e certos vegetais eram sagrados.

Conforme Émile Durkheim, "a psicologia das raças inferiores não estabelece nenhuma linha de demarcação bem definida entre a alma dos homens e a dos animais, ela admite sem grande dificuldade a transmigração da alma humana para o corpo dos animais".[50]

O totemismo, juntamente do animismo e do fetichismo, faz parte das religiões primitivas, das religiões não alfabetizadas, ou das religiões não ordenadas por meio de textos sagrados. Isso não significa que elas não tivessem a própria história, a própria cultura e os próprios conceitos a respeito de deuses ou até de um Deus supremo; alguns deles, inclusive,

---

47. CHALLAYE, Félicien. *Pequena história das grandes religiões*. Tradução: Alcântara Silveira. São Paulo: Ibrasa, 1962.

48. FARRINGTON, Karen. *História ilustrada da religião*. São Paulo: Manole, 1999.

49. BURNS, Edward McNall. *História da civilização ocidental* – do homem das cavernas até a bomba atômica: o drama da raça humana. Porto Alegre: Globo, 1977. v. 1.

50. DURKHEIM, Émile. *As formas elementares da vida religiosa*. Tradução: Paulo Neves. São Paulo: Martins Fontes, 1996.

"resultaram de divinização de elementos ou forças cósmicas, particularmente o Sol, a Terra e o céu".

Para Charles Hainchelin, o totemismo era o culto dos ancestrais sob forma de animais, e mais raramente de plantas.

Assim, se aos judeus é proibido comer carne de porco, é porque nos tempos primitivos porcos e javalis eram, para eles, tabus, em virtude de serem totens.

A palavra "tabu" vem do polinésio e tem o sentido de coisa divinizada, e não tem outro significado senão a proibição aos profanos de se aproximarem de pessoas, objetos e lugares supostamente sagrados, sob pena de castigo divino.

Segundo o *Livro das religiões*,[51] a expressão foi cunhada pelos historiadores religiosos para indicar severa proibição, restrição ou exclusão, e se aplica a algo considerado perigoso ou impuro.

Aparentemente, animismo, fetichismo e totemismo dão a impressão de que eram crenças ligadas por uma origem comum, ou que expressavam formas semelhantes quanto a rituais. No entanto, havia alguns traços diferenciais. O animismo era a religião dos espíritos. O fetichismo era um sentimento religioso que consistia na adoração de objetos ou seres inanimados aos quais eram atribuídos poderes sobrenaturais. O totemismo, por sua vez, se limitava a ordenar grupos e tribos em torno de seus protetores que, na maioria das vezes, eram representados por seres ou coisas sagradas.

Para Challaye, a vida moral, social e jurídica da humanidade teve origem na religião. A primeira das religiões foi a religião totêmica. As proibições representavam a primeira forma de leis que a sociedade impunha aos indivíduos.

Como afirmou Salomon Reinach, o totemismo foi o "culto dos animais ou das plantas, ligados à crença num parentesco entre o grupo humano e seu totem, e, ele, só nasceu após o animismo e a magia".

---

51. GAARDER, Jostein; HELLERN, Victor; NOTAKER, Henry. *O livro das religiões*. Tradução: Isa Mara Lando. São Paulo: Companhia das Letras, 2000.

# 3
# O xamanismo

Junto do animismo e do totemismo, o xamanismo faz parte das religiões primitivas.

Foram religiões sem fonte escrita que se espalharam às milhares por todas as partes do mundo.

John Bowker[52] definiu essas formas de culto como "religiões nativas", porque eram confinadas a estirpes, tribos e locais particulares. No passado, existiam em toda parte, porém atualmente foram quase totalmente varridas ou desnaturadas por missões religiosas, com origem, principalmente, no Cristianismo e no Islamismo.

Uma das características principais das religiões nativas é que são fortes em rituais e fracas em teologias, mas profundamente ligadas à natureza, com a qual convivem num estágio de excepcional harmonia. O mundo natural é o cenário por excelência dessas religiões afastadas da civilização.

Pelo que se pode concluir, em todas há o conceito de um deus supremo. Mas, da mesma forma, é muito comum encontrar nelas uma variedade enorme de deuses secundários.

Para o povo inca, por exemplo, Viracocha era o deus mais importante, além de outros deuses naturais relacionados com as atividades agrícolas. Viracocha (Esplendor originário, mestre do mundo) foi o supremo criador de todas as coisas, e além disso, segundo a mitologia andina, o pai e a

---

52. BOWKER, John. *Para entender as religiões*. São Paulo: Ática, 1997.

mãe do Sol e de sua esposa, a Lua. Foi também a primeira divindade dos antigos tiauanacos, provenientes do lago Titicaca. O deus Sol, Inti, era o deus incaico mais conhecido, mas foi Viracocha, como Javé, quem criou o mundo e os homens e, logo após tê-los criado, determinou que vivessem em paz, ordem e respeito. Mas, ao contrário da vontade do deus, os homens, como sempre, passaram a viver em desarmonia, além de impregnados de vícios e maus costumes. Por esse motivo, repetindo a ação do Deus da Pérsia e do Deus do Deserto, despejou sobre eles um dilúvio. Permitiu, no entanto, que três homens sobrevivessem para ajudá-lo na criação. Em seguida ordenou que o Sol e a Lua brilhassem e levassem claridade para toda a Terra.

Não deixa de ser impressionante o fato de as mesmas lendas se repetirem nas mais remotas regiões e nas mais dessemelhantes religiões. A lenda do Dilúvio Universal, existente tanto no Zenda Avesta como na Bíblia, também fez parte da simbologia misteriosa da região andina.

Da mesma forma que o Universo surgiu a partir de um ponto, os homens tiveram também seu local de origem, a África. Logo após, parte do pequeno grupo imigrou para o Oriente Médio, disseminando-se dali para todo o planeta. Chegaram à América pelo estreito de Bering ou por via marítima, trazendo mitos, alegorias e, com elas, seus espíritos e seus totens, com suas correspondentes dosagens de misticismos. Assim como os imigrantes europeus nos tempos modernos, levaram para todas as partes do mundo suas religiões, seus costumes, sua cultura, suas danças e seu cancioneiro.

Por isso mesmo, dólmens, pirâmides, montanhas, vales sagrados, urnas funerárias, estátuas e monumentos fazem parte do patrimônio de toda a humanidade, e não apenas de um povo ou de uma nação.

Os polinésios também acreditavam numa profusão de deuses, sem conceder muita importância a qualquer um deles em particular.

Dentre essas religiões rudimentares, uma se destacou pelo surgimento em seu grupo de guias e feiticeiros, iniciados na canalização de aptidões para estabelecer ligações entre o humano e o etéreo, a cujas ligações agregavam poderes mágicos para predizer o futuro, controlar disputas e curar doenças. Esse foi o momento em que as práticas xamanísticas passaram a figurar no cenário das religiões. Com o xamanismo permaneceram as ideias anímicas. Contudo o xamã não foi apenas um guia a invocar a proteção das entidades etéreas. Ele foi mais além. Ele foi à fonte buscar os instrumentos capacitadores do uso das forças cósmicas.

O animismo criou os espíritos. No totemismo, animais, árvores e imagens simbolizavam a proteção para o clã. O xamanismo gerou a comunhão com os espíritos e as forças paranormais com o objetivo de integrar o ser humano ao todo cósmico.

O xamanismo admite, como os espíritas, outro mundo, outra realidade ou, conforme estereótipos modernos, outra dimensão, que, em razão de suas potestades, pode controlar os espíritos no corpo ou separá-los da matéria para que viajem para outros mundos. O principal papel do xamã é servir de comunicador, de mediador, uma espécie de meio de campo entre o plano físico e o além.

Com o xamã, se fixaram em caráter definitivo as habilidades da mente dirigidas à cura das doenças do corpo e da alma.

Para a consecução desses objetivos, o xamã necessita basicamente de duas habilitações:

a)  comunicar-se com o mundo dos espíritos; e
b)  entrar em contato com outras realidades.

Cabe perguntar que outros mundos são esses. E que outras realidades são essas (se é que existem). Ou, então, como é feita a comunicação e como são estabelecidos os contatos.

Para cumprir essas tarefas, os xamãs ingerem substâncias alucinógenas que provocam alterações no estado da consciência e produzem alucinações modificadoras da capacidade de ver coisas e objetos. Cactos e certos cogumelos são especiarias adequadas a essas finalidades. No Brasil, a infusão de uma planta psicoativa chamada ayahuasca é usada ritualisticamente pelas populações amazônicas, principalmente por uma seita chamada Santo Daime, para entrar em estado de transe e manter contato com outras realidades ou com o mundo dos espíritos. No Rio Grande do Sul, com cantorias e batuques, os incorporados da Umbanda obtêm resultados parecidos.

É impossível, no atual estágio de desenvolvimento cultural, que acreditemos em outros mundos, ou que seja viável o contato com realidades dessa natureza, muito menos na comunhão com espíritos ou na incorporação de entidades. Afirmações nesse sentido sempre têm origem na simploriedade e na crendice das pessoas, sem contar que nesse meio circulam aproveitadores da credulidade pública.

Não vivemos mais em um estágio social obscurantista. As conquistas científicas e os avanços filosóficos permitem que o homem tenha uma visão mais culta desse tipo de questionamento.

Há, contudo, um limiar diferencial sutil que separa as realidades concretas dos irrealismos sagrados com origem nas alterações dos estágios de consciência ou em circunstâncias alucinatórias. Se a natureza humana é vibrátil; se participamos daquilo que se denomina mundo cósmico; se temos uma aura ou um sinal espiritual que nos caracteriza e nos diferencia uns dos outros, assim mesmo não temos o direito de apelar para o ocultismo e para as fantasias fantásticas no afã de atestar a existência de fenômenos paranormais. Essas outras realidades e esses outros mundos carecem das provas da ciência e do bom senso.

As energias e as vibrações são propriedades físicas da matéria, sem quaisquer condições de se transmudarem para espíritos inteligentes. O obscurantismo, a dúvida e os defeitos de nossas concepções imaginativas, os religiosismos e todas as demais espécies de crenças num outro plano ou em outras dimensões não nos concedem o direito de alterar ilusoriamente as realidades concretamente existentes.

Os atuais níveis de conhecimento nos tornam contrários às crendices projecionistas, às viagens surrealistas ou à possibilidade de deslocamento instantâneo do espírito para qualquer parte do universo.

Hoje, como ontem, a fenomenologia mística, da mesma forma que as religiões da Antiguidade, dentre elas o xamanismo, repete os ilimitados estoques de seus fascinantes ideários fantasmagóricos. As crendices e as

O XAMANISMO

superstições alastram-se como males linfáticos, contaminando a mente humana e o inconsciente coletivo de povos sempre tão receptivos aos encantamentos desses irrealismos mágicos.

Steve Pinker, autor da obra ora inóspita, às vezes atraente, *Como funciona a mente*, afirmou: "Xamãs e sacerdotes são os Mágicos de Oz que usam efeitos especiais, da prestidigitação e ventriloquismo aos templos suntuosos e catedrais, para convencer aos outros de que eles são íntimos da força do poder e do sobrenatural".[53]

De certa forma, essas situações, na maioria das vezes, são invencíveis, pois é muito mais fácil apelar para os ilusionismos da sobrenaturalidade (que, por autossugestão do fiel, muitas vezes resolvem problemas psíquicos) do que suprimir da consciência os malefícios das concepções desvirtuadas, que nela são introduzidos, continuamente, há milhares de anos.

A realidade é que o entorpecimento dos sentidos e o obscurecimento das mentes são fatores muito comuns em regiões subdesenvolvidas – as que mais se prestam à aceitação de crenças, esoterismos e misticismos decorrentes dos atavismos culturais resultantes do atraso das populações que se situam nos limites do retardamento intelectual.

Isso não significa que não devamos respeitar os costumes e a maneira de cura de povos autóctones. Curvemo-nos a eles com respeito e compreensão. Cada povo tem uma maneira própria de curar. Os povos indígenas, tribais e xamânicos curam as próprias doenças.

Somente os médicos brancos conhecem as doenças dos brancos. Pajés resolvem males do espírito, como no caso do índio Pirakumã, do Xingu, que pediu ao governo brasileiro ajuda médica para a sua tribo.

O trabalho xamanístico de cura depende de um conjunto de fatores em que estão misturadas simulações e truques (extração de objetos e substâncias do corpo dos doentes). As mágicas são parte fundamental do processo de cura e do controle da parte sensitiva dos pacientes por meio de danças e cantorias, empregadas também no chamamento dos espíritos.

---

53. PINKER, Steven. *Como a mente funciona*. Tradução: Laura Teixeira Motta. São Paulo: Companhia das Letras, 1998. p. 281.

RAZÃO X RELIGIÃO

Se esse modo de proceder e de cura tem base numa realidade concreta ou não, não tem a mínima importância para o grupo xamânico. O que prevalece são as concepções do grupo ou da tribo quanto a magias, fetichismos e crenças na sobrenaturalidade, fatores componentes de seu universo.

De qualquer maneira, não podemos deixar de estabelecer semelhanças entre muitas religiões antigas, entre elas o xamanismo, com as concepções modernas fundadas nas crenças reencarnacionistas. As crenças se repetem e se misturam. Na história universal das religiões, salientam-se como constantes a existência dos espíritos, a vida após a morte e a possibilidade de comunicação com entidades ou com as almas de pessoas mortas.

Os seguidores de Allan Kardec comunicam-se com os espíritos dos mortos em sessões especialmente preparadas para essa finalidade. Nas religiões afro-brasileiras, como a Umbanda e o Batuque, a comunicação é feita pela incorporação.

Para Patrick Drouot,[54] mais do que dominar a natureza, o xamã procura entrar em comunhão com ela. Drouot afirma que, durante a viagem xamânica, a psique e o cosmos se encontram. O xamã torna-se, então, a via de acesso às forças da criação ou às forças ultra e intrapsíquicas, cujas capacidades supra-humanas dão-lhe condições de mudar de aspecto, deslocar-se pelo espaço e ver o invisível.

Essa é uma das características principais do "êxtase xamânico" e tem, como consequência primeira, a provocação de certo estado de alienação dos sentidos. O xamã brasileiro se chama pajé, que é ao mesmo tempo um médico que cura com ervas medicinais e um sacerdote que dirige preces e faz o chamamento dos espíritos protetores da tribo.

Diz Joseph Campbell[55] que o xamã é uma pessoa que no início da juventude "passa por uma experiência psicológica transfiguradora, que a leva a se voltar inteiramente para dentro de si mesma. É uma espécie de

---

54. DROUOT, Patrick. *O físico, o xamã e o místico*. Tradução: Luca Albuquerque. Rio de Janeiro: Nova Era, 1999.

55. CAMPBELL, Joseph. *O poder do mito*. Tradução: Carlos Felipe Moisés. São Paulo: Palas Athena, 1992.

ruptura esquizofrênica. O inconsciente inteiro se abre, e o xamã mergulha nele. Encontram-se descrições dessa experiência xamânica ao longo de todo o caminho que vai da Sibéria às Américas, até a Terra do Fogo".

Afirma o Padre Waldomiro O. Piazza, "que o xamanismo esteve presente por toda a parte, com seus elementos característicos, técnicas do êxtase para provocar a comunicação com os espíritos, técnicas de cura, com a simulação de objetos tirados do corpo do enfermo, às quais se ajuntam práticas mágicas com as mais diversas finalidades".[56]

Uma visão atenta na história nos permite afirmar que, durante longo tempo, o xamanismo foi prática religiosa adotada por quase todos os povos.

Conforme Renato B. R. Pereira:

> Ironicamente, o que caracteriza toda a simbologia e todas as práticas vinculadas às doenças nas sociedades primitivas é precisamente a indistinção entre o que é propriamente medicina, magia ou religião. O mal será sempre relacionado a um delito cometido contra os deuses, os mortos ou a sociedade. Tudo faz sentido, todos os eventos são relacionados a diferentes planos cósmicos e a um corpo de crenças que, para nós, civilizados, são à primeira vista consideradas ininteligíveis.[57]

Partes desse cerimonial ainda são facilmente verificáveis nos dias de hoje, principalmente no Brasil. De tempos em tempos, uma alma peregrina chamada de Dr. Fritz, um médico alemão que morreu na Batalha de Tannenberg, na Primeira Guerra Mundial, vem se incorporando alternadamente sob o brasão do evangelho kardecista, em uma série de médiuns que passam a fazer operações das mais variadas, inclusive de cânceres e glaucomas, e realizam as mais pitorescas curas e até milagres em série. Para a decepção de muitos, repórteres da revista alemã *Stern* perguntaram-lhe

---

56. PIAZZA, 1996.
57. PEREIRA, Renato B. R. Xamanismo e medicina: o caso Ruschi reavaliado. *Ciência Hoje*, v. 9, n. 5, p. 40-47, 1989.

RAZÃO X RELIGIÃO

certa vez se a entrevista poderia ser feita em alemão. Mas o espírito errante preferiu o português, *para evitar vícios de linguagem e ambiguidades*.

Não raro, alguns incorporados são causa de escândalos e muitos se tornaram personagens de inquéritos policiais.

A última incorporação conhecida do Dr. Fritz ocorreu em uma pessoa chamada Rubem de Farias. Ele era um curandeiro (no Brasil, curandeirismo é crime) que atendia pessoas importantes e por isso vinha empolgando a classe média brasileira. Um de seus clientes foi o ex-presidente da República João Figueiredo. Outro que o consultou, segundo a revista *Manchete*,[58] foi Christopher Reeve, o famoso super-homem.

Algum tempo depois, Rubem foi acusado de charlatanismo pela própria esposa. Envolvido com a polícia, ele desapareceu do cenário de curas astrais, e nunca mais se ouviu falar dele; nem dele, nem do Dr. Fritz, cujo espírito, possivelmente constrangido e traumatizado pelo escândalo que destruiu duas "brilhantes carreiras médicas", deve ter escapulido para outras paragens ou dimensões, ou então para algum terreiro, onde talvez esteja trabalhando sem ser perturbado por mulheres desamadas.

De qualquer forma, clara está a existência de pontos de semelhança muito significativos entre os êxtases xamânicos e as incorporações espírito-umbandistas brasileiras.

Os cultos e as cerimônias, como se pode cogitar pelas apreciações até agora feitas, transmitem um efeito de linha histórica sanfonada, isto é, algumas crendices, que foram fortes no passado, ainda reluzem hoje. Vêm e voltam para estar presentes em uma modernidade suburbana, revivificadas por ritos semelhantes aos de um passado longínquo.

O reencarnacionismo budista nirvânico encontra seu *partenaire* no reencarnacionismo espírita moralista. Um busca o iluminismo e o outro, a perfeição moral.

As alterações psíquico-emocionais existem desde os tempos primitivos e, sem dúvida alguma, fazem parte do culto de todas as crenças. Místicos, carismáticos, pentecostalistas, "endemoniados", incorporados,

---

58. Edição de 3 ago. 1997.

médiuns, espectros, crentes dos mais variados cultos e uma infinidade de essências astrais formaram o patrimônio espiritual das religiões em todas as épocas.

Carecendo da moderna tecnologia, o curandeiro xamã foi obrigado a desenvolver capacidades não tecnológicas, o que implica afirmar que tanto ele quanto o paciente envolvem-se espiritualmente nas transcendentalidades das curas.

Mais do que ontem, hoje, a dor, o sofrimento, as dificuldades da vida, a falta de trabalho, o alastramento da miséria – especialmente na Ásia, na África e na América Latina – são fatores circunstanciais que exigem dos crendeiros uma pronta resposta às invocações dirigidas às entidades sobrenaturais.

Nesse ponto, as religiões tradicionais falharam. Restaram, entretanto, as *restevas*[59] como sobras marginalizadas da anterior ortodoxia, fermentadas nas periferias maltrapilhas das cidades e emergentes de um animismo grotesco, ou de uma delirante interpretação bíblica, ou, ainda, da readaptação de formas de um ocultismo esotérico.

Com base nesses pressupostos, formam-se novas religiões, multiplicam-se as seitas, animam-se as formas caricatas e excêntricas do expressionismo religioso, e assim vão proliferando verdadeiras hordas de feiticeiros, xamãs e pajés urbanos, que, junto de adivinhos, jogadores de búzios, cartomantes, curandeiros, milagreiros, pais de santo, ialorixás e benzedeiras, rápidas e tão perceptíveis quanto em outras épocas, vão tomando conta do espaço no qual a ortodoxia das igrejas estruturadas, com seus cânones, dogmas e leis, falhou.

Quanto tempo as multidões marginalizadas e as massas deserdadas levarão para se dar conta de que tudo não passa de blefe e logro (que, na maioria absoluta das vezes, mais interessa aos charlatões uma velhaca e safada busca do vil metal, a sempre e eterna *auri sacra fames*), sempre à custa

---

59. Resteva é um termo vêneto-brasileiro que significa restos de uma plantação ou resíduos de uma colheita.

dos néscios. Diz um ditado espanhol que *el rico vive del insonso y el insonso de su trabajo* ("O rico vive do tolo e o tolo do seu trabalho").

Indagará alguém: por quanto tempo essas trapaças continuarão? Até o dia em que os parvos se conscientizarem. Mas quando isso acontecerá? Talvez nunca. Primeiro porque os misticismos, as crenças, as desesperanças e os áugures sempre farão parte do patrimônio emocional e moral da humanidade. Em segundo lugar porque, quanto mais avança a civilização da tecnologia, mais se expande a ignorância como produto residual dessa fenomenologia, e quanto maior a falta de conscientização, maior será o aparecimento de seitas, com seus extravagantes cultos, deuses, entidades e liturgias.

As religiões com tais componências atingem um anormal patamar de espiritualidade, que tende mais para um fenômeno sociopatológico do que para um verdadeiro sentimento religioso.

Prescindível a inteligência nesses momentos. Basta ter fé. A fé supre tudo. Suficiente acreditar. A crença resolve tudo. Basta ter esperança. A esperança jamais morrerá.

Mas e as igrejas tradicionais?

Mesmo em relação a elas nada muda. A diferença se estabelece somente quanto aos tipos de crendeiros, pois, enquanto uns são descamisados, outros usam gravata. Sequer o vil metal as distingue. Tanto que, para algumas igrejas, o dízimo é instituição bíblica.

Mas quem não contribuirá com pecúnia quando a contribuição assegura o direito a uma cadeira no céu?

# 4
# O politeísmo
# (as religiões democratas)

O animismo criou os espíritos. O totemismo afirmava que seres sagrados, animais, árvores e pedras eram símbolos emblemáticos de pessoas ou grupos humanos. O xamanismo se encarregou de estabelecer linhas de comunicação entre os povos xamânicos e os espíritos.

Cada estágio da vida religiosa tinha suas peculiaridades e, quanto mais as épocas se sucediam, mais as características se modificavam.

Houve um momento em que as crenças não correspondiam às exigências das novas conformações sociais. Em outras palavras: o mundo do animismo era diferente do mundo do xamanismo e este, do mundo totêmico. Essas particularidades não significavam que modelos semelhantes não pudessem ser encontrados em muitos países. Porém, o que se pretende assinalar são as configurações hegemônicas de certas crenças sobre as outras, devidas tanto ao poder e relacionamento com o Estado quanto ao território habitado por uma população sob o abrigo de um mesmo signo religioso. Por exemplo, nos tempos primitivos, predominava na Índia o Vedismo, que mais tarde evoluiu para o Bramanismo, que por sua vez se bifurcou em Budismo e Jainismo. Na região do Tigre e do Eufrates, cujo início das crenças foi politeísta, por muito tempo o mitraísmo foi a crença dominante, seguida pelo Zoroastrismo e mais tarde pelo Maniqueísmo e assim por diante, até retornar ao politeísmo e este evoluir para o Judaísmo, que foi um sistema religioso básico para as vertentes cristã e islâmica. Atualmente, o Cristianismo e o Islamismo se espalharam para todos os continentes.

Claro está que, para a manutenção do organismo moral que permeava as primeiras sociedades, as expressões da espiritualidade humana necessitavam dos mitos de criação. Deveria existir, matutavam nossos antepassados, um ser coordenador das manifestações do inconsciente coletivo. Alguém que explicasse a criação do mundo. Um ser poderoso, um mito lendário, enfim, uma entidade criadora, tanto pela exigência das necessidades psicossociais grupais quanto pelas carências individuais, principalmente as que tinham origem nos medos terrenos e que, por isso mesmo, exigiam a proteção da sobrenaturalidade.

Mais do que espíritos, mais do que símbolos, mais do que uma simples comunicação, os homens desejavam amparo durante a vida e bem-aventurança após a morte.

Lembremo-nos de que não existia Einstein, muito menos a teoria do Big Bang. Também não existia Darwin com suas ideias evolucionistas. As religiões deveriam se contentar com o que se poderia conceber numa determinada época em que as forças sensoriais eram o Sol, a Lua, o raio e o trovão. Essas foram as primeiras formas representativas de divindades. Não havia ainda mitologias com consistência para desenvolver soluções monoteístas, mas era necessário dar as respostas adequadas para que os componentes da vida tivessem o melhor dos cursos possíveis. Surgiram então as divindades, que adotaram forma e conteúdo inspirados pela contextura religiosa, inicialmente como personificações solares e atmosféricas.

Como exemplo podemos citar os devas – deuses védicos ("deva" significa brilhante). Os principais devas, no preâmbulo milenar da vetusta civilização indiana, eram: Dyaus-Pitar, que significa pai do céu e lembra Júpiter; Prithivi-Matar, como alusão ao elemento feminino da criação; Aliti (luz celeste), representativo do princípio maternal; Agni, uma representação do fogo civilizador, e que possivelmente seja o Ignis latino.

Para Jostein Gaarder,[60] os nomes Dyaus, Zeus, Lov e Tyr *são* variantes da mesma palavra, cujo significado é Deus.

---

60. GAARDER, Jostein. *O mundo de Sofia*. São Paulo: Companhia das Letras, 1999.

E, por serem deuses ligados às forças naturais, surgiu naquele cenário remoto uma pluralidade deles, tantos quantos fossem necessários para explicar a natureza, a vida, o universo, a arte, o trabalho, a agricultura e os sentimentos humanos.

Despontava, então, no mundo das religiões, o estágio conhecido por politeísmo.

A Antiguidade egípcia havia sido fértil nas mais variadas expressões da organização humana. Foi a civilização mais importante do início dos tempos. O Egito registrou sua história com monumentos imponentes. Seu povo foi prolífico na criação de deuses.

Embora houvesse deuses nacionais, na verdade cada região do Egito tinha seus deuses locais. Dentre eles, Amon, deus dos deuses, era o mais importante. Naquela época não havia ainda uma concepção antropomórfica dos deuses. Anúbis, patrono dos mumificadores e deus do reino dos mortos, era representado como um homem com cabeça de chacal. Por sua vez, Hórus, o criador do universo, tinha cabeça de falcão; Ísis era a deusa símbolo das mães e esposas; Osíris era o deus dos mortos e do renascimento; Thot era o deus cordato e sábio, deus das disciplinas intelectuais, quase sempre representado como um íbis, ou como um homem com a cabeça de íbis, ou ainda como um babuíno.

Dentre os muitos deuses importantes para os sumérios, não podemos deixar de destacar a deusa Ishtar, protetora dos guerreiros, que na Assíria mudava o nome para Astarte. Os outros são En-ki, o deus das águas, que os acadianos chamavam de Ea; Hadad, o deus da tempestade; Gibil, o deus do fogo; Sin, o deus-lua, que era o deus de Ur, cidade de Abraão. No céu da Mesopotâmia havia, também, os deuses astrais. Sin representava a divindade lunar e Shamash era o deus sol.

Já na Grécia havia deuses terrestres. Pan, um deus agrário, era metade homem e metade cabrito. As ninfas, que em grego significam jovens mulheres, eram representações antropomórficas de algumas formas da natureza. Paralelamente, os sátiros simbolizavam a fecundidade dos animais.

Na antiga Rússia existiam diversos deuses. Perun era o deus do raio, enquanto Kohrs se identificava com o sol. Mokoch era o deus da terra; Svargo, do céu; e Valos, dos rebanhos.

Os germanos e escandinavos tinham deuses similares, como Odin e Thor. Para os vikings, Frigga era a deusa do amor, do casamento e da família. Os vikings também adoravam deuses chamados de Asen.

Em Creta e na Grécia, as deusas antecederam os deuses. Ge possuía o significado de Terra-mãe, a deusa da fecundidade. Uma das formas da Terra-mãe era Gaia, a mãe dos deuses olímpicos. Em Creta, possivelmente a mais importante das deusas tenha sido Afrodite (a florida).

Em Roma, na época dos etruscos, existiam divindades lunares (Carmenta), agrárias (Ceres e Consus), da fecundidade (Faunus), e muitas outras, como Jano, que fora instituído por Rômulo como númen das portas de Roma, e Maia, a deusa da primavera.

Para os fenícios, a principal divindade denominava-se El, que significava deus. Existiam, também, deuses inferiores, como Baal (o Senhor).

Os maoris acreditavam em um ser supremo chamado Domo Io, mas veneravam igualmente Io-Take-Take, o deus fundador, Io-Roa, que era o deus eterno, e Iomataaho, denominado Glorioso.

Os astecas veneravam vários deuses. Quetzalcoatl (serpente emplumada) era a entidade sobrenatural mais importante, originada da autoimolação do rei Tula. Ao que tudo indica, as religiões maia e asteca careciam do caráter democrático-politeísta. Em suas crenças havia deuses sanguinários e deuses pacíficos. Informa a história que, pouco antes da invasão do México pelos espanhóis, foram imoladas vinte mil vítimas humanas em apenas quatro dias, tudo em homenagem à inauguração do templo de Huitzilopochtli. Os maias, por sua vez, tinham mais de uma dezena de deuses. Hunak ku era o deus supremo do seu panteão. Itzamná era seu filho. Havia também divindades agrícolas e outras protetoras das atividades humanas. Em determinadas ocasiões, as formas de culto da religião maia assumiam aspectos terríveis.

Os ritos sangrentos eram triviais e *consistiam em mortificações voluntárias, com extração de sangue das orelhas, da língua e dos órgãos sexuais*. Em outros tipos de sacrifícios humanos, eram abertos os peitos das vítimas e o coração arrancado para ser oferecido aos deuses.[61]

---

61. PIAZZA, 1996.

O POLITEÍSMO (AS RELIGIÕES DEMOCRATAS)

Retornando ao Oriente Médio, veremos que nos tempos pré-mosaicos, os judeus acreditavam em seres sagrados chamados eloim. Quando Moisés unificou as tribos, adotou um deles, chamado Yavé. Nos primórdios ele se manifestava em forma de nuvem, de labaredas de fogo ou com voz trovejante; mais tarde, por ter adotado imagem antropomórfica, assumiu sentimentos iguais aos do homem, ficando até colérico quando ofendido. Yavé revelou-se, igualmente, como Deus do deserto, do Sinai e dos exércitos. A frequência de seus contatos com Abraão, Jacó, Moisés, Arão e Josué, entre outros, foi suficiente para afastar da mitologia do "povo eleito" todos os demais eloim. Naquele momento, os judeus se converteram ao monoteísmo.

No Japão, predomina o xintoísmo centrado na crença dos kami de cunho extremamente politeísta. Existem kami ligados à natureza (montanhas, ervas, vales, rios, mares, rochedos); aos fenômenos astrais, como o Sol e a Lua, e meteorológicos, como o vento, o trovão, a chuva; relacionados com a vida humana (alimentos, água, vestuário, habitações, ofícios); e os kami que representavam o espírito guerreiro dos servidores mortos e os espíritos dos antepassados da casa imperial.

## Milhões de deuses

Delumeau diz que, consoante o olhar que lançarmos, a Índia poderá revelar-se politeísta, panteísta ou até monoteísta. Sem nenhuma dúvida, a religião hindu é difícil de definir. Alguns historiadores de religião dizem que o termo hinduísta foi criado pelos ingleses há um ou dois séculos. Outros afirmam que o termo foi cunhado por muçulmanos e turcos para se referir àqueles que viviam do outro lado do rio Indo.

Para os ocidentais, a Índia é tão misteriosa quanto incompreensível, particularidade que torna insuperáveis as dificuldades de entendimento de suas liturgias. Seu modo de conceber deuses, suas crenças e seus rituais são confusos e inacessíveis. Estrangeiros poderão residir dezenas de anos naquele país sem nunca compreender a poderosa influência que as religiões exercem sobre os costumes e a maneira de viver dos indianos. Num sentido histórico e religioso, a Índia, um verdadeiro subcontinente, compreende o Paquistão, Bangladesh, Nepal, Butão, Sri Lanka e até podemos incluir o Tibet, sensível que foi às pressões da cultura budista originária da Índia. Por isso, ao falarmos de Hinduísmo, não podemos esquecer as formas de trabalho, as instituições sociais, a diversidade de rituais, os mitos, as filosofias, os movimentos da arte e da música e, principalmente, a enorme quantidade de deuses que povoam o seu imaginário místico. Em questões metafísicas filosóficas, o Hinduísmo permite aos crentes mais liberdade do que qualquer outra religião. Segundo Könemann, o hindu pode se orientar como teísta, panteísta ou ateu.

O Hinduísmo compreendia um milhão de deuses, quantidade que poderia ser aumentada para 330 milhões.[62] Custa crer que existissem tantos, o que permite concluir que, se o país tem aproximadamente um bilhão de habitantes, cada grupo de três indianos poderia ter um deus pessoal. Na verdade, os hindus têm liberdade para ter devoção a um culto ou a uma divindade específica. Eles acreditam que Deus se manifesta de muitas formas, podendo tomar formas humanas e de animais como avatares.[63]

Depois de Brahma, Vishnu (Krishna) e Shiva, existiam na Índia 33 milhões de deuses menores. Segundo os sacerdotes hinduístas, esses milhões de deuses são apenas representações de diferentes atributos de Brahma e, talvez, nomes de um mesmo deus.[64] Sob qualquer ótica que olharmos esse espantoso politeísmo, temos que colocar em primeiro lugar, como divindades fundamentais com origem nos arranjos estruturais da filosofia religiosa indiana, os deuses Brahma, Vishnu e Shiva, que constituem uma trindade santíssima integrada num só princípio chamado Brahman. Essa é, pelo menos, a concepção de Karen Farrington. Para outros, Brahman

---

62. CLÉMENT, Catherine. *A viagem de Théo* (Romance das religiões). São Paulo: Companhia das Letras, 1999. p. 201.

63. Avatar significa descida. No Hinduísmo, significa a reencarnação do deus Vishnu.

64. WILGES, Irineu. *As religiões no mundo*. Petrópolis: Vozes, 1982. p. 28.

seria uma substância que permeia toda a matéria e dá vida a tudo o que foi criado, uma espécie de Mana, de Númen, isto é, um princípio vital, ou uma realidade primordial criadora dos demais deuses. Para muitos historiadores, Brahman seria uma alma universal, enquanto que *atman* seria uma alma pessoal.

Dadas as mais variadas concepções religiosas, até de caráter individual, é tarefa inconcebível a identificação desses milhões de deuses.

| Divindades mais expressivas e de maior visibilidade no Hinduísmo |
| --- |
| Indra: é venerado como Satka, o Poderoso. É o chefe dos deuses |
| Varuna: deus celeste. Guardião da ordem. Uma das principais reencarnações de Vishnu |
| Yama: rei dos mortos |
| Mâra: é uma divindade muito importante; representa o tempo que tudo devora e também o ciclo das reencarnações |
| Kubera: o deus das riquezas |
| Kama: o amor; figura divina de muito significado na religiosidade popular |
| Surya: o Deus Sol, que gira em torno da Terra em um carro guiado por sete cavalos de ouro |
| Chandra: o deus Lua |
| Manda: o deus Saturno |
| Vishnu, um dos triúnviros, tem dez avatares. Nove já vieram à Terra. Os principais são: o Peixe, a Tartaruga, o Javali, o Anão e o Homem-leão. Os avatares são manifestações de deuses em forma de animais e de homens |

Na mitologia indiana, Vishnu (o preservador), que é também um deus épico, é casado com Lakshmi (deusa da beleza), enquanto Shiva é casado com Parvati e pai de Ganesh, o deus com cabeça de elefante adorado como removedor de obstáculos e deus da boa sorte. Podemos ainda acrescentar Durga, a deusa guerreira, todo-poderosa, ligada a Shiva; Kali é uma deusa associada à destruição; Saraswati, a deusa do saber, da cultura, das artes e da música e, enfim, Krishna, o principal avatar de Vishnu, mencionado no *Bhagavad Gita* como um deus herói, adorado na forma de um pastor de gado que toca flauta e é amante de Radha.

RAZÃO X RELIGIÃO

Conforme Fritjof Capra[65], os hindus sabem, em sua profunda percepção, que todos esses deuses são criações da mente, miticamente imaginados para representar as inúmeras facetas da realidade.

## O politeísmo greco-romano

O politeísmo grego conviveu, pode-se dizer, com um movimento iluminista, que por vários séculos elevou seu espírito religioso.

O desenvolvimento concomitante das artes, da música, da escultura, da filosofia e do próprio sentido de beleza concorria para o sepultamento do obscurantismo e do misticismo primitivo. O pan-helenismo politeísta-pagão chegava para sepultar antigos mitos e criar novos, repletos de heróis, lutas, lendas, oráculos, e, enfim, de deuses.

Em nenhuma outra época como na do século de Péricles e períodos próximos se concentrou tão grande número de expressões do soerguimento do pensamento humano, quer nas matemáticas, quer nas ciências ou nas artes.

A criação da teoria atômica não se constitui um fato novo. Com Demócrito (grego) e Lucrécio (romano) ela já tem bem mais que dois mil anos.

O Helenismo deixou sua marca indelével em todos os ramos da cultura. Ele foi o berço de uma plêiade de homens da mais alta estirpe e grandeza no que se refere às ciências humanas.

Foi na Grécia que surgiu o primeiro grande renascimento da história.

Seus vultos foram de tal forma proeminentes que marcaram dias de apoteose no seio da mais antiga civilização democrática do mundo; democracia adequada ao sistema político grego, bem entendido. Mesmo passados mais de dois mil anos, ainda estão presentes em nossa memória personagens cuja importância sobrepuja em muito o excelente quadro dos renascentistas italianos e dos iluministas franceses. O clarão da força do pensamento grego ainda resplandece no mundo atual, deixando-nos

---

65. CAPRA, 2000, p. 40.

O POLITEÍSMO (AS RELIGIÕES DEMOCRATAS)

pasmos pela capacidade e pela força da análise em todos os setores da vida material, emocional, espiritual e cultural.

Mesmo na guerra, o pior dos empreendimentos humanos, surge Alexandre como um dos mais valorosos e inteligentes comandantes de exércitos de todos os tempos. As batalhas de Maratona, Salamina, Termópilas, duas delas sob o comando de Temístocles e Leônidas, asseguraram a hegemonia dos gregos frente ao avanço do exército persa.

Os Jogos Olímpicos, realizados em Olímpia em honra de Zeus, foram inspirações para as modernas olimpíadas.

Édipo-Rei, Antígona, Electra, Medeia e tantas outras tragédias gregas ainda hoje são representadas nos teatros.

Como historiador, Heródoto, o pai da história, foi um notável contador dos admiráveis feitos gregos.

Na eloquência, é impossível esquecer Demóstenes, um orador talentoso, cujo texto claro e retórico lembra Shakespeare.

Na filosofia, Platão, Sócrates e Aristóteles foram insuperáveis.

Bem ou mal, a filosofia Aristotélica foi de influência vital para que Tomás de Aquino erigisse alguns dos fundamentos mais importantes do estruturalismo cristão. Se disse bem ou mal, porque Aristóteles foi duramente criticado por astrônomos modernos por causa de suas ideias conservadoras que defendiam um Universo Estacionário.

Tales e Anaximandro, ambos de Mileto, deram ao mundo enormes contribuições no campo da matemática e da cosmologia.

Empédocles, Anaxágoras, Zenon e Parmênides se preocuparam com os elementos constitutivos das coisas, e destas com a alma, com a mente e com as teorias do espaço e do tempo, na mesma época em que Demócrito acenava para o atomismo.

Euclides e Arquimedes foram os maiores geômetras do planeta. Não poderíamos deixar de citar Aristarco de Samos, que pode ser considerado um precursor de Copérnico, não só por ter exposto a hipótese de Heráclides, segundo a qual a Terra gira em torno do seu eixo, mas também por ter sugerido a teoria de que os planetas descrevem círculos ao redor do Sol imóvel.

Se Sófocles foi o mais sensível criador das imortais tragédias gregas, os poemas de Homero nos esclareceram bastante sobre personagens, costumes e a própria vida na Antiguidade.

A explicação mais razoável para esse avanço, no que concerne às ideias sociais, que foram ao mesmo tempo ideias que disseram respeito ao próprio estágio civilizatório, é que pela primeira vez em toda a terra uma civilização sublimou deuses protetores.

Os deuses gregos não impunham temores. Eles preferiam disputar contendas entre eles a submeter seus patrícios a cultos opressivos. O Helenismo dava preferência aos deuses protetores do casamento, das artes, da inteligência, da música, da felicidade, e para isso exaltava a formosura de suas ninfas e musas.

Será que erraríamos se disséssemos que o politeísmo greco-romano era alegre e cultivava a beleza, o amor e o erotismo?

Tendo em vista que os costumes, o comportamento e o proceder dos povos sempre foram muito ligados às respectivas crenças, é fácil concluir que o desenvolvimento das artes, da filosofia e da literatura grega teve muito a ver com seu sistema religioso. Apesar disso, paradoxalmente, acreditavam com fé inabalável nos oráculos, que se situavam em lugares sagrados onde as pessoas iam buscar a orientação dos deuses.

Não houve na Grécia Antiga fundadores de religião como Buda, Zoroastro, Jesus ou Maomé. Ocorreu, contudo, um entrelaçamento entre os deuses e os homens. Eles sempre nascem em algum ponto, têm pai e mãe, são personagens de histórias mitológicas e causa de veneração e culto. Orfeu, por exemplo, teria nascido na Trácia. Seu pai foi o rei Agro e sua mãe, a musa Calíope. Ao que podemos saber, o orfismo foi uma doutrina de salvação.

Na época clássica, surgiram muitos deuses heróis; e, com poucas exceções, os deuses gregos tinham o correspondente romano. Os romanos conheciam muitos deuses Júpiter. Existia um Júpiter Lutécio (brilhante); Elício, da chuva; Fulgur, do raio; Sumano, do clarão noturno; Tonans, do trovão etc.

Poseidon tem por símbolo o delfim e exibe o tridente como arma. É um deus que governa os mares; é o deus dos oceanos, marinheiros, naufrágios e maremotos.

O POLITEÍSMO (AS RELIGIÕES DEMOCRATAS)

## Principais deuses heróis

Zeus: a principal divindade da religião tradicional; seu culto era o mais solene e o mais espalhado. Era o pai dos deuses e dos homens

Hera: irmã e esposa de Zeus; protetora do casamento e do parto

Héracles: filho de Zeus

Atena: filha privilegiada de Júpiter; deusa das artes e da inteligência

Apolo: filho de Zeus e de Leto; é o deus da juventude, da luz, da adivinhação, da música e das artes. Como deus da adivinhação, presidia os oráculos, principalmente o de Delos. Como deus da música, presidia o coro das nove musas que a personificam: Clio (história), Melpômene (tragédia), Terpsícore (dança), Talia (comédia), Euterpe (música), Érato (poesia apaixonada), Urânia (astronomia), Polímnia (poesia lírica), Calíope (poesia épica). Apolo era fonte de profecias. Não havia equivalente romano

Ártemis: irmã gêmea de Apolo; filha de Zeus e Leto. Deusa formosa que vive nas florestas com um cortejo de ninfas. Deusa da caça. Tem por arma o arco e é de uma formosura deslumbrante

Hermes: mensageiro dos deuses; filho de Zeus e de Maia

Hefestos: filho de Zeus e de Hera e esposo infeliz de Afrodite

Héstia: irmã de Zeus, protetora da felicidade do lar

Ares: deus da guerra; filho de Júpiter e de Juno

Afrodite: divindade de origem oriental; foi importada pelos gregos. É a deusa do amor e da volúpia sensual

Poseidon: irmão de Júpiter; senhor dos mares

Deméter: deusa da terra; ensinou aos homens a arte da agricultura. Era a mãe de Perséfone. Seu culto difundiu-se graças aos mistérios de Elêusis

Urano: pai dos Titãs e dos Ciclopes. Um de seus filhos, Crono, revoltou-se contra ele, mutilou-o e tomou seu lugar de senhor do mundo

Themis: também denominada Têmide, filha de Urano e de Gaia; assiste Zeus com seus conselhos. Simbolizava o direito e a justiça

Dionísio: deus do vinho e das colheitas. Havia festas mundanas em sua homenagem

Asclépio: deus que curava os doentes

Perséfone: filha de Zeus e Deméter. Foi raptada por Hades, o senhor do mundo inferior, para ser sua esposa

Hades: deus dos infernos

## Correspondentes romanos dos deuses gregos

| Romano | Grego |
| --- | --- |
| Júpiter | Zeus |
| Juno | Hera |
| Minerva | Atena |

| Correspondentes romanos dos deuses gregos | |
|---|---|
| **Romano** | **Grego** |
| Diana | Artêmis |
| Mercúrio | Hermes |
| Vulcano | Hefestos |
| Vesta | Héstia |
| Marte | Ares |
| Vênus | Afrodite |
| Netuno | Poseidon |
| Ceres | Deméter |
| Baco | Dionísio |
| Hércules | Héracles |
| Plutão | Hades |
| Prosérpina | Perséfone |

## Comentários finais sobre o politeísmo

Tomamos a liberdade de chamar os deuses do politeísmo de deuses democráticos, porque foram concebidos para servir os homens em suas atividades habituais. Eles eram os deuses do céu, da criação, dos princípios maternais, da arte, da vida agrária e dos sofrimentos humanos etc.

Eram também deuses solares, deuses terrestres, deuses do amor, da música, da fecundidade, dos mares, da terra, dos rebanhos e assim por diante. Outros eram removedores de obstáculos; alguns eram guerreiros; outros, pastores. Enfim, havia deuses para a música, para a caça, para a volúpia sensual; outros presidiam oráculos e até havia deuses para curar doentes. Não nos esqueçamos dos deuses do raio, do trovão, da chuva e, com louvação, dos deuses do vinho e das colheitas. Por outro lado, havia deusas para os rios, para os rochedos, para as águas e para o mar, como também existiam deusas ligadas aos fenômenos meteorológicos e outras relacionadas ao amor, ao erotismo e às multifárias carências existenciais.

O POLITEÍSMO (AS RELIGIÕES DEMOCRATAS)

A esse conjunto de deuses, sempre implorados para a segurança dos homens e proteção para suas múltiplas atividades, é que chamamos de deuses democráticos.

Com exceção dos deuses maias e astecas, que preferiam o sangue ao vinho, todas as demais divindades politeístas foram criadas para atender aos compulsivos desejos humanos, isto é, estava mais em jogo o bem-estar das pessoas do que o saciamento da sede de sacrifícios de alguns deuses, que apenas se abrandavam com os rituais da morte. A maioria dos deuses do politeísmo foi criada para servir os homens, e não para servirem-se deles.

No politeísmo podem variar as formas de rituais ou de cultos, mas o que chama a atenção são as semelhanças mitológicas. Alteram-se os costumes, modificam-se as maneiras de viver, contudo as divindades nascem de idênticas criações imaginativas e dos mesmos clamores. Para cada desejo ou finalidade, eram criados deuses que se faziam presentes em todos os lugares. Isso significa que, no centro da África ou no extremo asiático, os mitos religiosos não diferiam muito, porque as necessidades também não variavam substancialmente, muito embora as civilizações pudessem ser mais adiantadas ou não, mais em decorrência de outro conjunto de fatores do que dos deuses. Isso tudo para dizer que existiam necessidades emocionais semelhantes, numa época em que as concepções religiosas eram politeístas.

# 5
# As religiões sem deuses

Sob diversos aspectos, a Índia é um país de difícil definição. Quando a imaginamos religiosa, temos a impressão de que ela se encolhe e volta-se para dentro dela própria para perscrutar as próprias conjecturas.

É quase um buraco negro de cujo interior pouco brilho escapa, mas com um luzeiro interior de intensidade infinita. A força e a energia da introspeção hindu têm um virtuosismo incomparável como produto de profunda devoção contemplativa, acompanhada de expressivo ascetismo místico. A meditação subjetiva hindu contrasta com o Caminho do Taoísmo e com a filosofia confucionista, cujas teorias foram elaboradas para consumo popular.

Embora a espiritualidade indiana fosse ao mesmo tempo exótica e metafísica, conseguia se manter incólume em meio à desordem social, enquanto o Confucionismo tentava organizar a sociedade, mesmo enfrentando uma desordem crescente.

O ascetismo hinduísta vê o mundo que o cerca acreditando que ele seja mais aparência do que realidade. Da aparência consegue reduzi-la ao particular – o *atman* –, e dessa especificidade prossegue em direção ao Brahman, com o qual se funde.

Ao contrário, a China parte da profunda consciência das coisas elaboradas por construções endógenas do psiquismo para alcançar a sociedade (o externo), tanto pelo tao – o Caminho – quanto pela filosofia confucionista.

Enfim, não se pode deixar de fora o Jainismo, que busca o iluminismo por meio da contemplação ascética.

Levando-se em consideração que Budismo e Jainismo provieram de heresias do Hinduísmo e as duas outras nasceram de uma espessa elaboração do pensamento filosófico chinês, é hora de perguntar: o que elas têm em comum?

No primeiro caso, o que as identifica é a dispensabilidade de deuses eternos. No que concerne às "religiões" chinesas, não é relevante a existência dos deuses, embora seus seguidores possam ter crenças ou não, particularidade que depende da consciência de cada um. Contudo, o Jainismo, em sua doutrina, expõe com clareza a inexistência de Deus. Para o Budismo e para o Jainismo, nenhum Deus criou o mundo. Como pode ser criado um mundo que é eterno? Cogitam suas ortodoxias! Não existe um ser perfeito que deu causa às coisas. Se a perfeição existe, ela resulta do ideal dos esforços humanos.

A palavra Buda significa despertado. Quem desperta atinge a inteligência suprema. Em sua meditação debaixo de uma figueira, foi com esse objetivo que Sidarta se tornou desperto, isto é, acordou para a eternidade da existência na iluminação nirvânica.

No Budismo não existem proposições dogmáticas. Relembrando Tao, Buda, por meio da introspeção meditativa, se libertou do samsara – uma série de renascimentos, para penetrar numa consequência eterna, definitiva, irreversível e absoluta, que acontece no momento da iluminação.

O Budismo não se deixou absorver pelo Brahman, inclusive afastou-se dele, nem busca a união com Deus. Optou por ser o veículo que conduz o homem ao nirvana no momento em que se liberta do carma.

No cotidiano budista podem existir deuses. Contudo, não são deuses permanentes, nem eternos, pois eles, da mesma forma, estão sujeitos a renascimentos para se elevarem à condição de iluminados, e quando alcançam esse alvo não são nem mais nem menos que Buda, são iguais.

Como vimos, o Jainismo nega a própria existência de Deus. Ultrapassa nesse entendimento o Budismo, que apenas se desinteressa pelo problema. O Jainismo é, sobretudo, uma religião que respeita todos os seres. Por essa razão, não condena o apelo aos deuses, e sim, como no Budismo, os sujeita ao *karman*. Em compensação, socorre-se da substancialidade da alma – *atman* – e afirma que tudo no universo é animado e dotado de sensibilidade.

Em suas ideias de reencarnação e autossalvação, o Jainismo concebe que, uma vez que suas almas expiaram totalmente seu *karman* e recuperaram perfeição e omnisciência originais, sobem ao topo do universo para, então, gozarem da bem-aventurança eterna.

Também o Confucionismo não destaca qualquer divindade. Seu escopo fundamental é a pregação de princípios morais centrados em razões humanistas pela necessidade de dar forma e conteúdo ao sistema político e religioso, com a finalidade de manter o equilíbrio e a harmonia entre o céu, a terra e os homens.

O Confucionismo é a religião da razão. Nele não vingam os misticismos e as invocações da sobrenaturalidade. Por esse motivo alguém já chamou Confúcio de Sócrates chinês.

O Confucionismo dá grande valor à cultura que os homens adquirem. Cultura para sua filosofia está acima de tudo e é fruto do pensamento racional que não comporta concepções metafísicas. Para Confúcio, à medida que o homem vai se instruindo, ele vai mudando, "somente não mudam os sábios de primeira ordem e os piores idiotas",[66] conceito que tem por base os graus do conhecimento humano, pela razão de não sermos diferentes por causa de raça ou cor, mas sim pela cultura que adquirimos.

O significado da filosofia confucionista era que o soberano deveria ser bom e o servo, leal, "uma relação que tornou o Confucionismo politicamente conservador e dificultou os desafios à autoridade".[67]

De qualquer maneira, a imortalidade também era prevista no Confucionismo, que, em sua doutrina, significava a conquista eterna de um corpo durável, ou, emblematicamente, a conquista da liberdade espiritual.

---

66. CHALLAYE, Félicien. *As grandes religiões*. São Paulo: Ibrasa, 1998. p. 99.

67. GAARDER; HELLERN; NOTAKER, 2000, p. 79.

Sintetizando, podemos sublinhar que o Confucionismo foi basicamente a filosofia da organização social baseada no conhecimento prático e no senso comum. Suas ideias buscavam instituir na sociedade chinesa um sistema de educação e maneiras de comportamento em sociedade com cunho ético quanto ao sistema familiar tradicional e aos rituais de adoração dos mortos.

O Taoísmo, finalmente, não se difere em sua essencialidade das religiões mencionadas neste capítulo. No Budismo, a salvação é conseguida ao atingir o nirvana. No Jainismo, a libertação ocorre quando as almas recuperam a pureza e atingem a bem-aventurança eterna. Confúcio pregou a perfeição e a harmonia cósmica como fundamentos da imortalidade. O Taoísmo busca a Longa Vida (imortalidade), meta alcançada por aqueles que seguem o ritmo dos ciclos cósmicos e que se renovam com a natureza.

"Na teoria taoísta, o corpo humano é um sistema de energia que consiste em fluxos padronizados. Havendo uma estreita inter-relação entre corpo, mente e meio ambiente, e a par disso se desenvolveram inúmeras técnicas médicas e disciplinas psicofísicas da tradição chinesa."[68]

"Tao é o princípio de todas as coisas, e seus componentes são a paz, a meditação, a naturalidade e a serenidade."[69] Segundo a doutrina, o objetivo do homem é a união dele próprio com o Tao, princípio imutável que rege o universo e persuade o homem a viver de acordo com esse princípio, que é o fundamento originário do mundo, do qual tudo procede e para onde tudo haverá de voltar. O Taoísmo pode exprimir tanto um conceito filosófico ou religioso quanto predomínio filosófico. O que importa é a aspiração da harmonia e a busca do equilíbrio entre o yin, que expressa a ideia do feminino, e o yang, que lhe dá a conotação masculina. O escopo social é o alcance da vida correta.

Será que, simplificando, o Tao não é uma realidade última como Brahman?

---

68. BOWKER, 1997, p. 99.
69. FARRINGTON, 1999, p. 78.

Piazza diz que o Taoísmo não se apresenta como uma nova forma de religião, mas como uma explicação filosófica do mundo que se funda no proceder humano.

Por derradeiro, verificamos que as religiões ateias se sustentam em filosofias salvacionistas. Nelas não existe um Deus com as características de eternidade, nem os poderosos deuses criadores da matéria universal. E, sendo religiões salvacionistas, o que importa é a salvação, no que consiste, e como se chega até ela, pois essa é a ideia que prevalece. Os deuses, que, segundo algumas delas, poderiam existir, também devem buscar a salvação, como qualquer humano, se quiserem aspirar à eternidade.

Todas elas colocaram as divindades no mesmo plano dos homens. Não existe o fator divino, e, quando existe, ele deve sujeitar-se ao ritual humano de salvação.

# 6
# O monoteísmo
# (as religiões do ódio)

Antes poderiam ser encontrados deuses, vários deles, uma infinidade, em todas as partes, para todos os gostos e para todas as necessidades.

Essa concepção foi aos poucos se modificando. Houve um momento na história das religiões que um só deus poderia ocupar todos os lugares. Foi o momento em que o mundo das crenças chegava ao estágio do monoteísmo. O politeísmo particularizado cedeu espaço para o monoteísmo universalizante. Surgiram os deuses da humanidade.

Gaarder afirma que o monoteísmo é um sistema religioso tipicamente ocidental. Deus é o criador, o todo-poderoso, o único. O céu, a terra e a humanidade existem porque houve um deus que criou tudo. Com o monoteísmo, foram suplantados centenas de outros deuses e centenas de religiões. O mundo dito civilizado passou a montar religiões estruturadas em regras, dogmas, ensinamentos e escrituras, na maioria absoluta das vezes baseadas em "revelações" ou "inspirações" de um deus imaterial, imanente, onisciente, omnipresente e eterno: "que não teve princípio e não terá fim".

Embora o Monoteísmo tenha se alastrado pelos quatro cantos da Terra, é privilégio de um pequeno número de religiões: o Masdeísmo de Zoroastro; o Judaísmo de Moisés; o Cristianismo de Jesus; e o Islamismo de Maomé. A este grupo acrescentaríamos a religião de Aton, de Amenófis IV (ou Amenotep IV), no Egito, e o Sikhismo do guru Nanak, na Índia.

Conquanto seja inexpressivo seu número, as religiões monoteístas albergam entidades poderosas que vieram ocupar o espaço dos deuses pagãos, com força e persuasão suficientes para impor seus cultos *urbe et orbi*.

Vejamos, sumariamente, as crenças monoteístas, algumas de vida fugaz e de importância passageira, circunscritas a reinos, regiões ou a um povo. O Parsismo, de procedência zoroástrica, ainda hoje é encontrado em Bombaim, na Índia. Seguem-lhe o Judaísmo, o Cristianismo e o Islamismo, as duas últimas de alcance mundial.

## A religião de Aton

No Egito – sempre o início é no Egito, tanto das religiões quanto da civilização (juntamente da Mesopotâmia) –, berço de um povo de profunda sujeição aos segredos enigmáticos das religiões, onde os faraós (que quer dizer "casa grande") eram vistos como seres divinos, ao tempo da XVII dinastia, no século XIV a. C., o soberano Amenófis IV (1367-1350)[70] repudiou Amon-Rá e instituiu como divindade única Aton, que até então era a personificação do disco solar, um deus de pouca influência.

Com a introdução do novo deus, Amenófis, que mudou o próprio nome para Akenaton, estava reagindo à prepotência dos sacerdotes de Amon e propondo a criação da religião da Vida Universal, fato que provocou uma marcante ruptura com o passado politeísta. O sol, que estava em toda parte, simbolizava a luz que ilumina o universo e o calor que com ação benéfica era a fonte de toda a vida.

A parte esotérica e obscura das religiões tradicionais do Egito ficou sobrepujada pela corrente reformista, que rebaixou para um segundo plano a mistura de deuses, reis e rituais, que até então constituíam seus cultos. A religião da essencialidade solar passou a inundar o mundo egípcio com

---

70. Essa data pode não estar absolutamente certa, já que Edward McNall Burns informa que ele começou a reinar por volta de 1375 a.C.

O MONOTEÍSMO (AS RELIGIÕES DO ÓDIO)

sua força vivificante, determinadora de transformações morais, onde o amor e a alegria de viver estavam sepultando o obscurantismo faraônico.

Mas o que é bom para o povo ou para a sociedade pode significar perda de poder para um clero de tradição conservadora.[71]

Um dos sucessores de Amenófis, Horemheb, militar subserviente aos sacerdotes conservadores, determinou a destruição dos santuários e a eliminação dos nomes de Aton. Assim, chegava ao seu término a religião do amor, da beleza e da Vida Universal, que foi, provavelmente, a primeira tentativa da história de estabelecer uma religião monoteísta baseada "num dos mais belos movimentos religiosos que a história universal conheceu".[72]

Essa não foi a primeira vez que as tradições religiosas fundamentalistas sepultaram os anseios que espontaneamente brotavam dos corações daqueles que concebiam e concebem um mundo sem dogmas opressivos, no qual a primazia deveria ser o atributo das ideias de amor e de liberdade.

As igrejas cristãs praticaram o mesmo "crime" com relação ao modelo básico expressado na pregação de Jesus. Na Índia, Jainismo e Budismo foram fortemente reprimidos pela brutal ação do Maometismo excludente e exclusivista, que substituiu o amor, a razão e a convivência pacífica com as demais religiões pela lei (Sharia: o caminho), pelo deus fundamental, pelo profeta único e pela fenomenologia fatalista.

Muçulmanos, cristãos e hinduístas detêm hoje o monopólio das verdades e, quando não invadem mundos novos para massacrar os povos de outras religiões pela força das cimitarras ou pelas patas dos cavalos, resolvem suas diferenças guerreando entre si, consequência da caótica concepção dos que se deixaram escravizar por uma visão religiosa sectarista.

---

71. A ofensiva de Amenófis IV (Aquenaton) não foi dirigida apenas contra o deus Amon, foi também, e principalmente, contra o seu clero e o seu grão-sacerdote, pelo qual a realeza começava a sentir-se tutelada (Conf. AYMARD; AUBOYER, 1957, p. 40).

72. CHALLAYE, 1962, p. 45.

## O Zoroastrismo

Seis séculos antes de Cristo, Zoroastro realizou uma profunda modificação no seio do politeísmo persa estabelecendo culto ao Deus Ahura Mazda. Também chamado de Ormuzd, "o criador brilhante, majestoso altíssimo, sapientíssimo que difunde alegria, a luz e a verdade".

A partir da pregação de Zoroastro, sua religião se tornou, sucessivamente, a religião oficial de três impérios persas: a religião do império Aquemênida, do império dos partos e dos sassânidas. Seu território de atuação começava na Palestina em direção à Turquia e de lá até o Paquistão.

As divindades adoradas até então são proscritas. Todas as inscrições reais invocam o grande deus "Ahuramazda, que criou o céu lá em cima, que criou a terra cá embaixo, que criou o homem, que criou a felicidade para o homem, que tornou Dario Rei, que ao Rei entregou este grande reino, rico em cavalos, rico em homens".[73]

Zoroastro, o nome grego de Zaratustra, teria recebido do Deus Supremo, Ahura Mazda, a revelação da lei e a missão de pregar o seu culto aos persas. Ele é o profeta do Masdeísmo, cuja história termina quando árabes muçulmanos, no século VII da Era Cristã, invadem a Pérsia. Esse fato obrigou os zoroastristas a buscarem refúgio em outras paragens, principalmente em Bombaim, na Índia, onde são conhecidos como parses (Pars = Pérsia), e existem em pequeno número.[74]

Eles acreditam que a cremação dos corpos profana o ar e que os cadáveres jogados nos rios contaminam as águas. Também não enterram os mortos para não poluir a terra. Preferem, segundo o costume religioso, deixá-los despidos, nas "Torres de Silêncio", para que sejam devorados pelas aves de rapina.

O Zoroastrismo teve notável importância histórica por ter ocupado a região geográfica mais estratégica daqueles tempos, ocupando territórios que faziam ligação entre o Ocidente e o Oriente. Também influenciou de

---

73. AYMARD; AUBOYER, 1957, p. 203.
74. Mais ou menos 120 mil.

O MONOTEÍSMO (AS RELIGIÕES DO ÓDIO)

maneira decisiva o Judaísmo, o Cristianismo e o Islamismo quanto à existência de um deus único, do céu, do inferno, do juízo final e da ressurreição dos mortos.

## O Marduk

No reinado de Hamurabi, Marduk, uma divindade citadina da Babilônia, evoluiu para um deus supremo. Marduk teria inspirado Hamurabi na elaboração de um corpo de leis com 282 artigos, que ficou conhecido como o Código de Hamurabi.

Sua importância foi eclipsada por Ashur, deus oficial dos assírios. Com a religião de Marduk, nasceu a epopeia de Gilgamesh, que relatava a história de antigos reis e heróis da Suméria durante a primeira dinastia da Babilônia. Narrou também a origem da realeza, a busca da vida eterna, a história da criação do universo e a narrativa mais antiga que se conhece do dilúvio universal, que, segundo se supõe, possivelmente influenciou a Bíblia.

O seguinte trecho, extraído de uma prece da época, nos dá a ideia de semelhança com o Judaísmo e o Islamismo: "Ó valoroso deus, cuja cólera assemelha-se ao ciclone, mas a bondade é igual à de um pai compreensivo, peço-te perdão pelos pecados dos quais tenho plena consciência e também por aqueles que ignoro".[75]

## O Mitraísmo

Surgiu na Pérsia como religião que antecedeu o Zoroastrismo. Mitra era uma divindade solar, cultuada também na Índia, que prometia a salvação universal. Esta sempre foi a suprema aspiração de todos os povos em todas as épocas. Por tal razão, o Mitraísmo se espalhou rapidamente, especialmente entre os soldados do Império Romano, que a tornaram popular. O

---

75. MEDINA, Sinval Freitas. *Dicionário da história da civilização*. Porto Alegre: Globo, 1970. p. 238.

Mitraísmo ficou então em voga do século II ao século V da Era Cristã, fato que levou o imperador Cômodo a adotá-la como religião oficial. Pelo fato de empolgar as massas, foi implacavelmente banida pelo Cristianismo, que a fez desaparecer definitivamente. Se tivesse sobrevivido, o mundo ocidental poderia ser hoje preferencialmente mitraísta.

## O Maniqueísmo

No século III de nossa era surge na Pérsia outra religião, o Maniqueísmo. Seu fundador foi um babilônico chamado Manes, ou Maniqueu. Ele se comparava a Buda, Zoroastro e Jesus, daí por que sua religião teve origem no sincretismo dessas religiões. O Maniqueísmo não se dirige somente à Mesopotâmia, com a religião de Zoroastro, nem ao Ocidente, com a religião de Jesus Cristo, mas a todos os homens. Foi uma tentativa de instituir uma religião universal. Sua ideia principal era a existência de duas forças. De um lado, o bem, e de outro, o mal. O bem é a alma, é a luz. O mal são as trevas. O mal é o corpo. São dois princípios opostos e antagônicos que comandam o universo.

Maniqueu foi perseguido, condenado e crucificado pela hierarquia zoroástrica na Pérsia em 276 d.C., com sessenta anos de idade.[76] De acordo com outras versões, ele foi açoitado e decapitado, e sua cabeça foi exposta em local público. Ele foi hostilizado, igualmente, por todas as religiões das quais aspirava ser síntese. Expulsa da Pérsia, a religião maniqueísta espalhou-se para o Turquestão, a Mongólia, a China, a Síria, o Egito e por toda a África do Norte. Santo Agostinho de Hipona aderiu a ela por algum tempo, mas depois se tornou seu ferrenho adversário.

Segundo historiadores, sob outra forma, o Maniqueísmo renasceu na Europa em uma seita chamada Catharos (puros), ou Albigenses. Eles

---

76. Há uma versão no livro *Rota dos deuses*, de Floripes D'Ávila de Morais, que afirma que os parses (adeptos do Zoroastrismo) levaram Manes para a Índia, onde foi torturado e crucificado, no ano 276 d.C.

foram obstinadamente perseguidos pelo Catolicismo, até seu completo extermínio pela Inquisição.

## O Sikhismo

O Sikhismo é uma religião monoteísta indiana que, como o Jainismo, tem poucos adeptos. Seu fundador foi o Guru Nanak, que enfatizava a absoluta unidade e soberania de Deus. O Sikhismo rejeitou o sistema hindu de castas. Também se rebelou contra o controle dos muçulmanos que dominaram o norte da Índia desde o século XIII. Eles acreditam que tudo foi criado por Deus e que tudo depende de sua vontade. O certo é que a doutrina Sikh se afastou do Hinduísmo e do Islamismo para "seguir o caminho de Deus". Os sikhs têm orgulho de sua história e consciência de que vivem uma guerra de libertação, comandada por seus líderes políticos e religiosos. O Templo Dourado de Amritsar, construído no fim do século XVI, é um dos mais lindos templos da Índia. A ex-primeira-ministra Indira Gandhi foi morta em 1984 por um guarda-costas sikh, para vingar a invasão do Templo Dourado pelos hinduístas, ocasião em que, por ordem da própria Indira, foram assassinados 800 sikhs.

## O Judaísmo

É muito difícil afirmar com segurança quem mais precisava do outro, se Iavé de um povo, para subsistir, ou o povo de um Deus, para sobreviver. A religião judaica primitiva não foi apenas uma teocracia. Ela ritualizou-se sob as ordenanças diretas de um Deus que intervinha em todos os setores da vida pública, particular e, principalmente, religiosa dos filhos de Abraão.

Os judeus "creem ser descendentes de Abraão, um 'arameu errante', que se tornou pai de uma grande nação".[77]

---

77. BOWKER, 1997, p. 114.

Não existem comprovações de que, por volta de 1300 a.C., os judeus fossem escravos no Egito, mas é certo que em 587 a.C. Nabucodonosor pilhou e queimou Jerusalém, levando um grupo enorme de judeus (os que tinham destaque social) como escravos à Babilônia.

Outro fato incontestável é que eles erravam sem destino por terras e desertos inóspitos. Esse foi o período denominado pré-mosaico. Mais tarde, pelo século XIV antes da Era Cristã, se fixaram na terra de Canaã.

"Cessaram então de ser beduínos nômades para se tornarem felás fixados ao solo. Abandonaram a tenda pela casa. Transformaram-se em agricultores, interessaram-se pela cultura de árvores frutíferas, dentre outras."[78]

É provável que nenhum outro povo da Antiguidade tenha deixado tantas provas, sinais e marcas por onde tenha passado, tendo em vista o seu rico filão histórico e, principalmente, porque sua epopeia – e também sua tragédia – foi contada por uma coleção de 46 livros sagrados, que, em seu conjunto, formaram o antigo testamento, e por inúmeras outras obras, como foi o caso de Flávio Josefo, que narrou a vida dos judeus desde Abraão até a destruição de Jerusalém pelos romanos, no ano 70 da nossa era.

Ou porque foram escravos, ou porque viveram constantemente mudando de local, ou ainda porque vagueavam sem destino pelo deserto, irrompia no seio dos clãs uma natural ansiedade de união de todos sob um mesmo signo.

Era, então, necessário que se pusesse fim ao sistema politeísta animista, e aos demais espíritos, para que fosse encontrada uma divindade condutora e protetora para todo o povo. Essa tarefa coube especialmente a Moisés, um intérprete magistral dessa aspiração. Já afirmamos que, quando nômades, os descendentes de Abraão acreditavam em seres sagrados chamados elohim. Um desses elohim, conhecido pelo nome de Iavé, a divindade do Sinai, foi adotado por Moisés com o objetivo de dar curso ao plano de unificação.

---

78. LODS, p. 449 *apud* CHALLAYE, 1998, p. 153.

Iavé, mais tarde também conhecido por Jeová, que segundo Moisés libertara os judeus do jugo faraônico e saciara a fome deles no deserto, que era o Deus do Sinai e o Deus do decálogo, tornou-se, enfim, um Deus nacional. Em torno desse Deus, formou-se uma nova religião nascida de fatos históricos e testificada pela palavra dos profetas. Iavé assumiu logo o seu traço característico de ser um Deus guerreiro, Deus da Nação de Israel, cujos inimigos eram também seus inimigos. Mais ainda, o Deus de Abraão, Isaac, Jacó, Moisés, Davi, Salomão, isto é, dos descendentes de Abraão, proclamava a verdade fundamental de ser um Deus único. Não havia outros deuses senão Ele. Foi Ele quem disse a Abraão: "Sai de tua terra, e da tua parentela, e da casa de teu pai, e vem para a terra que eu te mostrar; de ti farei uma grande nação..." (Gênesis 12:1-2).

E foi com ele que Moisés, durante o êxodo, fez aliança em nome do povo que chefiava. Feita a aliança, determinou Deus que Moisés subisse ao cimo do Monte Sinai, onde pronunciou as seguintes palavras: "Eu sou o Senhor teu Deus que te tirei da terra do Egito, da casa da servidão. Não terás outros deuses diante de mim" (Êxodo 20:2).

Instituiu-se, assim, consoante mandamento divino, o monoteísmo judaico resultante de desdobramentos mitológicos impostos por revelações arcanas e escrituras profanas.

E por esses mesmos motivos, a vida moral e política continha conteúdo fundamentalista e estava rejuntada por uma teocracia de ingerência direta.

Com o Judaísmo, o monoteísmo exsudava-se por todos os poros do povo eleito. Pela primeira vez, surgem na história evidências patentes comprovadas pelo verbo divino, que o universo, a terra, assim como toda a vida, haviam sido criadas por um Ser Supremo que, além disso, era responsável direto pela administração teológico-estatal, com dois objetivos basilares: a conversão dos clãs numa nação e a subsequente conquista da terra prometida.

Os judeus encontraram no Deus da Bíblia um ente poderoso, com capacidade infinita, sendo seu maior feito a criação do universo a partir do nada.

Com base nesses fatos e apesar dos bezerros de ouro, o monoteísmo hebreu vem se mantendo constante e serviu de base em sua longa trajetória para a formação de outras religiões, também monoteístas, que é o caso do Cristianismo e do Islamismo.

## O Cristianismo

Em 1935, sob o pseudônimo de Lucien Henry, Charles Hainchelin, um comunista herói da resistência francesa, publicou a obra *As origens da religião*. Ele morreu em 1944, numa das batalhas de libertação da França do jugo nazista.

A tese fundamental de sua obra poderia ser expressa pela seguinte frase: de todas as lendas antigas, especialmente as dos deuses da mitologia greco-romana, a única que subsistiu no mundo ocidental foi a lenda de Jesus Cristo.

A irreverência da frase merece o repúdio de todos os homens de boa vontade, diria um cristão. Inaceitáveis tais conclusões pela Civilização Ocidental, em que os evangelhos predominam de forma absoluta, a ponto de servir de regra para marcar ética e moralmente a conduta das pessoas.

Como poderia alguém ter a coragem de transformar em lenda a vida de um Deus que foi, segundo a perspectiva cristã, o mais importante personagem da mais comovente história de todos os tempos: a história de Jesus Cristo, o filho de Deus.

E o que dizer de seus milagres? Do patrimônio de suas ideias? De sua origem ambivalente, humana e divina. E, enfim, o que dizer quanto ao cumprimento das velhas profecias bíblicas?

Jesus morreu e ressuscitou, simbolizando o triunfo do bem sobre o mal, fatos fundamentais para o proselitismo cristão. Como pode alguém recusar a crença a acontecimentos indesmentíveis?

O Messias, disseram os evangelhos, foi enviado à terra para redimir nossos pecados e assegurar aos bons e humildes de coração a bem-aventurança eterna.

Se, ainda assim, homens de pouca fé continuassem a aceitar Jesus apenas como uma lenda evoluída de antigas mitologias, deveriam ser

O MONOTEÍSMO (AS RELIGIÕES DO ÓDIO)

anatematizados, pois estariam atentando contra as escrituras, contra os evangelhos e contra a própria palavra de Deus.

Não! O mundo ocidental e cristão não merece tamanha afronta.

Com tantas provas, centenas delas, como não acreditar no filho unigênito, no fundador de uma nova igreja e no salvador da humanidade? Quem não gostaria de ser salvo? E quem afrontaria tantas verdades: um marxista francês?

Mas onde está a verdade?

Muitos se perguntariam (preferentemente os agnósticos) se estariam obrigados a crer, sem hesitar, em verdades nascidas de histórias piegas, originadas num tempo em que uma variedade enorme de alucinados caminhantes se proclamavam salvadores, e que pregava mensagens escatológicas numa comunidade condicionada às profecias e alucinada pela parúsia.

Mesmo não se levando em conta o ceticismo do irreverente escritor francês, dúvidas de todas as naturezas foram levantadas, inclusive por destacados membros do clero cristão desde os tempos que se seguiram à paixão de Cristo, dúvidas que ainda se mantêm na atualidade e que, seguramente, persistirão por mais dois mil anos.

Na verdade, os pregoeiros da palavra de Deus a partir da ressurreição foram os responsáveis pela metamorfose da crença messiânica judaica numa instituição política temporal. Essa particularidade sedimentou um novo organismo religioso formado a partir de clérigos, sacerdotes, presbíteros, bispos, patriarcas e papas, ajustados numa hierarquia administrativo-teocrática que com o tempo estabeleceu a sede em Roma, onde edificou o cetro do universalismo católico.

Inobstante, na maioria das épocas, a administração era exercida, diga-se a bem da verdade, a duras penas, tendo em vista o poder de ingerência direta empreendida pelos imperadores romanos até a Idade Média, mas principalmente nos primeiros séculos, como foi o caso de Constantino (o libertador da crença) e Teodósio (o instituidor do Cristianismo no Império), que, por esse mesmo motivo, impunham às autoridades eclesiásticas subserviência aos interesses do governo.

RAZÃO X RELIGIÃO

Mesmo diante dessa profanação, seria loucura pretender apagar da história a vida de um homem cuja existência histórica para o Cristianismo é incontestável. Alguém poderia ser tão insano a ponto de negar verdades comprovadas por episódios evangélicos?

Antes de qualquer resposta definitiva, é interessante cogitar se os dogmas fundamentais do Cristianismo nasceram com Jesus ou foram frutos de uma igreja teologicamente institucionalizada.

O dogma Trinitário foi introduzido pelo Concílio de Niceia. Segundo Pepe Rodrigues, "uma caterva de bispos covardes, vendida à vontade arbitrária de Constantino, deixou que ele definisse alguns dos dogmas mais fundamentais da Igreja Católica, como o da consubstancialidade entre o Pai e o Filho e o credo trinitário"[79]. A encarnação (crença de que Deus veio à terra como homem) nasceu dos concílios de Éfeso e Calcedônia.[80]

O mais importante imperador cristão, conhecido como Pontifex Maximus, não era tão cristão como a história do Cristianismo registra. Embora inteligente construtor de prédios e cidades, ele foi um verdadeiro "exterminador do passado". Um de seus hábitos era exterminar populações. Como perfeito inspirador de Nero e Calígula, assassinou o sogro e o cunhado, e como apoteose final de seu instinto sanguinário, terminou assassinando o filho, Crispo, acusado por Fausta, sua segunda esposa, de fazer-lhe propostas indecorosas. Depois foi a vez de Fausta, morta por estrangulamento.

Contudo, mesmo que a Trindade fosse imposta por decisão conciliar, como explicar a união de três pessoas distintas numa só entidade: Deus. Esse mistério se prestava e ainda se presta para todo o tipo de confusões. Todavia, a Igreja, sempre vigilante na manutenção unitária da fé, com a eficiência de sempre, pôs fim à controvérsia. A palavra milagrosa se chama consubstanciação. Talvez o milagre da consubstanciação tenha sido

---

79. RODRÍGUEZ, Pepe. *Mentiras fundamentales de la Iglesia Católica*. Barcelona: B.S.A., 2000.

80. O Concílio de Niceia foi mais um órgão do Estado do que uma instância conciliar da Igreja. Convocado por Constantino, ele conferiu validade de leis do Estado aos decretos do Concílio.

O MONOTEÍSMO (AS RELIGIÕES DO ÓDIO)

o primeiro dos muitos milagres semânticos nascidos da astúcia milenar conciliar. A unidade da substância era preferível à trindade das pessoas. Estava salvo o monoteísmo cristão. Usando de argúcia, os prelados presentes aos concílios realizavam com maestria construções semânticas que mantinham íntegras as concepções criadas pelas artesanias sinodais e que atribuíam natureza unitária a um personagem que era "perfeito na divindade e perfeito na humanidade, verdadeiro Deus e verdadeiro homem, consubstancial ao Pai segundo a divindade e consubstancial a nós segundo a humanidade".[81]

A Igreja jamais perdia a oportunidade de tentar explicações para consumo de livre curso, não explicando nada. O texto consubstancia, na verdade, mais uma parafraseada cantinflesca do que elucida um conceito crucial referente ao debate de uma das questões eclesiásticas da mais alta indagação.

Com o controle rígido de seus cânones, o Cristianismo é religião de mais de um quarto da população mundial. Segundo Renan, o Cristianismo é uma obra-prima do Judaísmo. Jesus, o último dos profetas, veio cumprir os desígnios oraculares dos arautos do Velho Testamento. Aconteceram com Cristo as profecias que havia vários séculos vinham montando uma história que cedo ou tarde deveria se realizar.

Como Brahma, Vishnu e Shiva, em que Shiva é o Deus destruidor, no sentido de destruir para depois restaurar. Jesus igualmente destruiu o Deus do deserto, dos exércitos e do povo judeu para torná-lo o Deus de todos, o Deus da humanidade. O Deus mau, o velho Deus vingativo estava definitivamente sepultado. Cristo decidiu-se pelo Deus da compreensão, pelo Deus da salvação.

Com Jesus, o mito antigo desapareceu para dar lugar a um Deus que amava infinitamente sua criatura. Marcado por um pecado de origem, o significado da vinda do Messias era ao mesmo tempo de perdão e salvação. Houve, como se constata, uma mudança fundamental, o Deus dos judeus

---

81. ALBERIGO, Giuseppe (org.). *História dos concílios ecumênicos*. São Paulo: Paulus, 1995. p. 100.

foi substituído pelo Deus da humanidade. Atentos ao seu fundamentalismo, os judeus não aceitaram esse modernismo, mesmo porque não estavam dispostos a perder um Deus que era só deles. Continuaram dando preferência ao velho Deus da Bíblia.

Sensivelmente distante do Deus antigo, Jesus Cristo passou a ser a figura central de uma nova religião. Dessa decorrência, Cristo toma o lugar do pai, introduzindo, com essa tomada de posição, o caráter de dualidade e, mais tarde, com a elevação de categoria divina para o Espírito Santo, ficou concebida a trilateralidade: Pai, Filho e Espírito Santo, conceituação lançada por Orígenes de Alexandria, determinada por Constantino e elaborada pelos padres Basílio, Gregório Nazianseno e Gregório de Nisa. Hoje a Santíssima Trindade é um dos mistérios fundamentais da fé cristã.

O motivo básico da vinda de *Christos* (nome grego do Messias) teve como causa a incapacidade de Iavé evitar a queda da criatura (a vinda do pecado). Constitui-se um atentado à inteligência do homem a sustentação da mitologia do gênesis, que afirmava ter Deus plantado em um paraíso de delícias, com a árvore da vida no meio e a árvore da ciência do bem e do mal ao lado dela.[82] Nesse pomar divino, todos os frutos poderiam ser comidos, exceto o fruto da árvore da ciência do bem e do mal.[83] Mas a serpente[84] disse a Eva: "Vós de nenhum modo morrereis. Mas Deus sabe que, em qualquer dia que comerdes dele, se abrirão os vossos olhos, e sereis como deuses, conhecendo o bem e o mal".[85]

Não podemos evitar dar destaque à expressão "e sereis como deuses". Essa particularidade prova em caráter induvidoso que o Deus da Bíblia – que é o Deus dos judeus, dos cristãos e dos ismaelitas – surgiu em período posterior ao politeísmo existente na região (El, Baal, Eloim, dentre outros).

---

82. Gênesis 2:8-9.

83. Gênesis 2:17.

84. Naquele tempo, as serpentes falavam, das pedras vertia água, o Sol quedava-se imóvel, as varas se convertiam em serpentes, o mar se dividia para formar uma estrada seca e as muralhas tombavam ao som das trombetas.

85. Gênesis 3:5.

O MONOTEÍSMO (AS RELIGIÕES DO ÓDIO)

É incrível que, uma serpente, "o mais astuto dos animais criados por Deus", tivesse destroçado todo o plano da criação. Derrotado por uma serpente, dali em diante Deus perderia todas as batalhas, só levando vantagem nas guerras de vingança. Por isso Deus chamou a víbora de maldita e de quebra expulsou Adão e Eva do paraíso. Também amaldiçoou a terra, determinando que Adão comesse o pão com o suor de seu rosto, até o seu retorno à terra em forma de pó.

Várias deduções podem ser abstraídas deste *diktat* celestial. Aliás, do início ao fim, desde o Gênesis, e no Êxodo, até os livros proféticos, as escrituras ditas sagradas podem ser interpretadas ao talante da mais variada clientela. Assim como as profecias de Nostradamus.

Entretanto, ninguém tem o direito de obrigar o homem a acreditar que historietas mitológicas acerca de seres sobrenaturais sejam aceitáveis para um homem de mediana inteligência. Muito menos acreditar que a humanidade tenha tido sua geratriz num casal chamado Adão e Eva.

Janaína Amado, historiadora e autora do livro *A revolta dos mucker*, concedeu uma entrevista a um jornal de circulação no Rio Grande do Sul[86] e respondeu a perguntas sobre seu interesse pelo episódio, fontes de pesquisa, referenciais investigatórios, tipo de vida engendrada por colonos alemães radicados na região do vale do Rio dos Sinos e explicações sobre a ascensão de Jacobina dentro do contexto. Havia curiosidade em encontrar respostas para o fato de Jacobina ter se elevado à condição de "sacerdotisa" e líder de um grupo agro-religioso de caráter messiânico, que no fim do século XIX pregava mensagens escatológicas no morro Ferrabrás, em Sapiranga, no Rio Grande do Sul. Segundo Janaína, os muckers tinham inclinação milenarista. Lutavam, igualmente, por um mundo mais justo, com respeito total às palavras da Bíblia. A novel heresia, teuto-rural, preocupava com sobressalto as igrejas tradicionais e ao próprio governo, responsável pela manutenção da ordem na província. Os fatos exacerbaram-se. Houve alguns encontros com vítimas, o que motivou a intervenção

---

86. Entrevista concedida ao jornalista Eduardo Veras. *Zero Hora*. Caderno de cultura, 15 jun. 2002.

da força pública. Sucederam-se combates com dezenas de vítimas. Tais sucessos atraíram a atenção de alguns historiadores. Várias obras foram escritas, como *Os muckers*, do Padre Ambrósio Schupp; uma publicação de Leopoldo Petry; *Videiras de cristal*, de Luiz Antônio de Assis Brasil; *Jacobina: a líder dos muckers*, de Elma Sant'Ana; e o já referido livro de Janaína.

Cada um dos ensaístas apresentou uma visão pessoal sobre os sucessos. Para o padre e para o governo, o grupo, além de fanático, era constituído de uma malta de desordeiros e criminosos. Para imigrantes alemães, eram elementos perigosos por veicularem concepções religiosas excêntricas. Mas, para Leopoldo Petry, descendente de família ligada ao episódio, os muckers não eram os perigosos heréticos assassinos desenhados por Schupp. Conclui-se, então, que cada um tinha seus parâmetros particulares que aplicava ao processo investigatório-narrativo. É impossível compreender todo o fenômeno sociológico sem levar em conta uma série de fatores para que a história revelada posteriormente fosse a mais fiel possível. Embora os acontecimentos estivessem relativamente próximos de quem os descrevia, sempre restavam dúvidas sobre a doutrina professada e sobre as reais intenções dos crentes, motivo mais do que suficiente para que os historiadores procurassem unir fontes, fatos e relatos para colocar em seu verdadeiro eixo contextual o movimento e sua posterior destruição pela milícia estadual.

Dezenas de episódios podem ser encontrados na historiografia brasileira do início do século XX, tendo como pano de fundo a rebeldia de pequenos grupos autóctones (miseráveis e atrasados), dissidentes da ortodoxia cristã, que procuravam as próprias vias de libertação e que por isso foram impiedosamente massacrados pelo poder estruturado nos grupos dominantes.[87]

---

87. Como exemplo podemos citar: *Monges barbudos*, de André Pereira e Carlos A. Wagner; *Os monges do pinheirinho*, de Gino Ferri; *Zumbi dos palmares*, de Décio Freitas; *Os sertões*, de Euclides da Cunha etc.

O MONOTEÍSMO (AS RELIGIÕES DO ÓDIO)

Por essa razão, não poderíamos deixar de mencionar o episódio dos muckers e suas diferentes interpretações. Vale a pena transcrever um trecho da entrevista de Janaína:

> Cada livro de história é fruto de um determinado tempo histórico – aquele em que o autor o escreveu, com as ideias que vigoravam à época e que, mesmo quando rejeitadas, serviram de parâmetro para a escrita. Essa capacidade de rever, de reatualizar, de recontar o passado de uma infinidade de maneiras – diferentes entre si, mas não necessariamente melhores uma que a outra – é um dos aspectos mais fascinantes da História e da historiografia. Estamos permanentemente debruçados sobre o passado, sempre o recontando de formas diferentes; e a cada vez que o fazemos, reinventamos esse mesmo passado. É claro que, ao transformar o passado, estamos também transformando o presente, a nossa compreensão sobre ele e, talvez, também sobre o futuro.

Se excluirmos os muckers e pusermos em seu lugar os episódios evangélicos, o quadro não se alteraria.

Se existem várias maneiras e formas de interpretação de acontecimentos históricos, muitas vezes escritos logo após terem acorrido, imagine o que pode ter acontecido com a historiografia religiosa, sempre escrita, reescrita e recomposta de acordo com as exigências dos interesses políticos e teológicos de cada época. Acrescente-se a inexistência dos originais, tanto da Bíblia quanto dos Evangelhos, e some-se a falta de certeza quanto aos seus autores. Registre-se, enfim, que os relatos testamentários foram escritos alguns séculos após os acontecimentos que eles abordavam.

Segundo alguns historiadores, partes da Bíblia foram escritas até mais de um milênio após terem ocorrido as histórias nela narradas. O Pentateuco compreende um complexo conjunto de textos escritos durante um longo período, num processo que se completou por volta de 400 a.C.[88] A investigação bíblico-crítica aceita as intersecções temporais e estilísticas,

---

88. GAARDER; HELLERN; NOTAKER, 2000, p. 105.

RAZÃO X RELIGIÃO

e sublinha que a Torá, se bem que contenha um único espírito, o espírito mosaico, foi transmitida por vários copistas. Houve, portanto, um processo de criação literária que foi se fundindo, refundindo e misturando.[89]

Dentro dessa visão, não há como deixar de concluir que as narrativas bíblicas tenham mais buracos que um queijo suíço, ou então, caso queiramos dar crédito, não há como evitar o destino final imposto pela maldição, o pó. Via de consequência, com a morte, o homem retorna àquilo que era antes: o nada. Ou ao pó, se quisermos, mas nunca se converterá num espírito, numa alma, ou retornará como homem pela ressurreição, ou em vários outros pela reencarnação, ou em qualquer coisa pela transmigração.

Há ainda um fato de importância fundamental que lembra o diálogo espirituoso do editor de redação. O Natal se aproximava, e ele pediu a um jornalista que escrevesse um artigo sobre Jesus Cristo. "Contra ou a favor?", o repórter perguntou.

Essa lembrança nos obriga a ponderadas meditações. Como fundamento constitucional, além de amplo instrumento na realização da justiça, o princípio do contraditório é parte essencial para o julgamento de qualquer causa. A precaução nos impõe que não aceitemos de imediato relatos resultantes de condicionamentos monolíticos e exclusivistas, isto é, com origem em um só ponto de vista ou numa só fonte, e a prudência nos obriga a pesquisar se outros trabalhos, redigidos na mesma época, tenham contraditado, ou pelo menos adotado concepções ou formulações diferentes dos acontecimentos descritos, de modo especial com relação à Bíblia e aos Evangelhos. Com toda certeza nada foi escrito. Dedutivamente, não existe a mínima segurança de que seus relatos sejam imunes a apreciações racionais.

Se fizermos uma análise profunda do Velho Testamento, na parte dos mitos da criação e da formação da crença, concluiremos que tudo se fundamenta em construções históricas de caráter religioso-lendário. Esse fenômeno da montagem de estruturações religiosas, segundo o estágio social de cada povo, se repetiu amiudadamente ao longo da história pelos

---

89. KÖNEMANN. *Religiones del mundo*. Impressão alemã, 1997, p. 60.

quatro cantos do mundo. As diferenças, quando existem, se estabelecem quanto às concepções teológicas e formas de salvação, isto é, de nenhuma delas escapam dois fenômenos constantes, a morte – que é inevitável – e o que vem depois dela – que é um mistério indevassável. Essa mesma taumaturgia alegórica que dava destaque ao surrealismo irracional do Velho Testamento se repete nos Evangelhos.

Apesar de as igrejas cristãs dissimularem, existem incompatibilidades perceptíveis entre os redatores da história de Jesus em relação a datas e fatos. Um dos aspectos que chama a atenção diz respeito à linha genealógica ascendente que liga Jesus a Adão. São Lucas começa dizendo que Jesus era filho de José, o qual foi filho de Heli e termina com Sem, que foi filho de Noé, que foi filho de Lamec, que foi filho de Matusalém, que foi filho de Henoc, que foi filho de Jared, que foi filho de Malaleel, que foi filho de Cainan, que foi filho de Henoc, que foi filho de Set, que foi filho de Adão, que foi criado por Deus.

Completamente dissonante em relação aos nomes, pois apenas alguns são repetidos (os mais importantes), é o evangelho de Mateus, que não teve a "competência" de Lucas para chegar até Adão. Mateus, mais prudente, termina a árvore genealógica de Cristo em Abraão. Ora, o mundo não foi criado por nenhum Deus. Darwin e a ciência já desmistificaram esses relatos produtos da utopia sagrada. E, se nenhum Deus criou o mundo, muito menos um Deus criou Adão.

Já afirmamos no capítulo da Grande Explosão que, conforme Agostinho de Hipona, o mundo foi criado há 5.500 anos. Segundo James Ussher, arcebispo de Armagh, na Irlanda, o mundo foi criado pelo Deus cristão no começo da noite que antecedeu ao 23° dia de outubro do ano 4004 a.C. Mas acontece que o universo existe há mais ou menos quinze bilhões de anos, e o homem primitivo, no caso Lucy, conforme registros arqueológicos (ou até outros anteriores, não há ainda uma resposta definitiva), viveu na Etiópia há pouco mais de três milhões de anos.

A espécie humana, com a estrutura e as feições atuais, tem cerca de 150 mil anos. Nesse tempo todo, não foi encontrado um lugar que pudesse abrigar o inculpado e injustamente punido casal do paraíso terrestre.

RAZÃO X RELIGIÃO

Quando Moisés, ou algum outro personagem, escreveu o Pentateuco e quando Mateus, Marcos[90] e dezenas de outros escribas redigiram ou ditaram os livros da Bíblia e os Evangelhos, alguns considerados apócrifos pela Igreja Católica, nunca imaginaram que a ciência, mais tarde, pudesse pôr em xeque as lendas da criação. É claro que agora o clero fala em tempo simbólico. Mas só agora, após ter sido desacreditado pela ciência. Não faz muito tempo que a Igreja Católica recepcionou a teoria Heliocêntrica, como também não faz muito tempo que pediu escusas pela injusta condenação de Galileu Galilei.

Continuando nessa linha de raciocínio, acrescentaríamos que o Evangelho de São Lucas informa que Jesus nasceu no tempo do rei Herodes. Mas a verdade é que Herodes morreu quatro anos antes da Era Cristã.[91] Como dedução, podemos afirmar que Herodes nunca deu ordens para matar todos os nascidos de "dois anos para baixo".

Por terem sido escritas dezenas de anos após a morte de Jesus, as narrativas dos Evangelhos carecem de fidelidade quando confrontadas com os livros de Flávio Josefo, ou vice-versa. A partir desse cotejo surgem dificuldades para se saber o que era resultante de vaticínios proféticos (que a história do messianismo cristológico deveria confirmar), o que era produto de uma mitologia metabolizada por primazia religiosa, e, mais ainda, o que era consequência de deformação de episódios miraculosos transmitidos oralmente por, pelo menos, uma ou duas gerações.

Naquele tempo existiam quatro ou cinco personagens com o nome de Herodes, todos descendentes de Herodes, cognominado de "O Grande",

---

90. Na verdade, os Evangelhos não são de Marcos, Lucas ou Mateus, mas sim segundo Marcos, segundo Lucas ou segundo Mateus. Não existem nem Bíblia, nem Evangelhos originais. Sequer temos datas certas da época em que foram escritos. Mas, seguramente, quem copiava ia adaptando os textos, conforme épocas, circunstâncias e interesses.

91. As genealogias ligando Jesus, por José, ao rei Davi, não são as mesmas em Mateus e em Lucas. Jesus teria nascido, segundo Mateus, sob Herodes, que morreu quatro anos antes da Era Cristã; segundo Lucas, no momento do recenseamento determinado por Cezar Augusto (Mateus 2:1). Acontece que o recenseamento ocorreu no ano VI depois da Era Cristã (CHALLAYE, 1998, p. 207).

## O MONOTEÍSMO (AS RELIGIÕES DO ÓDIO)

Rei da Judeia. O segundo Herodes na ordem de importância era conhecido como Tetrarca, filho de Herodes, O Grande, e de Mariamna. Após a morte do pai, ele foi nomeado governador da Galileia, na mesma época em que Pôncio Pilatos era governador da Judeia. Resulta desse confronto (Flávio Josefo/Evangelhos) que Herodes, o Grande, está ligado aos reis Magos e à ordem de eliminar meninos até dois anos de idade (ou à lenda quanto a esses fatos), enquanto seu filho, Herodes, o Tetrarca, é personagem que, junto de Pilatos, ambos contra vontade, mas pressionados pelo clamor do povo, condenaram Jesus à crucificação, que era a maneira romana de condenar alguém à morte.

Existe, ainda, outro fato de suma importância abstraído da obra de Josefo. Mais do que na Bíblia, ela apresenta um inter-relacionamento com a história da época, de modo especial por tornar visível uma ampla abordagem dos sucessos ocorridos ao tempo dos Herodes. Josefo analisou e detalhou os fatos ligando-os a seus personagens sempre fecundamente descritos. Heródoto e Shakespeare estão presentes na maneira de relatá-los. As guerras, com suas vitórias e derrotas, mereceram grande destaque e foram secundadas por jogo político, intrigas, assassinatos, traições, enfim, pela tessitura de fatos administrativos e políticos, acompanhados de desavenças familiares, formações de fortunas, viagens a Roma, construções de cidades, reconstrução do templo, construções de fortalezas, bajulações aos poderosos etc. Nada escapou à perspicácia do homem que, além disso, participou intensamente do contexto sociomilitar da Judeia, não só na condição de judeu, como também de cidadão romano. Ele pertencia ao grupo religioso dos fariseus e viveu entre 37 e 103 d.C, próximo ao período em que aconteceram os mais importantes fatos do Cristianismo: nascimento, pregação e morte do Messias.

Tomando parte nas operações de guerra na condição de comandante, Josefo conhecia como a palma da mão o território da Palestina. Seu pai fora sacerdote e o instruíra na vasta cultura greco-judaica. Herodes, Agripa, Pilatos, Marco Antônio, Cleópatra, Ptolomeu, Tibério, Augusto, Tito, Vespasiano e todos os supremos sacrificadores (príncipes dos sacerdotes, pontífices) foram, com profusão de detalhes, descritos pelo judeu-romano,

RAZÃO X RELIGIÃO

chefe de batalhões, poliglota, e, incontestavelmente, o mais importante historiador da Antiguidade judaica.

Quanto a Jesus, praticamente nenhum destaque lhe foi dado. Numa obra de oitocentas páginas, escritas com letra miúda, Jesus não é mencionado mais do que numa meia dúzia de linhas. Vejamo-las:

Nesse mesmo tempo apareceu Jesus, que era um homem sábio, se todavia devemos considerá-lo simplesmente como um homem, tanto suas obras eram admiráveis. Ele ensinava os que tinham prazer em ser instruídos na verdade e foi seguido não somente por muitos judeus, mas mesmo por muitos gentios. Era o Cristo. Os mais ilustres da nossa nação acusaram-no perante Pilatos e ele fê-lo crucificar. Os que o haviam amado durante a vida não o abandonaram depois da morte. Ele lhes apareceu ressuscitado e vivo no terceiro dia, como os santos profetas o tinham predito e que ele faria muitos outros milagres. É dele que os cristãos, que vemos ainda hoje, tiraram seu nome.

Como vemos: biografia completa. Jesus aparece; ensina; faz milagres; faz seguidores; foi acusado, crucificado e ressuscitou no terceiro dia. Aliás, bem como os profetas tinham predito. Disso se deduz que não existe uma história. Apenas títulos de capítulos que não foram escritos. Não foram mencionados pormenores. Há um silêncio total sobre sua vida, sua família, seus ensinamentos, seus milagres, e enfim, sua doutrina. Uma obra tão abrangente não poderia excluir os fatos extraordinários relatados pelos Evangelhos. Essa é a razão pela qual a maioria dos autores religiosos sérios considera o fragmento como apócrifo, tal é o caso de Bruno Bauer, Engels, Artur Drew, Charles Hainchelin e outros. Os Evangelhos não se constituem prova de que Jesus atacava os fariseus de forma implacável? Por que cargas d'água, então, um historiador fariseu, filho de um sacerdote também fariseu, elogiaria um pregador de heresias e, mais ainda, o maior inimigo de sua facção religiosa?

Como homenagem à verdade, não se pode deixar de destacar que, nas primeiras publicações da obra, não existia a interpolação.

## O MONOTEÍSMO (AS RELIGIÕES DO ÓDIO)

Josefo escreveu também sua biografia. Nela, a certa altura afirma:

> Um certo Jesus, da Galileia, nesse mesmo tempo veio a Jerusalém com seiscentos homens, que ele comandava; pagaram-no por três meses e a todos os seus soldados e os induziram a segui-los, para fazer tudo o que eles lhes mandassem; uniram-se ainda a eles trezentos habitantes de Jerusalém, aos quais pagaram também. Assim partiram levando com eles Simão, irmão de João, e os cem soldados que haviam trazido. Tinham além disso uma ordem secreta de me levar a Jerusalém, se eu deixasse de boa mente as armas, e de me matar, se eu oferecesse resistência, sem temor de serem castigados, pois faziam-no em virtude do seu poder.

Quando esses fatos aconteceram, Josefo era governador da Galileia. Se esse Jesus é o mesmo Jesus que foi crucificado por ordem de Pilatos (ambos são da Galileia), as citações não se harmonizam com a monumental história propalada pelos Evangelhos. Inobstante, os crédulos poderiam considerá-las suficientes. Contudo, se a primeira é produto de uma interpolação, a segunda versa sobre um Jesus chefe de um batalhão de mercenários interessados na morte de Josefo, que somente desistiram do intento após terem sido pagos para se afastarem de Jerusalém. É forçoso concluir na existência de incontornáveis discrepâncias, cuja história, em última análise, tende mais para um surrealismo lendário do que para a verdade.

Não é nossa pretensão afirmar que o Jesus histórico não tenha existido, mas, se existiu – naquela época havia várias pessoas com o nome de Jesus –, certamente o Jesus divindade não passou de produto literário de uma epopeia sagrada dramatizada por epígonos, exatamente igual aos relatos do irrealismo mágico-mitológico existente em todas as religiões.

Há ainda o Jesus mencionado nos evangelhos apócrifos, cujos textos foram escritos entre os séculos II e VIII da nossa Era. Creem alguns historiadores que muitos fatos sobre a vida de Jesus da infância até os trinta anos foram deliberadamente omitidos pelos Evangelhos sinópticos.[92] Aparece neles um personagem diferente por protagonizar acontecimentos os mais incríveis que se possa imaginar. E agora, o que deve ser feito? Simplesmente fazer de conta que nada se leu? Ou homenagear a verdade e registrar o que dele foi dito? O primeiro capítulo do livro de Antônio Piñero[93] relata que um menino esbarrou-lhe nas costas. Por esse motivo, Jesus, que na época tinha cinco anos, disse-lhe: – Não prosseguirás teu caminho. Logo o menino caiu morto. Alguns que estavam presentes censuraram-no pelo comportamento irascível. Jesus, que pelo jeito não gostava de ser admoestado, castigou-os fazendo com que ficassem cegos. Os fatos causaram muita indignação. A revolta chegou ao conhecimento de José que, acabrunhado, puxou a orelha do filho obrigando-o a ressuscitar o jovem. O autor silencia com relação aos feridos por cegueira.

Os Evangelhos apócrifos também dizem que Maria foi dada em custódia a José, que era velho e viúvo e havia deliberado em não se casar novamente. Os irmãos de Jesus mencionados pelos Evangelhos Canônicos eram, segundo os apócrifos, filhos de José e de sua primeira mulher. De tal forma que Maria continuava virgem, e para permanecer virgem o Verbo Divino fecundou-a penetrando-a através de uma orelha.[94]

Jesus gostava de viver no meio de mulheres. Maria Madalena era a sua melhor amiga e, para o ciúme de seus discípulos, Jesus beijava-lhe na boca. Certa ocasião, Jesus passou a noite em seus aposentos com um jovem vestido unicamente com uma túnica sobre o corpo. Segundo alguns hereges de plantão, Jesus e o jovem tinham passado a noite juntos e nus. Sobre esse aspecto, Jesus é de difícil caracterização. Em alguns textos dá para entender que tivesse aversão ao sexo e ao casamento, em outros assumia tendências que poderiam se dizer homossexuais. Consta que mantinha contato

---

92. Os Evangelhos de Mateus, Marcos e Lucas são chamados de Evangelhos sinóticos por conterem passagens que se harmonizam como partes de um conjunto que podem ser comparadas.

93. PIÑERO, Antonio. *O outro Jesus segundo os Evangelhos apócrifos*. São Paulo: Mercuryo/Paulus, 2002.

94. PIÑERO, 2002, p. 33.

O MONOTEÍSMO (AS RELIGIÕES DO ÓDIO)

íntimo com mulheres, tanto que Maria Madalena era chamada de sua companheira e até considerada por alguns seguidores sua amante e esposa.

Todos conhecemos a fuga da família de José para o Egito para escapar da ordem de Herodes (o Grande) de matar todas as crianças da Judeia até dois anos de idade. Sucede que, quando chegaram ao Egito, Jesus soube da morte de Izabel, mãe de João. Com medo de Herodes, ela estava escondida em grutas e penhascos próximos a Jerusalém.[95] Maria ficou muito triste e chorava compungida por não poder estar presente às exéquias. Jesus, vendo a mãe sofrer, fez uma nuvem descer até eles para transportá-los ao local do enterro. Depois, também viajando numa nuvem, voltaram ao Egito.[96] Provavelmente, mais que nos Evangelhos canônicos (Mateus, Lucas, João e Marcos), os apócrifos revelaram um Jesus poderoso que a todo momento fazia milagres, curava doentes, ressuscitava mortos, resolvia problemas, concomitante a um Jesus temível que chegava a ponto de matar e cegar pessoas por fatos insignificantes. Está claro que as forças da terra não prevaleciam contra ele. Mas, apesar de todo o poder, usado centenas de vezes, fugia de Herodes como o diabo foge da cruz. Talvez, por causa desses paradoxos e para não se enredar em histórias tão confusas e incompreensíveis, a Igreja tivesse anatematizado os Evangelhos apócrifos e escolhido os quatro canônicos por opção ao Cristo crucificado, que ressuscitou para salvar a humanidade e se tornar centro irradiador de uma nova religião. Existem autores que afirmam que Jesus não morreu na cruz, pois seu corpo não era humano. Para o Corão, foi Judas Iscariotes quem foi condenado à crucificação. Ainda pelos textos apócrifos, ele teria nascido em Nazaré, e não em Belém. Dos Evangelhos sinóticos consta que José e Maria se deslocaram de Nazaré para Belém porque estavam obrigados a submeter-se ao recenseamento ordenado pelas autoridades romanas. Contudo, o recenseamento ocorreu no ano 6 ou 7 da Era Cristã.

---

95. Herodes também havia dado ordens para que matassem João, que mais tarde pregou no deserto e batizou Jesus.

96. Melhor teria sido viajar em um tapete voador, pelo menos seria mais apropriado e mais aceitável.

Outro fato são os irmãos de Jesus. Particularidade que, segundo muitos autores, a Igreja sempre encobriu em razão de seu interesse em proclamar a virgindade de Maria. Mas como poderia ser virgem uma mulher que, além de Jesus, teve mais meia dúzia de filhos, cujo filho mais importante foi Tiago, o justo, uma espécie de continuador das obras do irmão e que, por isso mesmo, foi executado pelo sumo sacerdote Ananias, no ano 62?

Os irmãos e irmãs de Jesus aparecem em Mateus 12:46-50; Mateus 13:55; Marcos 3:21; Lucas 8:19; João 7:1-10; e Atos 1:14.

De qualquer maneira, os cristãos acreditam que Deus foi o criador do universo e de todas as formas de vida que existem e que Jesus Cristo foi concebido por obra e graça do Espírito Santo para vir à terra sob forma humana. Portanto, existe um criador (Pai), um Salvador (Filho) e um Santificador (Espírito Santo). Mas o Cristianismo, apesar do monofisismo (que diz que existe somente a natureza divina em Jesus) e do arianismo (que afirma que Jesus não é Deus feito homem) adotou o conceito do Deus único, herança à toda evidência, do Judaísmo.

Com base nessa hermenêutica teológica, os Concílios de Niceia e Constantinopla adotaram o Creio em Deus Padre como símbolo da fé: "Creio em um só Deus, Pai todo-poderoso, criador do céu e da terra... e em um só Senhor, Jesus Cristo, Filho unigênito de Deus, nascido do pai antes de todos os séculos; Deus nascido de Deus, luz nascida de luz; Deus verdadeiro nascido de Deus Verdadeiro, gerado, não criado, consubstancial ao Pai, por quem tudo foi criado... e encarnou por obra do Espírito Santo, no seio de Maria Virgem e se fez homem; também por amor de nós foi crucificado, sob Pôncio Pilatos, padeceu à morte e foi sepultado; ressuscitou ao terceiro dia, conforme as escrituras, subiu ao céu e está sentado à direita do Pai... (creio) no Espírito Santo... que procede do Pai... espero a ressurreição dos mortos e a vida do século futuro, amém".[97]

Basta raciocinar um pouco para concluir que, por falta de clareza ou por configuração inaceitável, o Cristianismo, ao referir-se à Trindade, só poderia ter uma resposta: o mistério.

---

97. DELUMEAU, ed. 1993, fls. 58-59.

Por mais que queiramos, jamais vamos compreender se Deus é único quanto à natureza ou se são três pessoas concentradas numa única divindade. Conforme Jean Delumeau, uma espécie de Trindade indivisível e simultânea a si mesma, ou melhor: uma unitrinidade.

## O Islamismo

O Islamismo reintroduziu no cenário das religiões o Deus autoritário do Antigo Testamento.

O Deus é o mesmo. O *povo eleito* todavia é outro, embora pertencesse à mesma estirpe de Abraão, que, para ter um filho *conheceu* sua escrava Agar, que gerou Ismael, cuja progênie passou a chamar-se ismaelita.

No Islamismo, Deus se revelou por meio do Corão, o evangelho maometano, e por intermédio de seu único profeta: Maomé. Deus e Maomé consubstanciam as colunatas fundamentais do Islamismo.

Há um conceito primordial: só há um Deus, Alá. E um só profeta: Maomé. O Cristianismo tem seu centro em Jesus Cristo; o Islamismo, em Maomé. O Corão, que pode ser traduzido como recitação, é uma coletânea de revelações divinas, tendo por conteúdo a palavra de Deus revelada pelo arcanjo Gabriel a Maomé. O Corão é o livro sagrado do Islã. É composto por 114 suratas ou capítulos que versam sobre a natureza divina e leis que governam a vida dos homens.

Segundo Karen Farrington:[98]

> Ao receber uma mensagem, Maomé entrava em um transe, cujo começo não podia controlar. Ficava silencioso, sua face se iluminava e ele transpirava, mesmo nos dias frios. Alguns descrevem um murmúrio suave que emanava de sua face. Quando diminuía a intensidade do transe, recitava versos num estilo completamente alheio ao seu. Depois até ele se surpreendia com o conteúdo dos versos que recitava.

---

98. FARRINGTON, 1999, p. 135.

RAZÃO X RELIGIÃO

Fundamentalmente, esse tipo de mensagem etérea sempre existiu no decorrer da história religiosa da humanidade. Religiões indígenas, religiões africanas, umbandistas, xamãs, místicos quakers e dezenas de seitas pentecostalistas sentem as mesmas manifestações.

A meditação, a ascese, a introspecção profunda, acompanhada de intenso desejo, produzem estados alterados de consciência capazes de *canalizar* a comunicação com os espíritos.

Para uma série de novas religiões brasileiras, falar com Deus é uma faculdade que pode acontecer a qualquer momento. Tudo depende da vontade dos pregadores, que simplesmente dispensam as meditações e os estados de intenso psiquismo. É a banalização do contato com as divindades.

Baseado em revelações dessa natureza, Maomé pregou uma nova religião, com uma característica mais vigorosa que as anteriores: a obediência absoluta.

Os maometanos não têm estruturas eclesiais, nem santos, nem dogmas, nem outros rituais a não ser aquele que diz que há um Deus absoluto, sem concorrentes ou rivais.

Maomé, embora fosse o transmissor da vontade divina, não se considerava mais do que um homem. Segundo Delumeau, uma das passagens mais frequentemente citadas para esclarecer esse tema situa-se no capítulo do Corão intitulado "A reunião":

> Ele é Deus e não há outro Deus senão Ele. Que conhece o invisível e o visível. Ele é o Clemente, o Misericordioso. Ele é o Soberano, o Santo, a Paz. Ele é o Fiel, o Vigilante, o Poderoso, o Forte, o Grande! Que Deus seja louvado acima dos que os homens Lhe associam! Ele é Deus, o Criador, o Inovador, o Formador! Para Ele os epítetos mais belos[99] (59, 22-24).

Tão poderoso é Alá, que é Ele quem determina o destino de todos os homens. *Estava escrito (Maktub),* diz um dos preceitos do determinismo

---

99. DELUMEAU, 1977, p. 259.

O MONOTEÍSMO (AS RELIGIÕES DO ÓDIO)

sociológico islamita. Ninguém escapa do *caminho* que foi traçado pela vigorosa mão de Deus. É nessa parte que todo o fatalismo islamita refulge. Além de poderoso, é quem no fim decide que uns ganharão o paraíso – os bons –, e outros, o inferno – os maus.

Por prescindir de rituais complexos e de estruturações incompreensíveis, também de sacerdotes, liturgias, imagens e principalmente de dogmas, o Islamismo com facilidade encontrou vigoroso suporte sociocultural. Embora tenha nascido no deserto, ele manifestou uma força poderosa com excepcional apelo ideológico sustentado pela Lei (Sharia = o Caminho), que transformou a quase totalidade do mundo mouro num pan-arabismo, ou, no mínimo, numa imensa teocracia "comandada" pela vontade divina e impregnada por um irresistível apelo político-popular. Impulsionado também pela inflexibilidade da fé e estimulado pela "Guerra Santa", avançou em direção ao Oriente Médio, conquistando a Síria em 636, o Iraque em 637, o Egito em 642, o Irã em 651 e países mais orientais, como é o caso do Afeganistão, Paquistão, Indonésia e parte da Índia. No Ocidente, após se instalar definitivamente no Egito, estendeu-se para o Sudão, a Argélia, a Líbia, de onde seguiu para o Marrocos, a Mauritânia, Mali, e a Nigéria. Não se pode esquecer que fez do Magreb uma ponte para atravessar o estreito de Gibraltar e conquistar parte da Península Ibérica, só se detendo em Poitiers, onde foi derrotado por Carlos Martel. Nos últimos tempos, o Islã está se enraizando na Europa, nos Estados Unidos e em alguns outros países, como é o caso do Brasil, onde os muçulmanos têm colônias fortes em Foz do Iguaçu e São Paulo.

Expressando uma filosofia religiosa irredutível, os maometanos substituíram a liberdade pela obediência, e em alguns países (Irã, Paquistão, Afeganistão, Arábia, Iraque etc.), pela obediência cega.

As mesquitas, construídas na Europa ou na América, são protegidas por constituições democráticas, que lhes concedem plena liberdade de culto. Lástima que essa mesma liberdade não encontra reciprocidade nos países onde o Islamismo é religião oficial. Os árabes, quer sejam xiitas ou sunitas, provam com essa intolerância seu peculiar sectarismo. Nascido praticamente do Judaísmo e do Cristianismo, o Islamismo soube muito

RAZÃO X RELIGIÃO

bem copiar a maldade do fundamentalismo judaico e o impiedoso absolutismo Cristão. Mas, segundo a Sharia, está tudo certo: em face de um Deus absoluto só poderá haver obediência servil.

Quando se suprime a liberdade de escolha religiosa, quando se impede o culto de outras crenças, quando se proíbe o exercício do ritual religioso, explode o vilipêndio e a violência contra os fiéis gentios como se fossem os fatos mais naturais do mundo.

Dizem que é de Stefan Zweig a seguinte frase: "Sempre os que dizem de antemão que quem luta em nome de Deus são as pessoas menos pacíficas do mundo: como creem que recebem mensagens celestiais, têm ouvidos surdos para qualquer palavra de humanidade".

Com o Islamismo, a religião foi transformada numa ideologia. Pior ainda, numa teologia de Estado. Até a cultura, nos países dirigidos pelos aiatolás, encontra-se algemada pelo autoritarismo autocrático-estatal.

O Islamismo costuma concentrar em suas mãos todo o poder religioso e grande parte do poder civil, fenômeno caracterizador do fundamentalismo, marca registrada dos sistemas imperantes em quase todos os países islâmicos.

# 7
# Cerimoniais religiosos

O que é uma religião? Qual a sua natureza? Quais as razões de sua existência? São perguntas que os estudiosos fazem a todo instante, e também nós, simples mortais, quando as noções antagônicas, vida e morte, céu e terra, Deus e o Diabo, ou a indecifrabilidade da natureza dos espíritos ou, enfim, a inescrutabilidade do destino afloram em nossas consciências.

Pode ser correto afirmar que a prece é uma necessidade fundamental da espiritualidade humana. Como preceito moral, a frase é imune a objeções, mas por si só ou vista em caráter isolado não contém amplitude suficiente para explicar o fenômeno religioso.

Uma religião só é convincente para quem a professa. Na maioria das vezes, as pessoas creem porque têm fé. A razão não faz parte do projeto religioso. Sempre que a fé predomina como o principal componente de uma religião, seu sistema fenomenológico escapa à nossa compreensão. Em nossa adolescência, achávamos que as missas e as rezas eram necessárias para a salvação. O nosso Deus era o supremo bem, a suprema felicidade. Por isso devíamos amá-lo e venerá-lo acima de todas as coisas. A Igreja era o caminho seguro para chegar até Ele, aliás, o único caminho. Sem o concurso da Igreja, dizem seus clérigos, não existe qualquer outro itinerário válido para alcançar o céu. E que ninguém ouse afrontá-la. Os fiéis devem aceitar submissos sua autoridade. Ao longo da história, para condicionar seus crentes aos seus desígnios, a Igreja advertiu, assassinou, excomungou, e de quebra manteve sob constante temor aqueles que não se submetiam aos seus contextos canônicos. Uma frase escrita em suas cruzes missionárias torna evidente a síntese de sua postura doutrinária: "de que vale ganhar o mundo, se perder sua alma?". A advertência era, na verdade, uma ameaça escatológica e servia para inspirar o pavor da condenação às inextinguíveis labaredas infernais. Quem, quando criança, não teve medo das danações eternas? Por isso era preferível que o homem sofresse aqui, neste vale de lágrimas, para depois ser recompensado com as bem-aventuranças celestiais.

Há um profundo significado nesse determinismo religioso. Carecendo de aptidões para resolver os problemas humanos neste mundo, as religiões prometem a felicidade e o bem-estar no outro, sem, contudo, provar se ele existe ou não. Irritante é o mistério que se faz em torno desse assunto. Por que a total falta de clareza? Por que a permanente impossibilidade de prova? Onde está Deus? Onde se situa o céu? Por que sua realidade concreta sempre depende de concepções abstratas? O ar, o perfume e o elétron nunca foram vistos, particularidade que não impediu que a ciência provasse suas existências. O elétron é um só. Os deuses, só na Índia, somam a fantástica cifra de 330 milhões. Nenhum deles, entretanto, revelou-se claramente a nenhum homem. Só veem deuses, fantasmas, almas do outro mundo e entidades etéreas aqueles que são induzidos pelo irrealismo dos estados alterados de suas consciências. Nenhum homem, no seu perfeito uso e gozo das faculdades mentais, viu um Deus, uma entidade, um espírito ou uma Nossa Senhora. Essas ilusões nascem das desordens psíquicas dos videntes. As religiões pentecostalistas proclamam no Brasil uma multiplicidade de milagres noticiados todos os dias por mídia própria em seus templos e outros locais de culto. Nunca nenhum deles foi devidamente comprovado.[100] As religiões estão se tornando bastardas. Usam as estratégias de marketing tanto para ganhar seguidores quanto para arrecadar o

---

100. M. Littré, célebre filósofo positivista francês (1801-1881), afirmou que "por mais que se pesquise, jamais um milagre se produziu, onde pudesse ser observado e verificado" (apud CHALLAYE, 1998, p. 216).

CERIMONIAIS RELIGIOSOS

dízimo. Desde o tempo em que Jesus expulsou os vendilhões do templo até hoje, há uma constante que cimenta todas elas: a subjacência mercantil.

O vale de lágrimas, ou o carma, ou as imperfeições tornam inarredáveis a dor e o sofrimento, lugares-comuns de todas as religiões. A dor, o sofrimento e a ascese purificam, e a purificação – ou a iluminação, ou a perfeição (o nome pode variar) – tem se constituído no passaporte mais seguro para o gozo da eternidade.

Já afirmamos várias vezes que todas as religiões têm seus mitos de criação e, via de consequência, todas têm suas doutrinas salvacionistas. Há uma constância imutável na trindade cosmológica: passado, presente e futuro, simbolizada pelo criador, criatura e retorno. Essa circunstância permite concluir que não existe sociedade sem religião, tanto que as primeiras ideias que povoaram o mundo provieram da essencialidade religiosa.

Os ritos e as cerimônias constituem o ponto crucial que une as comunidades ligadas por uma mesma concepção mística. As ideias de salvação, rudimentares nos tempos primitivos, desenvolviam cerimoniais próprios, que, evidentemente, se modificavam no tempo e no espaço. Nas primeiras épocas da história, as cerimônias principais tinham por objetivo as invocações dos espíritos, acompanhadas de oferendas e sacrifícios como sinal de veneração. Os cultos eram repletos de práticas fetichistas e serviam para a cura de doenças, preparações para a guerra e tudo o mais que interessasse à tribo, sempre dirigidos por feiticeiros, xamãs e pajés. O uso de máscaras era muito comum nos territórios da América, África e Polinésia. Fortes doses de danças e cantorias eram agregadas ao cerimonial e serviam para implorar proteção às pessoas de um mesmo grupo, clã ou tribo.

É muito difícil falar sobre cerimônias e ritos sem participar dos sentimentos comuns que ordenam o espírito religioso de uma comunidade. Seria fundamental para uma perfeita compreensão poder sentir o âmago de cada religião, o seu "eu" profundo, isto é, a mola mestra dos sentimentos que as movimentam em direção às superstições, aos mistérios, aos espíritos e, enfim, aos seus deuses.

As cerimônias podem ser misteriosas, ininteligíveis e complexas, como também banais, inconsequentes e até vulgares para quem não pertence à comunidade na qual elas se realizam. Uma quantidade enorme de estudos poderia ser feita a respeito das particularizações e dos detalhes que unem um grupo à sua religião. Contudo, essas nuances apenas interessam a quem deseja dissecar os fundamentos teológicos e suas manifestações, o que não é o escopo do presente ensaio. Portanto, vamos apenas apreciar, em caráter elementar, porém abrangente, os cerimoniais e o patrimônio estrutural que formam as religiões, para que tenhamos ideias simples, porém claras e perfeitamente assimiláveis, e se possa compreender o significado de cada uma. Iremos constatar que as aparentes dificuldades tendem a desaparecer na medida em que suas escrituras, suas leis, seus fundamentos, enfim, seus componentes sejam avaliados. É dentro desse aspecto que as religiões mais presentes na atualidade serão objeto de nossa investigação.

## O Hinduísmo

O Hinduísmo tem por base um regime de castas, que é o principal fundamento de sua sociedade. A primeira é constituída pelos sacerdotes brâmanes. Abaixo seguem duas classes arianas, a dos xátrias, formada por príncipes e guerreiros, e a dos vaisyas, criadores-agricultores. Esse tipo de conformação social encontra seu limite no grupo dos homens de cor, dos artífices, dos trabalhadores e, enfim, dos escravos, que no seu conjunto são chamados de cudras. Fora delas, situam-se os párias ou chandalas, conhecidos como os intocáveis. Eles são destituídos de qualquer direito social. No dizer de Challaye, são uma espécie de rebotalho humano.

Somente esse fato, o da supressão da igualdade, já seria suficiente para se concluir sobre a inexistência de princípios humanamente aceitáveis. A Constituição indiana, que entrou em vigor em 1947, aboliu o sistema de castas, mas, mesmo assim, elas continuam tendo um papel significativo, principalmente nas pequenas aldeias.

Na verdade, esse sistema não decorreu inicialmente de um princípio religioso. Houve uma imigração de arianos, fato ocorrido no segundo milênio antes de Cristo. Uma multidão deles, com cultura, língua e traços fisionômicos diferentes (pele, olhos e cabelos claros), chegou à Índia. As posições sociais, raciais e culturais diferentes fizeram florescer as divisões sociais, impostas a toda evidência para manter o predomínio de umas sobre as outras e, com essas superposições, assegurar a estabilidade social.

Embora não exista um fundador humano, o Hinduísmo preserva, em sua base teológica, a ideia de um poder absoluto denominado Brahman, que se manifesta por meio de uma infinidade de deuses.

O ponto fundamental do Hinduísmo é a crença segundo a qual a alma provém de Brahman. Quando o homem morre, sua alma se separa do corpo reencarnando numa casta superior ou inferior, tudo de acordo com a lei do carma, para ao final das reencarnações voltar ao Brahman. É o chamado ciclo infinito de reencarnações em função do mérito das ações dos hinduístas, cujas ações têm o nome de carma e o ciclo de reencarnações, de samsara.

No Hinduísmo, carma na verdade é um estado de contingência por depender das ações humanas e do comportamento social do homem. Em palavras cristãs, o carma resulta do bom ou do mau comportamento do homem na terra. Se sua vida foi um exemplo de virtude, depois de morto o hinduísta renasce numa casta brâmane, caso contrário poderá renascer como pária. A libertação desse ciclo de renascimentos se chama moksha. Em outras palavras, renascer é retornar ao mundo para sentir a dor e o sofrimento. No momento em que o homem se liberta do carma, ele igualmente se liberta do renascer, imortalizando-se junto a Brahman. Outro ponto fundamental consiste na crença da reencarnação. Não pode haver renascimentos sucessivos sem a reencarnação, fenômeno parafísico em que o espírito assume formas materiais, que podem ocorrer milhões de vezes.

As teses fundamentais do Bramanismo são as de identidade do Brahman (princípio fundamental do universo) e do *atman* (eu profundo) e a transmigração das almas (samsara), determinada pelos atos das existências anteriores (*karman*).[101]

---

101. CHALLAYE, 1998.

O hindu, além de rezar, adota todo o tipo de práticas religiosas, de modo especial a meditação. É por meio dela que ele consegue a libertação.

No oitavo ano de vida, o menino brâmane recebe o "fio sagrado", simbolizando que ele nasceu pela segunda vez. Nessa etapa torna-se um discípulo e é entregue a um mestre hindu, com quem estuda os textos sagrados. Depois ele se casa e, após ter netos crescidos, entra para um estágio contemplativo, acompanhado ou não da mulher. Há, ainda, um último estágio, no qual o hindu não tem moradia, perambula como andarilho e vive de esmolas. Isso só acontece quando ele consegue se livrar das ligações familiares, romper as amarras que o ligavam à casta e permitir que o divino faça nele sua morada.

Ninguém poderá entender a Índia e o Hinduísmo sem compreender o homem como personagem central dessa filosofia sociológico-religiosa que faz com que ele se aliene de todos os valores sociais para extasiar-se numa postura de meditação abstracionista em que permanece como válido somente o ideal divinizante.

Uma das divindades hindus, Vishnu, pode manifestar-se sob diversas aparências, principalmente como avatares, a forma animal e humana desse Deus. Para nós, ocidentais, constitui-se um absurdo o fato de a vaca ser considerada sagrada para os hindus. Ocorre que ela representa o estágio final da evolução. A alma após renascer numa vaca retorna divinizada ao Brahman. Na compreensão religiosa hindu, a vaca é mais importante que a mulher, que não pode ser libertada do samsara. Segundo o livro *Rota dos deuses*, ela tem de renascer novamente como homem, um passo além da evolução.[102]

A base escrita do Hinduísmo encontra-se nas suas Escrituras. Os Vedas são compostos de quatro livros, sendo o *Rig-Veda* o mais importante. Esses compêndios datam de 1500 e 1000 a.C. e são considerados, segundo alguns autores, a mais antiga Bíblia da humanidade. Eles são compostos por artigos e textos literários escritos em sânscrito, contendo hinos,

---

102. MORAES, Floripes D'Ávila de. *Rota dos deuses*: viagem à Índia e ao Nepal. São Paulo: Madras, 1998. p. 80.

fórmulas mágicas, rituais de exorcismo e poemas filosóficos. Seguem-lhe os *Bramanas* e os *Upanixades*. Os primeiros, compostos entre os anos 800 e 600 e, os segundos, entre 300 e 600 anos antes da Era Cristã. Os *Upanixades* contêm os mais belos textos hindus. Na mesma época surgiram os *Puranas*, que contam a história dos deuses e da criação. Por fim, o *Mahabharata*, que contém relatos de guerra. Em um capítulo intitulado *Bhagavad Gita* está "A canção do Senhor", poema famoso por seu diálogo entre Krishna, um dos avatares de Vishnu, e seu cocheiro, Arjuna. Há ainda o *Ramayana*, outro grande épico, escrito entre 200 a.C. e 200 d.C., composto por vinte e quatro mil dísticos, que conta a história do príncipe Rama. Forçado a abdicar, Rama exilou-se na floresta com a esposa, Sita, e o irmão, Lakshmana. Esses livros sagrados ocupam lugar de destaque na consciência religiosa do povo indiano. Como se pode observar, essa historiografia religiosa hinduísta lembra, deixando de lado o aspecto contemplativo, a mitologia grega.

Por questões de raça, povo, tradições, costumes e princípios religiosos, o Hinduísmo, como regra, não admite a hipótese da conversão. Ou se nasce hinduísta ou não. Mais do que uma religião, o Hinduísmo se constitui numa maneira de viver com cerimônias e rituais que acompanham o crente por toda a vida e, depois da morte, às outras vidas. O culto tem predomínio na própria casa. Todo lar tem seu santuário, onde os membros da família fazem oferendas e orações.

Varanasi ou Benares, como era conhecida no tempo da dominação imperialista inglesa, é considerada a cidade-luz. Ela é o centro de peregrinação mais importante do Hinduísmo. Nos dias de festividade, dezenas de milhões de pessoas transitam por suas ruas e banham-se no rio Ganges, o rio sagrado, uma espécie de deus líquido. O banho tem o significado de purificar o corpo de suas faltas. No início de 2001, para comemorar uma festividade que ocorre a cada 150 anos, cerca de setenta milhões de hindus, conforme a imprensa, se reuniram em Allahabad, estado de Uttar Pradesh, confluência do Ganges e do Iamuna, os dois maiores rios da Índia – local em que os hindus acreditam que haja um grande poder de purificação. Sintetizando, poderíamos asseverar que, quem atinge o moksha, ou samsara, tem a alma libertada, e esse estágio final não é conseguido por um salvador único, mas por uma profusão de guias, gurus e deuses que dão apoio contínuo a quem procura ajuda.[103]

Uma oração dos *Upanixades* resume o caminho da libertação: "Conduza-me do ilusório ao verdadeiro. Conduza-me das trevas à luz. Conduza-me da morte à imortalidade". E, ainda: "Aquele que cultua o infinito, o transcendente imanifesto, aquele que tem todos os poderes de sua alma em harmonia, aquele que encontra alegria no bem de todas as coisas – este atinge em verdade meu verdadeiro eu" (Krishna, *Bhagavad Gita*).

## O Budismo

Ao vedismo bramânico, que nos últimos tempos tem sido chamado de Hinduísmo, seguiram-se duas heresias ou reinterpretações: o Budismo e o Jainismo. Se o Hinduísmo não admite conversões, sendo, portanto, uma religião particularizada dentro dos estritos limites dos conceitos de raça, o Budismo leva a parte que aproveitou do Bramanismo para todos os povos, evoluindo, em consequência, para uma religião universal. No Hinduísmo, a salvação é conseguida com o auxílio de gurus, guias e deuses. O Budismo prescinde de ajuda exógena. A autossalvação é conseguida pelo poder da mente e pelos ciclos de renascimento.

O Budismo excluiu o conteúdo racista do Bramanismo para se converter numa religião de igualdade e de universalidade, ideário que lembra, pelo menos em teoria, o igualitarismo cristão. Criada por um príncipe-filósofo, Sidarta Gautama,[104] a doutrina de Buda tem como princípio fundamental o *karman*, que faz suceder os efeitos às causas para alcançar o nirvana, que pode ser definido como o aniquilamento da existência individual, ou a extinção do sofrimento. Nirvana, meta final ideal do

---

103. Não há messias no Hinduísmo. Nem pecado, com o sentido que lhe dá o Cristianismo.

104. Sidarta transformou-se num Buda aos 35 anos. Após seis anos de vida ascética, atingiu a iluminação, ou nirvana, enquanto meditava debaixo de uma figueira, às margens de um afluente do Ganges.

Budismo, é o paraíso. Para chegar até ele, os budistas mantêm o princípio da reencarnação, aceitando também a ideia da transmigração. Todo homem é um Buda em potencial, podendo, por isso, alcançar a iluminação por meio do aperfeiçoamento progressivo dos seres, no curso de uma série de existências segundo a lei do *karman*, baseada na conduta moral humana. O Budismo compreende cinco preceitos: não matar, não furtar, não tomar a mulher do próximo, não mentir e não beber licores embriagantes. O fundamento moral é a resignação ao sofrimento individual, cuja salvação consiste na disciplina e no conhecimento em busca da iluminação.

A essência filosófica do Budismo reside na crença de que: 1) a dor é universal; 2) a origem da dor encontra-se nas paixões e no desejo da existência; 3) o fim da dor é conseguido pela extinção do desejo, pelo aniquilamento da existência e pela consubstanciação nirvânica; e, enfim, 4) o meio da libertação da dor é a contemplação universal, para isso o budista deve crer retamente, querer retamente e meditar retamente.

No Budismo podem coexistir deuses. Mas não são divindades permanentes, nem eternas. Todos devem se submeter aos renascimentos para alcançar a iluminação como qualquer outro crente. No Hinduísmo, como no Budismo, existem fórmulas evocativas que variam conforme os países onde Buda é cultuado. Por exemplo, no Budismo tântrico, inspirado nos 64 tantras compostos de diálogos entre Shiva e sua esposa, Parvati, predominam os rituais de meditação e cantorias acompanhadas de simbolismo e magia, que têm origem em textos antigos e adotam fórmulas mais rápidas para atingir a natureza do Buda. Enfim, uma última referência aos mantras, que são versos místicos da escritura indiana, representados por sons mágicos, falados ou cantados e usados de maneira repetitiva por meio da meditação para libertar a mente das inclinações materiais.

O Budismo dividiu-se em duas grandes tendências. O Budismo Theravada e o Budismo Mahayana. O primeiro segue a linha conservadora, dispensa ajuda sobrenatural, minimiza a metafísica e o ritual; o segundo adota o conceito metafísico, afirma que as aspirações humanas são apoiadas pelos poderes divinos e pela graça que eles concedem.

No Tibet, Buda teria reencarnado no Dalai-Lama, uma espécie de papa budista e também dirigente da conservadora, medieval e atrasada teocracia tibetana. Muitos escritores acusam o Lamaísmo de ser um Budismo corrompido, além de mesclado por extravagantes concepções totêmicas e animistas.

Na China, surgiu uma forma especial de meditação, que se constitui no próprio núcleo central da filosofia budista. O movimento se espalhou para a Coreia e para o Japão, onde assumiu a denominação de Zen Budismo.

## O Jainismo

O Hinduísmo, o Budismo e o Jainismo mantêm a ideia de autossalvação pela reencarnação para atingir o nirvana. Budismo e Jainismo nasceram de um movimento de reação ao sistema de castas e à supremacia brâmane. A regra básica do Jainismo é não fazer mal a qualquer ser vivo, uma regra de importância fundamental para a convivência humana. Os jainistas foram massacrados pelos hinduístas exatamente por essa mansidão. Eles consagram seus esforços para realizar o ideal da ahinsa, isto é, da não violência. O Jainismo leva o ascetismo a consequências extremas. Muitos monges andam vestidos; outros, nus. A maioria deles pratica a mendicância. Não importa se morrem de fome. A morte nessas condições é um acontecimento meritório. Todos são vegetarianos, sem exceção, particularidade que torna o Jainismo uma religião ecológica. Monges e monjas cobrem a boca com panos brancos para não engolir insetos, como sinal de respeito a toda espécie de vida. Como os católicos, se confessam a um superior comunitário e cumprem a penitência imposta.

O termo jainista tem origem na palavra *jina*, "vitorioso". Pode-se dizer que um descendente da casta dos guerreiros chamado Mahâvira fixou o Jainismo como uma expressão religiosa. Monges e monjas são essenciais à continuidade religiosa. Estão divididos em duas ordens, os Digambara, que vivem nus e consideram Mahâvira o supremo herói; e os Shvetambara, sempre trajados de branco. Eles observam cinco votos: não violência, honestidade, não roubar, castidade e recusa aos bens materiais. Seus princípios religiosos mais importantes são a fé correta, o conhecimento correto e a conduta correta. Para os jainistas, o conceito de *karman* tem noção diferente do Budismo e do Hinduísmo. O *karman* é a própria natureza material do universo e, a alma, um fenômeno transcendental. O objetivo da religião é desprendê-la do carma para atingir seu destino final, que é a libertação, conseguida quando ela passa a residir no apogeu do universo em estado de liberdade espiritual e pura felicidade.

Os jainistas recitam mantras em homenagem aos cinco seres supremos, que representam a prática e o caminho religioso, em torno dos quais gera seu ideal ascético. Os mantras são recitados pela manhã, como forma de adoração, ou em ocasiões de devoções importantes, servindo, também, para curar enfermidades e destruir o mal.

> O liberto não é grande, ou pequeno, ou gordo... ele não tem corpo, não tem contato com a matéria; ele não é feminino, ou masculino, ou neutro; ele percebe, ele sabe, mas não existe analogia pela qual se possa conhecer a natureza da alma liberada; sua essência não tem forma; não há condição para o incondicionado (*Mahâvira*, o Vigésimo quarto tirthankara).

## O Sikhismo

O Sikhismo nasceu no século XIV ou XV, no norte da Índia, atualmente Paquistão, tendo como fundador o guru Nanak. A sua base doutrinária pode ser encontrada no livro *Adi Granth*, também chamado de *Granth Sahib*, composto de hinos e poesias cantados pelos fiéis sikhs. O monoteísmo sikh também rejeita o sistema de castas.

Nas religiões indianas, guru tem o significado de guia, condutor e intérprete. No Sikhismo, o guru é também líder de comunidade. Os gurus são considerados um espírito único. São como chamas que nascem num foco e se acendem umas nas outras. Os sikhs acreditam num Deus único, que não se manifesta pelos avatares, embora sua vontade se torne conhecida por meio dos gurus.

Há um sentido taoísta em suas mensagens espirituais, eles põem de lado a postura contemplativa para encontrar o caminho e a vontade de Deus como orientação nos afazeres humanos.

A religião Sikh tem dez gurus. O principal deles é o guru Nanak e os demais são: Angad, Amar Das, Ram Das, Arjan, Hargobind, Har Rai, Har Krishan, Tegh Bahadur e Gobind Singh. O objetivo dos sikhs é abandonar o egoísmo para encontrar Deus, o que é conseguido com a ajuda do mestre iluminado (guru). Eles usam turbantes coloridos diferentes. A cor diz respeito à preferência de cada um. O turbante azul significa uma mente extensa como o céu. O turbante branco identifica pessoas devotas e benévolas e a cor preta significa a manutenção das lembranças das perseguições passadas.

Os Sikhs não cortam o cabelo, como aceitação da vontade de Deus; sempre carregam um pente como símbolo de limpeza pessoal e controle de espiritualidade; usam uma pulseira de aço, que representa a responsabilidade e a obediência a Deus; e, como último símbolo, um punhal de aço com o significado de defender a verdade e resistir ao mal. A roupa de baixo é sempre branca, como símbolo de força moral. O local mais importante da devoção é o templo, e o mais importante dentre eles é o santuário dos Sikhs, localizado em Amritsar, no Punjab. As escrituras Sikhs dizem que Deus reside em todo lugar, em cada coração. "Assim é a natureza do verdadeiro crente, que, como a árvore do sândalo, divide sua fragrância com todos."[105]

## O Zoroastrismo

O Zoroastrismo, junto do Mitraísmo e do Maniqueísmo, fez parte das religiões da antiga Pérsia. Todas elas foram destruídas, ou pelos cristãos, ou pelos muçulmanos. O Zoroastrismo tem o mesmo significado que Masdeísmo, cujo livro sagrado é o *Zenda Avesta*, que quer dizer texto ou comentário. Zaratustra (Zoroastro) teria recebido de Aura Mazda

---

105. BOWKER, 1997, p. 83.

CERIMONIAIS RELIGIOSOS

a revelação da lei para pregar a purificação do politeísmo anteriormente existente e para fundar a religião do Deus Aura Mazda, uma religião monoteísta. Possui semelhanças com o Judaísmo e com o Cristianismo, para cujas religiões foi torrencial fonte inspiradora. O Zoroastrismo pregava a imortalidade da alma, a ressurreição dos mortos e o julgamento final.

Para os zoroastristas, havia duas forças opostas: Aura Mazda, o criador da vida e da bondade; e o espírito perverso e destrutivo, Angra Mainyu. As forças opostas do bem e do mal foram repetidas pelo Maniqueísmo, a religião fundada por Mani, que era uma síntese das religiões existentes na época (século III da Era Cristã). O princípio fundamental refere-se à existência do bem, da luz e da alma, de um lado, e a existência do mal e das trevas do outro. Mani se comparava a Zoroastro, a Buda e a Jesus. Ele pregou sua religião viajando por muitos países do Oriente Próximo e do Extremo Oriente. Hoje não existem mais as religiões da antiga Pérsia. Restou apenas o Parsismo, remanescente do Zoroastrismo que se refugiou na Índia.

Antes de terminar estas rápidas linhas sobre as religiões babilônicas, não poderíamos deixar de tecer um breve comentário sobre o Mitraísmo, crença que também prometia a salvação universal. Mitra era o deus criador, o pai de todos, e seu culto se expressava pelo sacrifício de um touro. No Mitraísmo existia o batismo, a purificação pelo mel e a comunhão com pão, água e vinho. Por assemelhar-se em matéria de fé ao Cristianismo, foi combatido com pertinácia pelo imperialismo cristão, até desaparecer completamente no século V da nossa Era.

Com exceção dos parses, nome que os zoroastristas têm na Índia (Bombaim, principalmente), essas antigas religiões persas estão definitivamente sepultadas. O Cristianismo intolerante e o Islamismo fundamentalista (ou vice-versa) se encarregaram de destroçá-las, mas não sem antes recepcionarem contribuições importantes, conforme já foi enfatizado, aspecto pelo qual consideramos ter sido interessante mencioná-las.

RAZÃO X RELIGIÃO

## O Judaísmo

Os judeus vivem hoje o ano 5782 da criação do mundo, evento que ocorreu, pelo seu calendário, no ano 3761 antes de Jesus Cristo.

Hoje está comprovado que o Universo tem bem mais que dez bilhões de anos, e o Sistema Solar, em torno de cinco bilhões.

Os primeiros organismos unicelulares surgiram há questão de 3,6 bilhões de anos. Todos nós, em consequência, descendemos de uma mesma célula que se organizou materialmente e que chegou à vida como a conhecemos, por meio de evolução e de mutações, na maioria das vezes causais, mas sempre cumprindo um desdobramento quase determinista, conduzido pela seleção natural até a perfeição animal, cujo apogeu é o homem, a mais impressionante máquina biológica construída pela natureza.

Então, por que deveríamos aceitar os ensinamentos bíblicos sem que alguma dúvida abalasse nossas convicções tradicionais? Como aceitar o sistema cosmogônico implantado em nossas mentes pelo Judaísmo, ou pelas suas derivações, o Cristianismo e o Islamismo?

Somente agora o Catolicismo dá sinais de aceitação da teoria Darwinista, a qual combateu com pertinácia nos dois últimos séculos. Para os homens de preto (terno, chapéu e barba) que compõem a ortodoxia fundamentalista judaica, a Bíblia deve ser interpretada dentro da estreita concepção de sua literalidade, mesmo em meio aos avanços científicos de nossos dias. Alguns deles dão a impressão de que vivem no tempo de Moisés.

Para o "povo escolhido", o Judaísmo é uma religião revelada. Com que direito, então, alguém se atreve a contrariar a revelação? Principalmente em se tratando de um povo que fez uma aliança com o criador, cujo símbolo foi uma arca, fonte de irradiante força mística, construída a mando do próprio Deus para guardar as tábuas da lei, e que, por isso, se transformou na suprema relíquia do povo hebreu.

Depois da arca surge a circuncisão, executada no oitavo dia após o nascimento, cerimônia que tem o intuito de transformar o circuncidado membro efetivo do povo e da aliança. No início, o Judaísmo foi uma resultante de contatos de Deus com Abraão e Moisés, dentre outros, cimentado

164

CERIMONIAIS RELIGIOSOS

a seguir pelos dez mandamentos, que, segundo Challaye, só apareceram na literatura israelita pelo século VII de nossa Era. Embora reflita as ideias e instituições hebraicas, o código do Sinai, na verdade, foi inspirado por princípios universais.

Outra cerimônia importante diz respeito ao rito de passagem do adolescente quando ele completa treze anos, ocasião em que é preparado para o culto adulto numa solenidade denominada Bar Mitzvah. O culto dos judeus é demonstrado por três preces, a matutina, a vespertina e a noturna. As orações em geral podem ocorrer a qualquer hora, de modo mais conveniente na sinagoga, que é o centro de estudo e do culto. Segundo a tradição judaica, as mulheres rezam separadas dos homens.

A Torá versa sobre preceitos divinos levados por Moisés ao povo hebreu e é o nome dado à lei mosaica cuja origem é o Pentateuco. Há também a lei oral, cuja codificação é chamada de *Talmude*. Enfim, existe a cabala, uma espécie de conteúdo esotérico da revelação ou o nome dado ao conhecimento místico hebraico cuja tradição se transmitia de iniciado a iniciado. Challaye afirma que a cabala é um panteísmo otimista. Ela descobre que Deus está na natureza e no homem. Sua consolidação ocorreu em Barcelona, na Espanha, no século XIII, por obra do rabi Moisés de Leon.

As principais cerimônias do culto judaico são a Páscoa, ou Pesach, que celebra a libertação da escravidão egípcia, e o Yom Kipur, dia do perdão, do arrependimento e da confissão dos pecados (diretamente a Deus), e dia de oração. É o dia mais solene do ano judaico.

Os hebreus homenageiam, também, o Rosh Hashaná, o ano-novo. Incrivelmente, eles ainda esperam o Messias, que, em hebraico, significa ungido. Há, ainda, o purim, que é um dia de festas, de presentes para as crianças. Para não alongarmos o tema, mencionemos também o Shabbat, instituído pelos preceitos bíblicos e pela lei das 12 tábuas. É dia de descanso que começa na sexta-feira e termina no sábado ao anoitecer.

Depois da diáspora, os judeus se agregaram particularmente na Europa em duas comunidades distintas. Os ashkenazim viviam na Europa Central e Oriental. Após o holocausto, se dispersaram por todo o mundo, principalmente nos Estados Unidos, onde formaram uma grande comunidade. Os sefarditas residem na Espanha ou são descendentes de judeus espanhóis.

Um dos maiores pensadores do Judaísmo foi Moisés Ben Maimón, conhecido por Maimônides (1135-1204). Nascido em Córdoba, na Espanha, ele fugiu das perseguições aos judeus, inspiradas pelos muçulmanos fundamentalistas, e dirigiu-se ao Cairo, onde se tornou médico do sultão Saladino. Igualou-se a Santo Tomás de Aquino por procurar unificar o racionalismo aristotélico à revelação judaica. Maimônides achava que o mundo era eterno por não existirem provas de sua criação.

Os judeus ortodoxos julgaram suas ideias heréticas, por isso seus livros foram queimados nas ruas da França. (Uma das piores intolerâncias da história é a queima de livros. Toda vez que as fogueiras destroem livros, destroem junto o pensamento e a liberdade do homem, sejam eles diabólicos ou divinos, nazistas ou stalinistas, contra ou a favor de alguém ou de alguma ideia, não importa; a liberdade de expressão paira acima de qualquer lei, porque ela nasce no âmago da consciência de cada um, e é portanto o produto mais sagrado de nosso pensamento.) Mais tarde foi a vez de os nazistas queimarem os livros dos judeus.

A melhor definição do povo judeu foi dada por Nicholas de Lange, autor de *Judaism*: "Eles são um pequeno povo com uma forte noção da própria importância e destino; um povo disperso com uma forte noção de unidade; um povo urbano cuja religião ainda carrega muitos traços de um passado rural; um povo antigo cujas raízes não estão, em geral, no lugar onde moram"[106], mas, mesmo dispersos e vivendo em outras terras, eles sempre mantiveram a ideia de povo eleito, nunca se olvidando da terra prometida, à qual retornaram após dois mil anos, onde estão pagando alto preço pela façanha.

---

106. FARRINGTON, 1999, p. 49.

## O Cristianismo

Sobre o Cristianismo poderíamos escrever mil volumes de mil páginas, e ainda assim não se teria esgotado uma pequena parte de sua história, que passou de dolorosa e sofrida nos primeiros trezentos anos de sua existência para uma história de opulência, poder, perseguição e crime, após 313, quando o imperador Constantino permitiu a liberdade de culto no Império Romano e quando, mais tarde, Teodósio II a transformou em instituição imperial.

Na confluência do misticismo oriental, do messianismo judeu, do pensamento grego e do universalismo romano, surge o Cristianismo.[107]

Algumas teorias consideradas heréticas foram causa de desavenças durante os cinco primeiros concílios, não conseguindo, contudo, abalar a solidez da nova estrutura, por mais de mil anos, até o cisma ortodoxo de 1054. Outros mil anos ainda se passariam até o evento do Protestantismo, nascido das 95 teses de Lutero, que criticavam desde a venda de indulgência até a infalibilidade papal.

Com o advento da tipografia, em 1450, a Bíblia passou a ser lida por qualquer pessoa. Por causa disso, além do fim da Inquisição e a vinda dos ventos libertários modernos, as interpretações dos livros sagrados foram variando de acordo com o interesse de grupos ou de pessoas, dando causa ao nascimento de centenas de religiões e seitas com origem no Cristianismo. Interessante, por tais aspectos, uma passada de olhos às suas vertentes mais importantes.

## O Catolicismo

O Catolicismo é especialmente a história da Igreja de Roma. Até 1054, a Igreja era una, daí em diante o Cristianismo bifurcou-se em Igreja Ortodoxa ou Oriental e Igreja Romana, que se hierarquizou instituindo o papado,

---

107. CHALLAYE, 1998, p. 202.

RAZÃO X RELIGIÃO

na segunda metade do século IV, quando o imperador colocou o exército a serviço do bispo de Roma, criando assim o Estado Pontifical.

Para os católicos, prevalece o estabelecimento do primado de Pedro por Jesus Cristo, quando afirmou (Mateus 16:18-19): "Tu és Pedro, e sobre esta pedra edificarei a minha Igreja, e as portas do inferno não prevalecerão contra ela. Eu te darei as chaves do reino dos céus; e tudo o que ligares sobre a terra, será ligado também nos céus e tudo o que desatares sobre a terra, será desatado também nos céus".

Por acaso essa primazia não poderia ser, também, prerrogativa dos Patriarcas Orientais? Que dizer agora com a variante protestante que se autodenomina de Cristianismo depurado da corrupção medieval da Igreja de Roma? Principalmente se levarmos em consideração que Jesus também disse aos seus discípulos: "Ide por todo o mundo, pregai o Evangelho a toda criatura. O que crer e for batizado será salvo, o que, porém, não crer, será condenado" (Marcos 16:15-16). Qual a vertente correta, a primazia de Roma ou o universalismo fundamentado no batismo e na fé?

Esses fatos podem ser muito importantes sob o ponto de vista das estruturações hierárquicas, porém o aspecto fundamental será sempre a pregação em todas as partes e a salvação do gênero humano como um todo. Somente quando esses estágios forem conseguidos o mundo estará pronto para o juízo final ou o final dos tempos. O Catolicismo, portanto, sem as complicadas regras agregadas ao longo de dois mil anos deveria ser simples, como são os ensinamentos evangélicos.

O Cristianismo não aceita a reencarnação. As Igrejas Cristãs adotaram a ressurreição como fato que acontecerá com a segunda vinda de Cristo à terra, ocasião em que as almas juntar-se-ão aos mesmos corpos que tiveram em vida para se submeterem ao Juízo Final. Os bem-aventurados serão salvos e os pecadores serão condenados à danação eterna.

A doutrina católica diz que, por pior que tenha sido o pecador, se no último minuto de sua vida se arrepender verdadeiramente conseguirá o perdão e se salvará, o que é um fato contrário a qualquer princípio de bom senso e razoabilidade.

## CERIMONIAIS RELIGIOSOS

Até o dia do julgamento, as religiões cristãs não informaram onde permanece a alma, nem como um corpo que se tornou pó ou cinza retornará igual ao que era em vida. Para chegar ao dia derradeiro e conseguir absolvição dos pecados, a Igreja Católica estabeleceu sete sacramentos: batismo, confirmação, eucaristia, penitência, extrema-unção, ordem e matrimônio. Os sacramentos são destinados a conduzir os fiéis à vida cristã. Somente o batismo e a eucaristia foram instituídos por Jesus.

A principal forma de culto é a missa, em que há a transubstanciação – a transformação da hóstia no corpo, e o vinho no sangue de Cristo. Cabe aqui perguntar de que forma um simbolismo ocorrido há dois mil anos pode, mais tarde, ter sido dogmatizado como verdade. Se a Igreja encarasse esse fato como ficção alegórica, nenhuma objeção poder-se-ia levantar. Entretanto, aceitar que quem come a hóstia está comendo verdadeiramente o corpo de Cristo e quem bebe o vinho na verdade está bebendo o sangue de Jesus é algo em que somente piedosos, ingênuos e místicos podem acreditar. Esclareça-se que a doutrina da transubstanciação, segundo a qual o pão e o vinho da eucaristia se transformam na carne e no sangue verdadeiros de Jesus, só foi proclamada como dogma em 1215.

Devemos esclarecer que não havia novidade alguma no que respeita à transubstanciação. Tanto os cultos quanto os ritos surgem e somem. Certos rituais cristãos não eram diferentes dos festins que homenageavam o deus Baco, cujos devotos afirmavam que lhe comiam a carne e lhe bebiam o sangue. Os cristãos passaram a fazer a mesma coisa.

Como nas artes, na arquitetura e na moda, as religiões obedecem a um mesmo ritual: pouco se cria, tudo se copia.

Natal, Páscoa e Assunção são as principais celebrações cristãs. As orações mais comuns dos católicos são Pai Nosso, Ave Maria e Creio em Deus Pai.

O celibato dos padres foi recomendado a partir do século IV e imposto mais tarde pelo Concílio de Trento, no século XVI. Em 362, o Espírito Santo foi elevado à condição divina. Em 1870, o Concílio Vaticano I proclamou o dogma da infalibilidade papal em questões de fé. Nestes últimos 150 anos, os papas anunciaram o dogma da Imaculada Concepção (livre de pecado original), e que seu corpo e sua alma foram levados para o céu (assunção – dogma proclamado em 1950). Além de inconsistentes, essas proclamações insultam a inteligência humana.

## A Igreja Ortodoxa

A doutrina da Igreja Ortodoxa é idêntica à de Roma, mas não aceita o papa como chefe da Igreja. Os sete primeiros concílios fazem parte de seus ensinamentos. Os concílios subsequentes foram rejeitados. O celibato não é obrigatório para o seu clero, com exceção dos bispos, que não podem se casar. As igrejas ortodoxas não admitem a ideia do purgatório, da imaculada concepção e da infalibilidade papal. Seus clérigos usam barba segundo um preceito bíblico. As mais antigas igrejas ortodoxas são a grega e os patriarcados de Alexandria, Antioquia e Jerusalém. O patriarcado de Alexandria tinha primazia honorífica, carecendo, entretanto, de uma jurisdição universal. As demais igrejas ortodoxas importantes são: as da Rússia, Sérvia, Romênia, Bulgária, Checoslováquia, Polônia, Chipre e Albânia. O sacerdócio é composto de diáconos, padres, bispos, arcebispos, metropolitas e patriarcas.

## O Protestantismo

Protestantismo significa "Reforma". Lutero pregou as 95 teses contra a venda de indulgências. Ele estava convencido de que havia séculos Roma transformara-se num amontoado de corrupção. O tráfico das indulgências estava sendo considerado uma agressão à dignidade cristã. Naqueles dias, Roma comandava um império eclesiástico e era dona de quase um terço do território europeu. Além disso, quando era nomeado um bispo, certa quantidade em dinheiro deveria ser mandada para Roma, dinheiro que fazia falta nos países de onde saía. Ficou estabelecido pelo papado que o pagamento de determinada soma em dinheiro teria a faculdade de conceder perdão não somente aos pecados cometidos, mas também àqueles que seriam cometidos depois. O vendedor de indulgências, sempre sob a proteção de Roma, cobrava seis ducados de quem quisesse assassinar

CERIMONIAIS RELIGIOSOS

um inimigo. Caso roubassem uma igreja, o preço aumentaria para nove ducados. Interessante esse clausulamento penal, em que o assassinato tem pena menor que um simples roubo. Como se pode constatar, a doutrina religiosa assume, na maioria das vezes, seu mais radiante fundamento (ou repugnante aspecto): o lucro. Assim que o dinheiro tilintasse no fundo do cofre, o comprador ficava perdoado e considerado livre dos pecados.[108] Em outras palavras, comprava uma cadeira no céu.

Os protestantes de todas as denominações rejeitaram a doutrina da missa por considerá-la idólatra e supersticiosa e adotaram uma forma de culto mais simples. Também acusavam o celibato dos padres de transgressão do mandamento de Deus e consideravam a missa uma profanação do sacramento da ceia do Senhor. Observavam que, na Idade Média, a Igreja perdera o antigo caráter popular ou democrático e afirmavam que os bispos não eram a rigor representantes do povo, apenas delegados do papa que iam aos concílios votar o que lhes houvesse sido ditado.

Aos poucos, a Reforma foi se impondo, fato que obrigou a proclamação da Dieta de Augsburgo, em 1555, que foi o primeiro tratado de liberdade religiosa no seio da cristandade. A Reforma, então, começava a se identificar com uma revolução política, apresentando um novo modelo de vida. Ela caracterizou-se por um movimento religioso de aproximação a Deus, com a concomitante derrubada de barreiras e obstáculos.

Um desses obstáculos era o que os protestantes chamavam de confissão mecânica, que foi substituída pelo arrependimento sincero, o "arrependimento do coração, e que era de grande importância, porque abrangia confissão, contrição e confiança; e Deus, à vista dessas coisas, perdoava por amor de Cristo".[109]

Com base em todo esse ideário reformista, a missa foi substituída, em 1524, por um culto dominical, centrado numa liturgia despojada. A

---

108. LINDSAY, T. M. *A Reforma*. Tradução: J. S. Canuto. Lisboa: Livraria Evangélica, S/D [1912].
109. Idem.

característica externa fundamental se baseava em juízos reformistas que afirmavam que Deus dá-se a conhecer a cada um de nós apenas por meio da escritura, não delegando sua graça a nenhuma instituição. Essa nova concepção relativa à interpretação dos textos bíblicos teve efeito devastador no cerimonial católico no que concerne à dessacralização de seu ministério eclesiástico. Os protestantes não acreditam na concepção imaculada da virgem, nem nos santos, nem no purgatório. Reconhecem dois sacramentos, o batismo, que não é um meio de salvação, e a ceia. Alguns luteranos também consideram como sacramentos a ordenação, a penitência e a absolvição. Lutero, Calvino e Zínglio foram os personagens mais importantes da Reforma.

O movimento reformista repercutiu de imediato em toda a Europa. Foi levado pelos imigrantes para a América do Norte, onde se enraizou profundamente e, algumas vezes, puritanamente na sociedade americana. Vários outros ramos protestantes tiveram por base o movimento europeu, também alicerçados na livre interpretação das sagradas escrituras, como metodistas, batistas, quakers, adventistas, Exército de Salvação, entre outros.

## O Islamismo

O Islamismo é a mais simples das religiões do mundo. Não há dogmas, nem sacramentos, nem sacerdotes, nem liturgias, nem sacrifícios e nem imagens, embora um imã possa ser um teólogo à maneira corânica, isto é, estritamente obediente à ortodoxia do livro santo.

De regra, as orações são feitas no lugar sagrado dos muçulmanos, as mesquitas, local onde não existem cadeiras, bancos ou imagens. Ao entrar, o fiel tira os sapatos e faz suas orações, de acordo com a orientação do muezin, que do alto do minarete comanda as rezas.

Existem obrigações religiosas que devem ser cumpridas à risca: a) crença absoluta em Deus e no Profeta, uma espécie de mandamento fundamental; b) recitar cinco vezes por dia uma oração, coletivamente numa mesquita ou individualmente, com o rosto voltado para Meca;[110] c) dar esmolas; d) jejuar no mês de Ramadã, desde o nascimento do Sol até o anoitecer; e e) peregrinação à Meca, pelo menos uma vez na vida, sempre que possível. Meca e Medina (ambas situadas na Arábia Saudita) e Jerusalém são consideradas cidades sagradas para o Islamismo.

Como os judeus, os islâmicos praticam a circuncisão. Carne de porco e bebidas alcoólicas são proibidas, proibição que não alcança o direito a quatro mulheres. Existe no Islã uma dissidência religiosa, tendo de um lado a facção xiita, que acredita ser descendente direta do Profeta e é formada por fiéis fundamentalistas, e os sunitas, que constituem a maioria.

Em 622, Maomé não resistiu à poderosa oposição de famílias tradicionais de Meca, dirigindo-se em segredo para Medina, deslocamento que tomou o nome de hégira, cujo significado é partida. Em Medina, Maomé foi aos poucos se tornando um líder religioso e político. Apenas com as ideias do Corão, o profeta não teve condições para impor a nova fé às populações árabes. A única fórmula viável, pelo menos naqueles tempos medievais, era apelar para a luta. Passou, então, a assaltar caravanas que pertenciam às famílias de Meca e, assim, foi enriquecendo, aumentando seu território de influência e, concomitantemente, alastrando sua religião às terras submetidas pela conquista. Esses sucessos criaram a tradição de que não existe diferença entre religião e política, tampouco entre fé e moral. Logo os muçulmanos se convenceram de que a Guerra Santa, ou "Jihad", tinha se transformado num dos pilares da conquista de prosélitos. E a luta, que no início era apenas uma estratégia, tornou-se obrigação para a disseminação da fé. Paralelamente à Guerra Santa, tem proeminência na sociedade islâmica a Sharia, a lei sagrada, ou o caminho, que deve ser percorrido pelos filhos de Alá. Ela se fez presente em todos os setores da vida dos islamitas. As orações, as peregrinações e os deveres religiosos são regulados pela Sharia, que também tem força de lei para aspectos da vida civil, estabelecendo punições para certos crimes, como amputação

---

110. Em período anterior, os fiéis rezavam com o rosto voltado para Jerusalém.

da mão em caso de roubo, ou oitenta chibatadas pelo consumo de álcool, entre outros.

Nos primeiros séculos da história do Islã, muitos fiéis se indignaram com a vida luxuosa que era levada no palácio do califa de Bagdá. Dessa indignação surgiu um movimento denominado sufismo, um modo de vida puritano, de jejum, oração e meditação. Os sufistas se afastaram do culto a um Deus exaltado e optaram pela adoração a um Deus amoroso, com o qual poderiam ter contatos místicos. O sufismo é composto de exercícios especiais, orações e palavras repetidas, acompanhadas de exercícios de respiração que podem induzir o crente a estágios de transes espirituais.

Tendo o Corão e a Sharia por todos os lados, a Guerra Santa como frente de batalha e Alá como único Deus, misturando governo, administração e costumes, o homem maometano não é apenas um devoto de Alá, mas um verdadeiro guerreiro, sempre disposto a levar adiante governo e religião, como um todo, até conquistarem os povos da terra para submetê-los aos mandamentos de suas leis e à vontade de seu Deus. A Turquia tem se constituído uma única exceção a esse tenebroso quadro de visão sectária. O Estado Turco modernizou o país de acordo com estruturas administrativas ocidentais, mercê da visão de Mustafá Kemal (Ataturk = pai dos turcos), que separou a Igreja do Estado e se encarregou de julgar os delitos civis e criminais de acordo com um código de leis independentemente da religião corânica.

Uma pedra negra está embutida no muro, na parte sudeste da Kaaba, em Meca. Os muçulmanos creem que ela foi dada a Adão pelo anjo Gabriel e que mais tarde foi colocada por Abraão durante a reconstrução da Kaaba. A pedra originariamente era branca, tornando-se preta em virtude dos pecados da humanidade. É tão sagrada para os muçulmanos como era sagrada a arca da aliança para os hebreus. Mas, e se Adão e Eva são apenas seres mitológicos, a história da pedra não se constitui em fato parecido com o do "Santo Sudário" da Igreja São João Batista de Turim?

Um dos acontecimentos cruciais na vida de Maomé foi sua conhecida jornada noturna aos céus. Segundo Huston Smith,[111] "certa noite, no mês de Ramadã, ele foi carregado nas asas de um miraculoso corcel branco até Jerusalém e dali subiu pelos sete céus até a presença de Deus. Deus recomendou que os muçulmanos deveriam rezar cinquenta vezes por dia". Em seu retorno, encontrou-se com Moisés, que não queria acreditar na informação. Por orientação de Moisés, Maomé subiu sucessivamente aos céus diversas vezes, até que conseguiu reduzir o número de preces para cinco: ao despertar, quando o sol está a pino, no meio da tarde, ao pôr-do-sol e à noite, antes de se deitar.

## O Espiritismo

Como surgiu o espiritismo? Com as irmãs Fox, em 1848, no condado de Wayne, estado de Nova York, ou com a publicação de *O livro dos espíritos*, em 1857, por Leon Hippolyte Denizard Rivail, conhecido como Allan Kardec?

Em 1848, na casa da família Fox, alguns fenômenos, como ruídos estranhos e deslocamento de objetos, começaram a se manifestar. Dizem que Catherine, com doze anos de idade, a filha mais nova, animada pelo inexplicável barulho, teria dito: "… Senhor, faça você como eu faço".[112] Ela então bateu palmas, e o mesmo número de batidas foi repetido. Animadas pelo fato, ela, a irmã Margareth e a mãe passaram a se comunicar com o além por meio de batidas, e pela mesma forma obtinham resposta. Tais comunicações eram feitas por meio de um fenômeno que se convencionou chamar de mediunidade.

A repercussão do virtuosismo paranormal da família foi tamanha que, semelhante a uma trupe áulica, foram organizadas apresentações em boa

---

111. SMITH, Huston. *As religiões do mundo*: nossas grandes tradições de sabedoria. São Paulo: Cultrix, 2001. p. 237.

112. SASAKI, Ricardo. *O outro lado do espiritualismo moderno*: para compreender a nova era. Petrópolis: Vozes, 1995. p. 58.

RAZÃO X RELIGIÃO

parte dos Estados Unidos e da Europa, para plateias pasmas com as fantásticas habilidades de comunicação com seres do outro mundo. Mas, em 1988, as irmãs se retrataram em duas edições do New York Herald, ocasião em que denunciaram o espiritismo como fraude. Até então tinham se beneficiado com a cobrança de ingressos. Segundo Karen Farrington, mais tarde Margareth, não se sabe por que razão, retirou a denúncia de fraude. As irmãs morreram na miséria.

Enquanto isso acontecia na América, na França, Rivail comunicava ter recebido mensagens de espíritos. Mudou seu nome para Allan Kardec e escreveu, sobre o assunto, sua obra mais importante: *O livro dos espíritos*, codificando nele as mensagens recebidas das almas desencarnadas. Kardec foi o primeiro "jornalista" que oraculou diretamente com os espíritos mediante questionamentos consistentes em perguntas e respostas.

Para se ter ideias apropriadas, é mister que algumas respostas, as mais importantes, sejam transcritas:

1. Deus é a inteligência suprema e causa primeira de todas as coisas. Ele é infinito.
2. O homem não pode compreender a natureza íntima de Deus. Um dia, sim, depois que seu espírito não estiver mais obscurecido pela matéria.
3. O espaço universal é infinito, não existe espaço vazio.
4. Deus criou o universo com Sua vontade.
5. A Terra continha germes em estado latente até o momento propício da eclosão de cada espécie.
6. Não podemos conhecer a época do aparecimento do homem e dos demais seres vivos sobre a Terra.
7. A espécie humana não começou com Adão, que viveu, aproximadamente, há quatro mil anos antes de Cristo. O homem nasceu em diversos pontos do globo, segundo a vontade de Deus, mas submetido às forças da natureza.
8. A matéria é sempre a mesma, porém, nos corpos orgânicos, está animalizada.

## CERIMONIAIS RELIGIOSOS

9. Na morte, a matéria se decompõe e toma nova forma, o princípio vital retorna à massa.

10. A inteligência é um atributo do princípio vital.

11. Os espíritos constituem um mundo à parte, o mundo espírita; ele preexiste e sobrevive a tudo.

12. Os espíritos estão por toda parte. Povoam infinitamente os espaços infinitos.

13. Os espíritos se transportam com a rapidez do pensamento.

14. O espírito está revestido de um envoltório chamado de perispírito.

15. Os espíritos têm diferentes ordens e graus de perfeição; Deus criou os espíritos simples e ignorantes.

16. O objetivo da encarnação é atingir a perfeição.

17. As almas são os espíritos. A alma é um espírito encarnado do qual o corpo é a habitação. Depois da morte ela volta a ser espírito e jamais perde sua individualidade. Se a alma não alcançou a perfeição na vida, volta a encarnar-se, com o objetivo da expiação e do aprimoramento progressivo.

18. Não existe transmigração da alma do homem para os animais.

19. Todas as percepções são atributos dos espíritos. Os órgãos são instrumentos de manifestações das faculdades da alma.

20. A alma se une ao corpo na concepção e se completa no momento do nascimento.

21. A lei de Deus está escrita na consciência.

22. Os homens que se dedicam à vida contemplativa são inúteis.

As sessões espíritas ocorrem sempre nos salões dos centros espíritas e são iniciadas com música e orações. Depois, os presentes se dão as mãos para formar uma "corrente de irmãos", destinada a atrair os bons espíritos que se manifestam através de um dos participantes. Alguns centros, usando conhecimentos psicológicos e parapsicológicos, praticam operações espirituais para curar enfermos. Esse caráter terapêutico-religioso tão em voga no Brasil não foi previsto por Kardec, que concebia o espiritismo como movimento de conciliação com qualquer culto. Por

## RAZÃO X RELIGIÃO

isso, no Brasil, o espiritismo assume cada vez mais as características de uma nova religião.

Conclusivamente, a base fundamental do espiritismo é a invocação dos espíritos, somada aos seguintes princípios: monoteísmo, "evolução", reencarnação, sobrevivência da alma, comunicação entre os mundos físico e espiritual, lei de causa e efeito e, enfim, a pluralidade de mundos habitados.

Segundo o espiritismo, todas as almas foram criadas iguais por Deus e são destinadas a evoluir irresistivelmente rumo à perfeição, sem possibilidade de retrocesso.

O espírito está revestido de uma substância vaporosa, semimaterial, o perispírito, que pode assumir forma visível e mesmo palpável, elevar-se na atmosfera e transportar-se para onde quiser.[113] A alma pode ser chamada também de corpo astral, corpo fluídico e ectoplasma.

Para os espíritas, Cristo foi apenas um médium incomparável, não era nenhum Deus, ou filho de Deus. O pecado original não existe. Existe o pecado feito pelo homem em encarnações anteriores. Após uma série de encarnações, o homem atinge o estado de puro espírito. O inferno não existe. A série de reencarnações pode ser comparada ao purgatório.

A doutrina espírita influenciou os cultos afro-brasileiros, tais como comunicação com os mortos, reencarnação, passes, adivinhações, caridade assistencial e aconselhamentos. Os espíritas só evocam os espíritos desencarnados. A Umbanda invoca orixás e exus. Nas sessões especiais de chamamento na Umbanda, as entidades se incorporam totalmente nos médiuns, enquanto no espiritismo, como regra geral, só existe a comunicação.

Não existe a mínima dúvida de que o Espiritismo foi buscar nas religiões hindus o princípio fundamental da reencarnação.

O Espiritismo sempre foi muito combatido pelas igrejas cristãs. Segundo um Édito da Santa Sé de 1856, a invocação dos espíritos era escandalosa por contrariar a honestidade dos costumes. No Brasil, o Espiritismo

---

113. KARDEC, Allan. *O livro dos espíritos*. São Paulo: Instituto de Difusão Espírita, 1998. n. 93/95.

CERIMONIAIS RELIGIOSOS

foi condenado em 1953, numa reunião ordinária do Conselho Nacional dos Bispos do Brasil: "As igrejas sempre recorreram a interpretações psicológicas e parapsicológicas de fenômenos considerados espíritas." A história dos médiuns, define Kloppenburg,[114] "é uma interminável história de fraudes conscientes ou inconscientes". Conforme Kloppenburg afirmou em 1981: "Não há fenômenos espíritas, i. e., o que acontece nas sessões espíritas é de origem puramente humana, sendo causado unicamente pela pessoa viva, e não por almas ou espíritos do além [ ... ], esses fenômenos não só não existem, mas também são impossíveis".[115]

Salvo entendimento diverso, Kloppenburg não deixa de ter razão ao afirmar que o Espiritismo, antes de ser um fenômeno dos espíritos, é um fenômeno puramente humano. Os fundamentos do Espiritismo não resistem a uma investigação racional; aliás, os próprios espíritas admitem que o Espiritismo não é da alçada da ciência. Em diversas ocasiões, fizemos referência à impossibilidade de a matéria ser criada pela vontade ou pela inteligência de um ser abstrato. A Biologia, por sua vez, já provou que a vida teve origem numa célula inicial, que se replicou formando a vida multicelular, até atingir, pela evolução, a perfeição humana. Não corresponde, como se vê, à teoria de que a Terra continha germes em estado latente à espera da eclosão de cada espécie.

Os espíritos que se comunicavam com Allan Kardec afirmavam que não poderiam conhecer a época do advento dos seres vivos, mas a ciência já estabeleceu, com pequena margem de erro, as épocas em que a vida e o homem surgiram. Hoje também sabemos que a inteligência não teve origem em sopros vitais. Ela resulta da matéria organizada que atingiu o ápice com a plasmação, montagem, estruturação e ordenação dos neurônios no decorrer de um processo sequenciado que fez com que a consciência se comunicasse com a realidade externa por meio das sinapses neurônicas.

---

114. Boaventura Kloppenburg, professor de teologia e chefe da seção antiespírita do Secretariado da CNBB.

115. WULFHORST, Ingo. *Discernindo os espíritos*. 4. ed. Petrópolis/São Leopoldo: Vozes/Sinodal, 1996. p. 24.

Se os espíritos povoam infinitamente os espaços infinitos, se o mundo espírita preexiste e sobrevive a tudo e, mais ainda, se eles se transportam tão velozes como o pensamento, por que não nos esclarecem sobre o que havia antes do Big Bang ou qual a composição da matéria escura existente nos confins do espaço? Se a reencarnação é uma lei de aperfeiçoamento, por que os espíritos não informam claramente as questões referentes à genealogia de cada um de nós? Por que o homem, que tem uma alma, portanto um espírito reencarnado, perde a consciência de vidas passadas?

Na atualidade, alguns iniciados esotéricos têm encontrado novas formas de retorno ao passado. Deixaram de lado os espíritos e passaram a investigar vidas passadas com os próprios pacientes levados a situações de transe hipnótico. É apenas uma nova forma de charlatanismo. Nos últimos tempos, têm proliferado dezenas de novas concepções filosófico-religiosas. Com tantos defraudadores nesse terreno e com tantos ingênuos seguidores, as novas fórmulas de esoterismo ou ocultismo são variações de um mesmo tema, tendo pela frente sempre alguns espertalhões portadores de qualidades incríveis na arte de sugestionar as pessoas. Madame Blavatsky, Mesmer, Nostradamus, Rajneesh, Lobsang, Moon, Jim Jones, David Koresh, Ron Hubar, Daniken *et caterva* fundaram movimentos ocultistas ou esotéricos-transcendentais, um extenso estuário no qual deságuam as marginalidades do psiquismo doentio, transformadas por eles próprios, exímios prestidigitadores, em ilusões tão fascinantes para a maioria das pessoas que preferem o irrealismo à realidade, a fé em qualquer coisa à razão baseada na verdade como filha da ciência.

Pode ser impressionante, mas a verdade é que os estados alterados da consciência são mais aceitáveis por representarem a conformação das superstições às idealizações de cada um do que a sanidade acompanhada, muitas vezes do ceticismo e da dúvida, mas que tem o dom de adequar as realidades externas ao psiquismo sadio, que é patrimônio da lucidez humana. Milhares de pessoas acreditaram na verdade como primado sociocultural da humanidade, mesmo quando ameaçados, punidos ou mortos pelo obscurantismo histórico-tradicional. Essas pessoas, num determinado momento, foram renascentistas e logo depois iluministas e, sem

CERIMONIAIS RELIGIOSOS

sombra de qualquer dúvida, foram responsáveis pela nova humanidade, mais culta e mais democrática.

Foram os pensadores e cientistas que descreveram um mundo concreto, material e existente, enquanto teólogos, metafísicos e alucinados inventaram deuses e espíritos.

Fomos nós que configuramos os deuses dentro de nossos cérebros. Fomos nós que concebemos céus e infernos e tudo o mais que nos escraviza com as algemas da ignorância sempre dominadora nesses assuntos.

Ninguém tem o direito de nos impor deuses. Nenhum deus tem o direito de nos punir ou nos jogar no fundo dos infernos. Um deus que obrou a imperfeição, convive com o mal e permite o sofrimento não é Deus. Também não existem deuses que nos imponham temor e sujeição servil. A libertação tem o significado de rejeição de toda entidade que submete a humanidade ou parte dela aos seus caprichos.

Bem ao contrário das fáceis adesões, afastemos de nosso convívio as idealizações que se constituem fatores que depõem contra nossa liberdade intelectual e que impedem o desenvolvimento natural da racionalidade humana.

# 8
# Pontos comuns

Uma apreciação, mesmo elementar, do encadeamento religioso universal nos leva à constatação da existência de pontos comuns que, como vasos comunicantes, ligam as religiões entre si, contribuindo, dessa forma, para a evolução e formação de cada sistema. Os sistemas religiosos não são formados por compartimentos estanques. As religiões não nasceram isoladas umas das outras. É de suma importância que se esquadrinhem essas inserções para que se tenham noções de como tais empréstimos foram plasmando as liturgias e as estruturações teológicas, ao mesmo tempo que anulavam as características de autonomia. A verdade como preceito moral é imutável. É o próprio dogma. Ela deve atravessar o tempo incólume sem se alterar. Face, então, às vertentes religiosas comuns, onde se situa a verdade? Isto é, qual das religiões é a religião verdadeira? A primitiva ou a que se renovou inspirada pelas regras histórico-teológicas da religião antecedente?

E, admitindo que Ele exista, qual dentre elas abriga o Deus verdadeiro?

Tomemos o exemplo das religiões pertencentes à família semítica Judaísmo, Cristianismo e Maometismo: qual é a verdadeira? Se o Deus é o mesmo, embora tenha nomes diferentes (Jeová, Alá, Adonai, Eloim, Iavé e outros mais), por que não se decidiu por uma delas? Nos tempos bíblicos, o povo de Israel foi escolhido como povo eleito. Porém, aquele Deus vetusto falhou, caindo em desuso. No Oriente, o Hinduísmo, o Budismo, o Jainismo e o Sikhismo formam o grupo indiano. Mesmo que algumas abram mão de deuses (Budismo e Jainismo), embora tenham tido o Bramanismo como vertedouro comum, qual delas é a religião da verdade? Desde o início dos tempos, milhões de deuses nasceram e morreram. Com certeza, os deuses e as religiões atuais com o tempo também vão desaparecer ou, quando não, seguramente modificarão a substancialidade de seus princípios.

Em 2001, o National Geographic Channel apresentou um documentário que focalizou um casal remanescente de uma tribo do norte montanhoso e frio da China.[116] O homem era um xamã que venerava o Deus da Montanha, cujo ícone fora entalhado numa das árvores sagradas da região. Já velho e doente, foi levado para uma vila próxima, onde, depois de algum tempo, morreu. O documentário terminou mencionando que, junto do último xamã também desapareceu o último Deus (da tribo).

Essa história serve para comprovar que os deuses desaparecem junto dos povos que os criaram. O mesmo acontece com as nações destruídas pelas guerras. Todos os deuses que até hoje sobreviveram, com raras exceções, sobreviveram por serem os deuses dos exércitos vencedores. Se o Cristianismo não tivesse aniquilado a religião de Mitra, hoje seríamos mitraístas. Se Espártaco tivesse vencido o Império Romano, com toda certeza não seríamos cristãos. Se não fosse pelas ações de Constantino e Teodósio, provavelmente a Europa e a América fossem pagãs. A história do Cristianismo comprova que, se não fosse pelo intenso trabalho de evangelização de um judeu da Diáspora chamado Saulo de Tarso, a mensagem messiânica de Cristo não passaria de uma heresia nazarena. Se Carlos Martel não tivesse vencido a batalha de Poitiers e se os exércitos cristãos, comandados por João da Áustria, não tivessem destruído a esquadra otomana na batalha marítima de Lepanto, no golfo de Corinto, em 1571, e se, mais tarde, o rei polonês João Sobieski III não tivesse derrotado os turcos chefiados por Suleiman, no ano de 1683, nas portas de Viena sitiada, a Europa teria sido um califado árabe que teria destruído as catedrais católicas e, no lugar delas, erigido centenas de mesquitas maometanas.

---

116. O casal pertencia ao povo Oroqen.

RAZÃO X RELIGIÃO

O extermínio dos povos americanos teve consequências desastrosas para suas divindades. Os índios "aculturados" do Brasil se encontram num estágio de completa degradação. As raças que degeneram em decorrência do avanço da civilização branca perdem as tradições culturais de suas autoctonias e, com elas, seus deuses.

Na época em que os homens não tinham consciência de si próprios, da mesma forma não tinham consciência dos deuses, ou seja, não concebiam ainda deuses que, como se pode sublinhar, foram criados no interior de suas próprias consciências.

Os deuses primitivos, Sol, Terra, astros e alguns fenômenos atmosféricos, resultaram da divinização de episódios astronômicos e das forças cósmicas. O principal deles era o Sol, divindade encontradiça em todos os quadrantes da Terra. O Deus Sol dos Incas chamava-se Inti, o da Mesopotâmia, Shamash, o do Egito, Aton. Vishnu era o deus solar da Índia. O raio de Sol lhe dava vida. Os homens, até então, não tinham alcançado estágios sociais suficientes para conceberem deuses estruturados em teologias. Inarredável o cumprimento de algumas etapas, como os eventos do animismo e do totemismo. Grande parte do mundo foi e ainda é animista. Os símbolos totêmicos ainda são encontrados quase intactos em algumas regiões do globo, como é o caso dos índios ianomâmis na região amazônica, de muitas tribos indígenas da América do Norte e de povos autóctones da Sibéria e da Oceania. Houve, igualmente, a época dos exorcistas, dos feiticeiros, das oferendas, dos sacrifícios de animais e até de seres humanos.

Outra maneira de comunicar-se com as forças sobrenaturais era por meio de oráculos. Eles surgem pela primeira vez no antigo Egito. Mais tarde, aparecem nas religiões mesopotâmicas. Dali se deslocaram para a Grécia, onde um deles, Delfos, no monte Olimpo, se tornaria célebre. Apolo, por meio de uma sacerdotisa chamada Pítia, respondia às consultas. Como suas respostas eram dadas por frases desconexas, um corpo de sacerdotes se encarregava da interpretação. Quando o oráculo inclinou-se em favor de Felipe da Macedônia, começou a perder crédito.

Também as crendices com base nos estudos astrológicos (não existia ainda a astronomia), sempre acompanhadas por magias, cantorias

PONTOS COMUNS

repetitivas, cartomancia, adivinhações e superstições, tinham se disseminado por toda a terra. A astrologia, a magia e a adivinhação desempenha-
vam papel importante na vida religiosa de assírios e babilônicos. Seus templos possuíam adivinhos e exorcistas à disposição do público. A astrologia
estava ligada ao destino humano e a adivinhação revelava o próprio futuro,
tudo na conformidade da vontade dos deuses. Havia ainda o componente
esotérico-ocultista, com seus talismãs, figas, guias, amuletos, nada diferente dos padrões de superstição de nossos dias, fato que prova que ainda
vivemos num estágio de falta de conscientização que nos faz regredir ao
obscurantismo pré-medieval. Portanto, todo e qualquer regresso, mesmo
o de vidas passadas, tem por suporte a simploriedade tola das pessoas.
O homem moderno, mesmo de mediana instrução, não pode se deixar
contaminar e nem deve aceitar o retorno ao tempo dos oráculos, mesmo
constantemente bombardeado pelas centenas de religiões milagreiras e
salvacionistas, ou, então, pelas inúmeras formas de esoterismos ocultistas,
tão em voga em nossos dias.

O orfismo, um culto esotérico de salvação, espalhou-se por todo o
mundo antigo. Apoiava-se na vida além túmulo (como no Egito) e na ressurreição (como na Mesopotâmia).

A auréola que rodeia a cabeça das divindades aparece primeiramente nos
deuses solares do Egito e, sucessivamente, na Pérsia, Grécia, China, Japão,
Índia, Peru, e assim por diante. A cruz, com origem nos cultos solares, com
suas variadas formas, procede da Pré-História, fazendo-se presente, mais tarde, em todas as culturas do planeta. Segundo Pepe Rodrigues, o Cristianismo cresceu adotando mitos e ritos pagãos e, para conquistar a devoção das
massas, teve que apagar da memória de seus crentes a proibição de adorar
imagens. Muito antes do Cristianismo, os adoradores do deus pagão Baco
comiam a carne e bebiam o sangue de seu deus. A palavra grega *Eucharistia*
designava tais cerimônias. Nesse ponto foram imitados pelos cristãos. Será
que o Cristianismo conseguiria se tornar a principal religião do Ocidente se
não tivesse retratado Jesus como um ariano-báltico de olhos azuis?

Havia um detalhe que me intrigava. De onde vinha, ou melhor,
como se originou a palavra "Deus". Nenhum livro de religião prestou

RAZÃO X RELIGIÃO

esclarecimentos a respeito de sua etimologia. O problema foi resolvido por Hugh Johnson, um fenômeno em matéria de cultura geral, que escreveu o livro *A história do vinho*. Hugh relata que era costume sagrado na Grécia pagã queimar carne nos altares para alimentar os deuses com a fumaça (lembremo-nos do "sacrifício de Abraão") e depois comê-la. A refeição tinha um sentido de comunhão, isto é, alimentar-se juntamente dos deuses.

Registremos as próprias palavras de Johnson: "Em grego *theos*, deriva da palavra que designa fumaça. A mesma raiz, *thusia*, ainda se conserva na palavra *entusiasmo*, que significa, 'repleto de deus.'"[117] Consequentemente, não existe mistério, nem força superior, nem conceito sobrenatural. A palavra "deus" tem origem comum, humana, como todas as demais.

O domingo, festejado pelo Mitraísmo, era dia pagão por excelência. Nele se comemorava a festa do solstício de inverno, dedicada ao deus solar Sol Invictus,[118] popular no exército romano. Constantino decretou que ele se convertesse em dia festivo como estratégia política para cristianizar o Império. Tendo em vista a ordem imperial, o domingo tornou-se o dia de descanso. Traía-se, com essa alteração, a tradição da Lei das XII Tábuas, com a evidente conivência silenciosa dos prelados cristãos.

Na China, na época dos tcheus, o rei é o Filho do Céu, um ser divinizado, investido por Deus no encargo da administração. Essa mesma qualidade e incumbência existiram com relação aos faraós. Na Idade Média, o conceito de Poder Absoluto dos reis tinha por significado uma honraria delegada pela vontade divina. As festividades, as comemorações e as procissões, hoje tão comuns, tiveram origem nos tempos imemoriais. Na Mesopotâmia, elas se realizavam com pompa e brilho. A comunidade inteira entrava no cortejo das estátuas divinas que desfilavam sobre carruagens. Outras cerimônias incluíam queima de incenso e cânticos sagrados. Os romanos aproveitaram todo o panteão grego, e é possível dizer que o

---

117. JOHNSON, Hugh. *A história do vinho*. São Paulo: Companhia das Letras, 2001. p. 88.

118. *Deo Soli Invicto Mithrae*.

politeísmo pagão romano copiou o politeísmo grego em sua totalidade. Não podemos esquecer que os judeus só foram libertados na Babilônia quando Ciro subiu ao poder e, ao retornarem à Palestina, trouxeram junto muitos princípios religiosos zoroástricos (masdeístas), que influíram de modo exponencial na estruturação do seu monoteísmo. Destacam-se, como contribuições preponderantes, a ideia do fim do mundo, da imortalidade da alma, do julgamento final, da vinda do Messias, do batismo, a noção do paraíso e do inferno, e até da comunhão com pão, água e vinho.

"Os mortos erguer-se-iam de suas tumbas para serem julgados segundo seus merecimentos. Os justos entrariam no gozo imediato da bem-aventurança, os maus seriam sentenciados às chamas do inferno. No final todos se salvariam, pois, contrariamente ao Cristianismo, o inferno não durava para sempre."[119]

A influência babilônica, ainda segundo Burns, não ocorreu somente em direção ao Judaísmo. Foram importantes as contribuições dadas às religiões greco-romanas pelos caldeus. Marduc, por exemplo, se tornou Júpiter; Ishtar, Vênus, e assim por diante. Na Mesopotâmia, o homem foi feito de argila animada por um Deus, como no mito bíblico. De alguns cultos primitivos aportou ao Judaísmo e ao Islamismo o costume da circuncisão. Lembrando uma menção feita por Heródoto,[120] Flávio Josefo afirma que a circuncisão tem origem egípcia. Segundo Challaye, as leis mosaicas são tão semelhantes ao Código de Hamurabi que tal analogia não pode ser explicada ao acaso: o Deus do Sinai plagiou o rei. Mas há também casos que podem ser constatados como acréscimos dados pelo Cristianismo ao Masdeísmo. Por exemplo: Angra Mainyu, o espírito do demônio, em sua luta contra Aura Mazda decidiu tentar o casal ancestral da raça humana oferecendo frutas, o que determinou a queda do homem. O Cristianismo, igualmente, assemelha-se a algumas religiões que o antecederam: Jesus nasceu de uma virgem, como Perseu de Danae. É adorado como um

---

119. BURNS, 1977, p. 104.

120. JOSEFO, Flávio. *História dos hebreus*. Tradução do grego: Vicente Pedroso. Rio de Janeiro: Casa Publicadora das Assembleias de Deus, 2000. fls. 718 e 734.

RAZÃO X RELIGIÃO

salvador (também por pastores), igual a Mitra. Morreu e ressuscitou como Osíris, Adônis, Átis, Dionísio Zagreu e Tamuz. Jesus Cristo é uma projeção configurada pelo Antigo Testamento, assim como o Cristianismo é a síntese de um vasto passado humano. Os padres católicos são tonsurados e vestidos como eram os sacerdotes de Ísis, que adquiriam o caráter sagrado pela imposição das mãos, gesto canalizador da penetração do espírito. Os fiéis eram purificados com aspersão de água; como faziam os helenos.

Na Babilônia, ao tempo do deus Marduk e da deusa Ishtar, dramas sagrados comemoravam a paixão e a ressurreição do deus. Challaye cita Denis Saurat, que expõe um desses dramas:

> Uma entrada triunfal traz, primeiro, o deus à cidade. Depois uma catástrofe lança-o à prisão. Julgam-no ao pé da montanha. Seus partidários articulam um conflito na cidade. Sua mulher implora aos deuses e lamenta-se. O deus desapareceu. A deusa dirige-se ao túmulo guardado por soldados. O deus está na tumba já recoberta de rebentos verdes de trigo maduro. Dois malfeitores tinham sido julgados com ele. Um é preso, morto, às portas da Babilônia e o outro acompanha o deus no outro mundo. O outro, reconhecido inocente, é solto... Os deuses favoráveis reúnem-se; há uma batalha; as forças diabólicas são vencidas. O deus ressuscitado sai da montanha em triunfo... Após haver encontrado na Mesopotâmia os principais dados do Antigo Testamento, a criação e o dilúvio de Noé, encontramos aqui o dado central do Novo Testamento: o triunfo, a morte e a ressurreição de Deus.[121]

Cristo caminhou sobre as águas como Poseidon; fez o milagre da transformação da água em vinho como Dionísio. Curou os doentes, deu vista aos cegos, ressuscitou os mortos, exatamente como Esculápio.

---

121. *Histoire des religions*, p. 110-112, apud CHALLAYE, 1998, p. 63.

## PONTOS COMUNS

Depois subiu aos céus como Elias,[122] mais tarde imitado pela Virgem Maria e por Maomé.

A lenda do dilúvio universal fez parte das narrativas religiosas dos povos antigos. Na Suméria, o deus Enki advertiu o rei Ziusudra de Shuruppak de que haveria uma inundação e determinou que ele construísse um barco para salvar sua família e seus animais. Júpiter também havia punido os homens com um dilúvio, do qual só se salvaram Deucalião e Pirra. Os fatos sugerem que era moda os deuses ficarem descontentes com os homens que eles próprios haviam criado. Na epopeia de Gilgamesh, que relata as aventuras do rei e fundador de Uruc, na Mesopotâmia, também se encontra o relato do dilúvio. Para os astecas e incas, houve a destruição do mundo por uma vasta inundação. As semelhanças, como se pode constatar, são incríveis. Enlil (ou Bel) queria afogar todos os homens com uma enchente. Porém, antes do cataclismo, a deusa Ea apareceu em sonho a um homem chamado Utnapishtim, ordenando-lhe que construísse um navio. Chuvas torrenciais desabaram por sete dias. Só sobraram os animais e a família de Utnapishtim. Para ver se as águas tinham baixado, ele soltou uma pomba, uma andorinha e um corvo, que não regressou. Noé soltou, sucessivamente, um corvo e duas vezes uma pomba.

A lenda de Moisés surge em diversas regiões. Primeiramente ela fez parte dos mitos akkadianos. Sargão I, filho de pai desconhecido, foi colocado numa cesta de juncos e abandonado no rio Eufrates. Foi salvo por um aguador que o adotou e o criou. A deusa Ishtar o amou e o fez ascender à nobreza. A moral budista comporta cinco preceitos. Os quatro primeiros são repetidos pelos dez mandamentos: não matar, não furtar, não tomar a mulher do próximo, e não mentir. Challaye, manifestando-se sobre o assunto, afirmou que a crítica histórica fixou que a Bíblia não é essencialmente diferente dos textos sagrados encontráveis

---

122. Flávio Josefo afirma que Elias simplesmente desapareceu e jamais se soube o que lhe aconteceu. O Cristianismo preferiu plagiar a mitologia grega, mais interessante para o seu proselitismo (JOSEFO, 2000, livro 9º, cap. 1º, nº 375). Os Evangelhos apócrifos dizem que Elias foi arrebatado pelo Espírito e deixado em alguma montanha (PIÑERO, 2002, p. 132).

em outras religiões. Como estas, ela é obra humana. Observemos agora mais intimamente os pontos de contato da própria história de Cristo e da Virgem com outros mitos. Nascer de uma virgem fertilizada foi lenda disseminada em todo o mundo anterior a Jesus. Os sinais dos céus, principalmente a estrela guia, anunciavam a qualidade sobrenatural do recém-nascido. Infere-se da história de Buda que seu nascimento foi sinalizado por uma luz milagrosa. O *Bhagavata Purana* menciona um meteoro luminoso sinalizador do nascimento de Krishna. Quando se deu conta do seu desaparecimento, o rei Kansa, para assegurar a morte do menino, decretou a matança geral de todas as crianças de seu reino. Foram assassinadas todas, menos Krishna. Levado ao templo, Krishna impressionou os brâmanes com sua profunda sabedoria.

Mitra nasceu de uma virgem, no dia 25 de dezembro, numa cova ou gruta; foi adorado por pastores e magos. Fez milagres e depois foi perseguido e morto. Três dias depois, ressuscitou.

Os Magos do Oriente, guiados por uma estrela, foram ao encontro de Jesus para adorá-lo. Houve época em que as serpentes falavam; que o Sol parava; que as águas do mar se dividiam; e, houve tempo, também, em que as estrelas andavam à frente dos homens para conduzi-los até o local do nascimento dos deuses. Herodes soube pelos Magos que havia nascido o rei dos judeus. Não querendo ver seu trono ameaçado por um novo rei, resolveu matá-lo. Para isso, solicitou-lhes informações quanto ao local do nascimento. Mas os magos nada lhe contaram. Pelos mesmos dias, José sonhou que um anjo lhe dissera que pegasse a Virgem e o Menino e os conduzisse ao Egito para fugir da sanha assassina do Rei da Galileia. Dando-se conta de que tinha sido enganado pelos Magos, Herodes ordenou que fossem mortos todos os meninos de até dois anos. Todos foram mortos, exceto Cristo. Depois que Herodes morreu, José e sua família retornaram do Egito.

Nascido na bacia do Ganges, na Índia, Mahâvira renunciou ao mundo aos trinta anos de idade para se tornar um asceta errante até atingir a iluminação, para, então, dar início à pregação do Jainismo auxiliado por doze discípulos que constituíram o grupo de seguidores.

A imagem de Ísis estreitando Hórus contra o seio tornou-se o modelo emblemático de Nossa Senhora segurando em seus braços o menino Jesus. Quando Átis morre, a deusa-mãe Cibele, aos prantos, parte em sua procura. O jovem ressuscita. Como comemoração foi instituída uma espécie de Semana Santa, em fins de março, com paixão e ressurreição, símbolos da vegetação desaparecida e depois reaparecida. A veneração de imagens e outros mitos antigos transferiram-se para o Cristianismo. Diana Servatrix tornou-se Nossa Senhora do Bom Socorro. Diana Redux, Nossa Senhora das Ondas. Santo Isidoro é Ísis. Castor e Pólux metamorfosearam-se em São Cosme e São Damião. As festas pagãs se perpetuaram no Carnaval cristão. As cerimônias cristãs substituíram as cerimônias pagãs, mantendo a identidade dos rituais.

No Cristianismo, existem três pessoas: o Pai, que é Deus; Jesus Cristo, o Filho, e o Espírito Santo. Trindade já existente no Hinduísmo com Brahma, o Deus fundamental, acompanhado de Vishnu, o deus Conservador, e Shiva, o deus renovador e senhor da vida e da morte.

A base reencarnacionista do Espiritismo tem origem na doutrina hinduísta. Os fundamentos da Umbanda, que vieram do Candomblé e do Batuque, ou ainda diretamente da África, têm raízes no animismo, além de aspectos semelhantes com o Espiritismo e da influência do Catolicismo.

As doutrinas maometanas de ressurreição do corpo, do juízo final, das recompensas e punições depois da morte e da existência dos anjos com toda certeza derivam do Cristianismo. A proibição de comer carne de porco, a adoração das imagens e a circuncisão são costumes provenientes do Judaísmo bíblico.

Concluídos estes últimos capítulos, não poderíamos deixar de trazer ao presente debate fatos da mais alta indagação. Todas as religiões têm em seus fundamentos conceitos básicos repetidos. Elas não conseguem se libertar de suas sínteses originais. A vida além-túmulo foi uma ideia preponderante no início dos tempos. Vida e morte, o bem e o mal, o céu e o inferno formam as dualidades presentes em todas elas. As orientais têm propensão para alcançar Deus por meio da ascese e da meditação. Algumas religiões – o Cristianismo é um exemplo – têm um ordenamento

## RAZÃO X RELIGIÃO

teológico excessivamente complicado. O progresso do Islamismo deve-se não apenas à conquista de adeptos pela "Guerra Santa", mas principalmente em razão de sua simplicidade teológica. O Corão prescinde de regras, cânones, ícones e santos. O Hinduísmo não é acessível a quem não seja hindu, porém essa particularidade não o torna diferente de outras religiões. Milhões de deuses, de cultos, de posturas meditativas, de maneiras de rezar ligam-se sempre a um objetivo transcendente: o retorno ao Brahman. Budismo e Jainismo somente se exaurem no nirvana e no estado da felicidade eterna pela introspecção que conduz seus adeptos a um estado de sublimação de seu eu consciente. São situações de intenso misticismo na busca de um irrealismo transcendental, se é que dá para usar essa figuração. Quando o budista "desperta", significa que ele alcançou a iluminação. O jainista, ao adquirir o estado de perfeição, alcança a felicidade eterna. Na realidade, a introspecção hindu significa a fuga da realidade interna e o sequente apelo aos irrealismos exógenos. Tomadas de ansiedade, as pessoas praticamente perdem a própria consciência, que é substituída pelo desejo intenso de atingir outro patamar, um estado de perfeição, uma espécie de plano espiritual superior.

As religiões ocidentais, no que dizem respeito a esse tema, em nada diferem. O Cristianismo busca um Deus, um céu e uma eternidade feliz, com práticas impostas desde a mais tenra idade, tanto pela educação familiar tradicional quanto pela atmosfera religiosa comunitária. O animismo, em todas as suas formas, antigas e modernas, busca o seu nirvana por meio do contato com seres celestiais. Fundamentalmente, o fenômeno da vida e da morte, do real e do irreal, deste e do outro mundo foi questão prioritária para os povos da Terra. Estes são os verdadeiros dogmas, absolutos, irresistíveis e fatalistas. Nossa destinação final é ir a encontro daqueles que já partiram. Essa é a nossa síndrome. Desde pequenos somos preparados para o dia do julgamento e para o dia da ressurreição. Com o mesmo corpo vamos encontrar nossos pais, nossos irmãos, nossas mulheres e, enfim, nosso próximo. Ou com outros corpos, não importa, ou até mesmo sem eles, apenas na condição de espíritos.

PONTOS COMUNS

A eternidade é o escopo final dos anseios generalizados.

Bem, não totalmente. O problema não é o que a história e os mitos nos ensinaram. A verdade está na matéria, que vem de *mater*, mãe, a mãe de todas as coisas, inclusive do gênero humano. Desinteressante para esta argumentação as interpretações ideológicas em direção ao materialismo dialético. A matéria aqui se fundamenta em seu sentido natural, em outras palavras, biológico. Matéria é vida. A verdade está na vida. A vida é eterna, e não o espírito (que ninguém provou que existe).

Desde o momento em que uma célula se duplicou e depois construiu um organismo multicelular, a vida ocupou seu nicho na natureza. Com a evolução vieram os seres.

Se quisermos usar para esse argumento o mito de Jesus, sem problemas. Ele nasceu de mulher, como qualquer homem e também como produto da mitologia veio simbolizar a prevalência da vida pela concepção e da eternidade hereditária pelo nascimento.

Quem nos prova que com a morte encontraremos deuses? "Os deuses vingam-se dos homens, morrendo", opinou o poeta Murilo Mendes. O correto é encontrarmos a felicidade aqui neste vale de lágrimas junto de nossas mulheres, nossos filhos e nossos amigos. Cada vez que nasce um ser humano, é mais um elo que se integra à cadeia que nos liga com o futuro, que haverá de durar um bom par de anos, se até lá a insanidade humana não aniquilar a vida no planeta.

Toda a busca do nirvana, de deuses e de eternidades celestiais são fenômenos ilusórios que nascem e sobrevivem dos nossos erros de concepção. A introspecção, a ascese, a meditação, a enlevação mística devem ser voltadas para dentro de nossas consciências, onde residem os deuses. Eles se chamam vida, amor, comportamento ético, trabalho, fortaleza, coragem, desprendimento, paz, respeito ao próximo e, principalmente, uma regra moral, não mais do que uma, que vale por todas as demais: não faças o mal. De que adiantou a Lei Mosaica dizer: não mates. O mesmo Deus, logo depois, mandou passar ao fio da espada todos os inimigos de Israel. Hoje, pessoas alucinadas matam em nome de Alá. Que dizer dos cristãos que matam uns aos outros em nome de Cristo. São os terroristas da fé. Para que servem os deuses da guerra e da morte? Para que servem as religiões do além-túmulo? Afastemo-nos das escatologias, das mensagens apocalípticas, da dor e da morte. Rebelemo-nos contra os velhos, compungentes e degradantes ensinamentos que têm por base o sofrimento, o temor da punição e o terror do inferno. As religiões, praticamente todas, cometem o pecado da inversão dos valores espirituais. Elas ensinaram o homem a olhar para trás, caminhar em direção ao passado, ser escravo das concepções funéreas com seus constrangedores e deprimentes cerimoniais. As religiões, quando se transformam em instituições, fazem da morte uma pontualidade afuniladora básica, um doloroso rito de passagem, em que prevalece ela, a morte, e não a vida. É morrendo que se renasce para a vida eterna, diz o Cristianismo.

A inversão de valores é total.

Bem ao contrário, a vida é o sol, é a luz, é a liberdade, é o futuro, a alegria, e a beleza, é, enfim, a eternidade. A vida deve ser ganha, amada e louvada acima de qualquer coisa, em razão do que deve ser conquistada a qualquer custo.

Nosso destino é o futuro e o futuro é a permanência da vida, do ser humano, enfim, da natureza, que é a forma como a matéria se manifesta. O que importa é a continuidade da vida (do homem) como fruto da reprodução.

Que isso não seja levado ao terreno do desrespeito a nenhuma religião; como amaríamos nosso irmão sem respeitar seus sentimentos? Mas ocorre que esses sentimentos não são propriamente de nossos irmãos. Foram impostos de fora para dentro. São sentimentos resultantes de ameaças, de imposições, de autoritarismo, de ideias vãs, de proposições irreais, de filosofias obtusas, de conceitos errôneos, de ideias falsas, além das fraudes e das mistificações, sem esquecer que, na subjacência da maioria, o vil metal é a mola propulsora preponderante. Não desrespeitemos, portanto, as religiões dos outros. Devemos lutar pelo direito de denunciar o erro, com a liberdade de desfraldar a bandeira da verdade, no sentido de expulsar os demônios do obscurantismo que existem dentro de nós.

Enfim, não façamos o mal, mas tenhamos o direito de proclamar o bem, o racionalismo, a justiça, a liberdade e a igualdade de direitos, inclusive o de crítica e, acima de tudo, o direito de viver, isto é, o direito à vida com suas eternas bem-aventuranças.

# 9
# A incompetência do Deus bíblico

É chegada a hora de fazer uma pausa. Há que se parar vez ou outra. É preciso suspender a narrativa para meditar sobre o que foi escrito e também para fazer uma autocrítica, para que tudo seja devidamente sopesado e cotejado com a profundidade que a consciência exige, para verificar se foi mantida a verdade como condição básica, rejuntada com as qualificantes do equilíbrio e da prudência. Não uma verdade vertical, unitária, presa a um princípio único ou orientada por uma realidade radical, mas na verdade que, além de conferir credibilidade, paire acima das intransigências e das conclusões originadas de uma visão apenas agnóstica ou materialista da fenomenologia físico-psíquica, objeto do livro. Fomos guiados por motivações, as mais abrangentes possíveis. A verdade em primeiro lugar (a verdade vos libertará), acompanhada das tintas fortes, enfatizadoras dos eventos que constrangeram a sanidade cultural do homem e não se sujeitaram ao julgamento adequado da história. Quanto mais selecionávamos e juntávamos os fatos que a obra expõe, mais nos convencíamos de que estávamos percorrendo o caminho proposto.

Essa é a razão pela qual não aceitamos justificativas para as violências assinaladas, principalmente no que concerne à Inquisição. Os fatos aconteceram pela forma descrita, e isso já bastava. Sendo essa também a razão para não aceitarmos o cunho apologético que a Igreja abstrai das histórias do Velho Testamento.

Um famoso escritor brasileiro disse certa ocasião que toda a unanimidade é burra. Essa opinião nos permite concluir que a unanimidade cristã ocidental poderia estar assentada em erros fundamentais e que outras religiões, da mesma forma, poderiam carecer de fontes fidedignas. Em outras palavras, se para nós a religião dos outros é questionável, os outros terão a mesma ideia a respeito da nossa. Será então que a nossa mente não havia sido preparada desde a mais tenra idade para a pura e simples submissão à catequese religiosa?

Não podemos negar a influência do Cristianismo na formação do homem ocidental, muito menos negar a poderosa influência da Bíblia em nosso modo de pensar, de agir e até de fazer literatura.

Religiões e deuses estão presentes cotidianamente em todas as nossas atividades. Deus está pregado nas paredes, nas estampas, nas imagens, nas invocações, nos preceitos, em nossas esperanças, na evocação dos políticos, e até em nossas constituições. Porém, muitos esposam também a ideia de que, embora esteja em toda parte, Ele não se encontra dentro do coração dos homens e, portanto, não estaria em parte alguma.

Dois mil anos se passaram, e a Bíblia continua atuante em nossa vida diária. Os prelados afirmam que foi Deus quem inspirou seus hagiógrafos. O Concílio Trentino declarou que ela é a verdadeira fonte de revelação, estando imune a qualquer erro. Se era tanta a convicção das instâncias conciliares, então é chegada a hora de questionar a própria natureza de quem a revelou.

Superado o intervalo e acreditando que a linha até agora percorrida esteja correta, readquirimos forças para dar continuidade à investigação. Afastemos de nosso exame os fascinantes livros sapienciais e poéticos, porque eles contêm a mesma essência épica das escrituras das demais religiões. Analisemos as histórias reveladas pelos livros considerados sagrados por judeus e por cristãos e em que medida Deus manifesta-se como ativo personagem das mesmas.

Se os cânones dizem que Deus não pode se enganar e que a Bíblia está à margem de qualquer erro, é porque um ser perfeito se constitui em premissa da criação de uma humanidade perfeita. Um ser com as qualidades de onipotência, ubiquidade e onisciência e até um Deus com o significado de espaço-tempo, se quisermos usar a Teoria da Relatividade, um Deus

RAZÃO X RELIGIÃO

perfeito em todos os atributos, evidentemente que não poderia criar a imperfeição. Vejamos, inobstante, se foi de acordo com essa hipótese que os fatos aconteceram.

Da Bíblia consta que Deus, depois de criar a terra e os animais, viu que aquilo era bom e então disse: "façamos o homem à nossa imagem e semelhança".[123] (Conclui-se, a partir da ideia da criação, que se tratava de um Deus antropomórfico. Deus mais tarde se comunicaria com Moisés em forma de chama inextinguível. Com Josué a comunicação era normal, assim como um general dá ordens a um comandante de tropa.) Depois de criar varão e fêmea, deu-lhes sua bênção acrescentando: "crescei e multiplicai-vos e enchei a terra".[124] Para que isso ocorresse, criou um paraíso de delícias com árvores belas e frutos doces, mas alertou: "Come de todas as árvores do paraíso, mas não comas do fruto da árvore da ciência do bem e do mal; porque, em qualquer dia que comeres dele, morrerás indubitavelmente".[125] O fruto era bom para o gosto e formoso aos olhos. Induzida por uma serpente, Eva o degustou junto de Adão. Deus, que tudo observava, irritado com a desobediência, amaldiçoou o réptil, ao mesmo tempo que expulsava o casal do paraíso, condenando-o aos trabalhos penosos por toda a vida numa terra amaldiçoada e cheia de espinhos, e concluiu: "Comerás o pão com o suor de teu rosto". Segundo São Paulo, o pecado entrou no mundo pela falta de um só homem.[126] Falta que significou a morte para os demais. Nas sessões V e VI do Concílio de Trento, foi definida a doutrina relativa ao pecado original como sequela hereditária de Adão. Somente um Deus patológico faria recair sobre o gênero humano o pecado de um só vivente!

Sacralizada a injustiça, mostrou-se também omisso. Não havia sequer passado uma geração para que o fratricídio tingisse a terra com o sangue de um inocente. Com o correr dos dias, a situação moral se deteriorava e

---

123. Gênesis 1:26.
124. Gênesis 1:28.
125. Gênesis 2:16-17.
126. Romanos 5:12-18.

# A INCOMPETÊNCIA DO DEUS BÍBLICO

aos poucos se instaurava o pecado sobre a terra. Logo que os homens começaram a se multiplicar, a depravação e a iniquidade tomaram conta do mundo. Essa situação levou Deus a arrepender-se de ter criado o homem. Por isso tomou a decisão cataclísmica de exterminar da face da Terra o homem que criara, "desde o homem até os animais, desde os répteis até as aves do céu".[127] A punição veio como um avassalador dilúvio universal, do qual só se salvou a família de Noé, porque achou "graça diante do Senhor".

O castigo diluviano não surtiu nenhum efeito. O mundo não melhorou. A devassidão continuava mais viva do que nunca. Os descendentes de Noé construíram um zigurate, conhecido como Torre de Babel, cujo cume deveria atingir os céus. Deus puniu o atrevimento dos homens confundindo-lhes a linguagem de tal forma que ninguém mais se entendeu.

Em Sodoma e Gomorra, a imoralidade e a fornicação se generalizaram a tal ponto que Deus condenou seus habitantes ao suplício, fazendo-os morrer vitimados por uma precipitação de enxofre e fogo. Só se salvaram Lot e seus familiares. Sua mulher, que desobedeceu às ordens e olhou para trás, transformou-se em estátua de sal.

Deus disse para Abraão sair de sua terra e ir para a terra que lhe seria mostrada, pois faria sair dele um grande povo, engrandeceria seu nome e abençoaria os que o abençoassem e amaldiçoaria os que o amaldiçoassem. Nesse parágrafo, nota-se, sem muito esforço, o faccionismo de Deus que privilegiou um clã que seria bendito entre todas as nações da terra, pouco ligando para o restante da humanidade. Deus tinha verdadeiro prazer em reafirmar aos descendentes de Abraão, Isaque e Jacó que Ele os havia tirado do Egito, chamado de casa de servidão. Para submeter o Faraó, cuja libertação não estava em seus planos, feriu o país com uma dezena de pragas. Pela primeira, toda água se converteu em sangue. A segunda, terceira e quarta, respectivamente, foram pragas de rãs, mosquitos e moscas. A quinta disseminou a peste sobre todos os animais dos egípcios. Os animais dos filhos de Israel permaneceram sadios. Depois vieram as úlceras, o granizo, os gafanhotos, as trevas, todas terríveis, aflitivas e desumanas. A

---

127. Gênesis 6:7.

RAZÃO X RELIGIÃO

derradeira se consumou como ápice da apoteose da malignidade: todos os primogênitos egípcios, a partir do primogênito do Faraó, foram mortos. Sequer os primogênitos dos animais, que não tinham culpa alguma, foram poupados. Em seguida, Deus endureceu o coração dos egípcios para que eles perseguissem os hebreus até a travessia do Mar Vermelho, ocasião em que as águas foram separadas para que os filhos de Israel atravessassem sãos e salvos. O exército do Faraó submergiu. Morreram todos os soldados juntamente de seus animais. Confirmava-se sua promessa de ferir o Egito com toda a sorte de prodígios.

O Deus da Bíblia foi também o responsável pela pena do talião: "Olho por olho, dente por dente, mão por mão, pé por pé, queimadura por queimadura, pisadura por pisadura…". Também os adivinhos não tinham o direito de viver. A pena de morte foi duramente estabelecida e cumprida sempre de modo exemplar. Seguidamente, Ele era possuído de fúria incontida: "Enviarei o meu terror diante de ti, e exterminarei todo o povo, em cujas terras entrares…".[128] No dia em que Moisés subiu o Sinai para falar com Deus, os hebreus fundiram um bezerro de ouro. Deus ficou encolerizado. Determinou a Moisés que punisse os culpados: "Cada um cinja sua espada ao seu lado; passai e tornai a passar de porta em porta através dos acampamentos, e cada qual mate o seu irmão, e o seu amigo, e o seu vizinho. E os filhos de Levi fizeram o que Moisés tinha ordenado, e cerca de vinte e três mil homens caíram (mortos) naquele dia. E Moisés disse-lhes: Consagrastes hoje as vossas mãos ao Senhor, cada um em seu filho e em seu irmão, para vos ser dado a bênção."[129]

Satisfeito com a matança, disse para Moisés sair daquele lugar e ir para a terra que Ele jurou dar a Abraão, Isaque e Jacó, de onde serão expulsos o cananeu, o amorreu, o heteu, o heveu e o jebuseu "para que entres num país, onde corre leite e mel". Como bom talibã, mandou destruir e reduzir a pó as estátuas, e devastar todos os lugares altos, purificando a terra e habitando nela, pois era a terra dada em possessão.

---

128. Êxodo 23:27.
129. Êxodo 32:27-29.

## A INCOMPETÊNCIA DO DEUS BÍBLICO

No Levítico, Deus condenou a sodomia dizendo: "Não te aproximarás dum homem como se fosse mulher, porque é uma abominação".[130] "Nem a mulher se vestirá de homem, nem o homem se vestirá de mulher; porque aquele que tal faz é abominável diante de Deus."[131]

No entanto, em Deuteronômio 24, Deus instituiu o divórcio, quatro mil anos antes de ser adotado pelas nações cristãs do século XX.

Quando tudo isso tinha acontecido, nasceu Josué, um servo do Senhor, um verdadeiro Genghis Khan hebreu. Josué foi o grande comandante, substituto de Moisés, que, castigado, fora proibido de pisar na Terra Prometida. Conduzido pela mão de Deus, ele conquistou a Palestina. Começou com Jericó, cidade estrategicamente fortificada. Dada a impossibilidade de transpor suas muralhas, com gritos e ao som das trombetas os muros desabaram. Depois, os judeus tomaram-na "e mataram tudo o que nela havia, desde os homens até a mulheres, e desde as crianças até os velhos". Passaram também ao fio da espada os bois, as ovelhas e os jumentos. O Genghis Khan de Judá não poupou sequer crianças e velhos, tudo de acordo com a vontade de Deus. Depois da matança, puseram fogo na cidade e em tudo o que nela havia. Apropriaram-se, é claro, de todo o ouro e prata que consagraram para o tesouro do Senhor.[132]

O mundo continuou o mesmo. No século XVIII, as hordas cristãs levaram para a Europa toda a prata de Guanajuato e de Potosí, e todo o ouro dos incas e astecas. Como na antiga Palestina, as terras ficaram devastadas e cheias de cadáveres, o prêmio macabro dos conquistadores.

Josué foi um guerreiro mágico. Para pelejar por Israel, mandou o Sol parar para que seus guerreiros se vingassem dos inimigos. Os reis mortos foram pendurados em forcas até a tarde. Na conquista do norte da Palestina, ele passou ao fio da espada toda a gente que ali morava; não deixou pessoa viva, devastou tudo até o extermínio. Destruiu com incêndio

---

130. Levítico 18:22.

131. Deuteronômio 22:5.

132. Estudos arqueológicos atuais comprovam que naquela época não existiam muralhas em Jericó.

RAZÃO X RELIGIÃO

a cidade de Asor e assim procedeu com as cidades vizinhas e seus reis. Os mercenários de Josué somente descansaram quando já não havia mais ninguém vivo, não sem antes distribuírem entre si os despojos.

Morrendo Josué, sucedeu-lhe seu irmão Simeão. A matança continuou. Em Bezec assassinaram dez mil homens. Setenta reis tiveram cortadas as extremidades das mãos e dos pés. Logo depois os filhos de Judá destruíram Jerusalém, que foi tomada, incendiada e seus habitantes passados ao fio da espada.[133]

O *Livro dos Juízes* conta a história de Abimelec. Foi ele quem destruiu Siquem e matou todos os seus habitantes. Depois semeou sal por toda a cidade. O mito de Hércules se repetiu com Sansão. Apoderou-se dele o espírito do Senhor. Possuído de ira divina, juntou a mandíbula de um jumento e com ela matou mil filisteus.

Na guerra contra os amalecitas, Saul, à frente de dez mil homens, tomou vivo Agad, rei de Amalec, mas passou ao fio da espada todo o povo. Saul matou também duzentos filisteus, levando-lhes seus prepúcios.

Registremos, enfim, a derrota de Senaquerib, rei dos assírios pelo anjo do Senhor, segundo nos relata o *Livro dos Reis*:[134] "Aconteceu, pois, que naquela noite veio o anjo do Senhor e matou no campo dos Assírios cento e oitenta e cinco mil homens. E Senaquerib, tendo se levantado ao amanhecer, viu todos os corpos dos mortos".

O anjo atacou à noite, de socapa, sem prévio aviso, com um só objetivo: matar.

E, para terminar, citemos o capítulo da destruição dos ídolos do *Segundo Livro dos Paralipômenos*: "Feitas estas coisas segundo o rito, todos os israelitas, que se encontravam nas cidades de Judá, saíram e despedaçaram os ídolos, e talaram os bosques, e demoliram os lugares altos, e destruíram os altares, não só em toda a terra de Judá e de Benjamim, mas também

---

133. Jerusalém foi destruída por Nabucodonosor em 587 a.C., e pelos Romanos no ano 70 d.C. Mas nem Alexandre, nem os hititas, nem os assírios e nem os egípcios a destruíram.

134. II Reis 19:35.

A INCOMPETÊNCIA DO DEUS BÍBLICO

na de Efraim e de Manassés, até os destruírem tudo, e voltaram todos os filhos de Israel para as suas possessões e para as suas cidades."[135]

De Judá ao Afeganistão e do Afeganistão à Índia, retornando à Irlanda do Norte, passando por Ruanda ou pelas favelas do Terceiro Mundo, a situação permanece a mesma. Prevalece ainda hoje o primado da irracionalidade e da intolerância. Passaram-se mais de três mil anos, contudo os aspectos éticos e morais pouco evoluíram, pelo contrário, o mundo, como um todo, entra em uma fase em que predomina de modo absoluto o lado bestial da raça humana.

Nos últimos cinquenta anos, gastamos trilhões de dólares na produção de armas e bilhões em viagens espaciais. Por nada. Na Terra, continuamos morrendo de fome.

Na verdade, tudo o que até agora foi escrito faz com que percebamos o duplo caráter histórico-mitológico. Difícil saber quando prevalece a história ou quando a prioridade deve ser dada à mitologia. Uma coisa é certa: se aceitarmos o aspecto mitológico, não podem existir objeções. Mitologia não se discute porque ela se situa no campo do irrealismo. É a história fabulosa dos deuses e dos heróis populares. E, se fizermos comparações, poderíamos optar pela mitologia greco-romana por ser mais rica e por contemplar todos os aspectos vivenciais da humanidade. O Hércules grego era mais prestativo que Sansão. Os deuses gregos geralmente moravam no cume do Monte Olimpo, onde havia um oráculo para servir o povo. A mitologia grega cultivava o amor, a música, a beleza. E a bíblica? Quase só guerras, devastações, punições, morticínios, devassidão e fornicação.

O Deus bíblico tinha por reino uma pequena região. Nascido e vindo de Ur com Abraão, não conseguiu ultrapassar os limites da terra prometida. Ficou sempre reduzido ao Deus de um clã. Mais tarde, com o advento do Cristianismo, foi adotado pelo Império Romano, para então ganhar o mundo.

Mas qual foi o fenômeno que fez com que Ele mantivesse sua importância como Deus único de três religiões, duas delas as mais importantes

---

135. 2 Crônicas 31:1.

do globo? As diferenças se estabeleceram pelas escrituras. As ideias conservadas pela oralidade e pela tradição mudam com o tempo, fato que não acontece com a história impressa numa pedra, numa pele, num papiro ou numa tabuinha de barro. Os deuses que hoje sobram têm certidões de nascimento: os textos sagrados e suas respectivas cosmogonias. Os deuses hindus sobreviveram por causa dos vedas, dos brâmanes, dos upanixades e do *Bhagavad Gita* (Canto dos bem-aventurados). Os Sikhs têm também textos sagrados. O livro sagrado do Budismo é o *tripitake* (em sânscrito), ou o Tipitaka (em pali), que significa o Triplo Cesto de Flores. O Taoísmo e o Confucionismo não dispensaram seus textos filosóficos. O Islamismo impõe o Corão como verdade absoluta. Essa é a razão pela qual esses deuses vêm se mantendo e suas crenças resistem ao longo da história. Algumas atingem o *status* do universalismo (Budismo, Cristianismo e Islamismo), outras, porém, não conseguem ultrapassar suas fronteiras nacionais (Hinduísmo, Judaísmo, Confucionismo, Xintoísmo, entre tantas).

Quando um povo desaparece, vão com ele suas religiões e seus deuses. Se não fosse por causa da Bíblia, bem poucas referências históricas teríamos do povo hebreu. Talvez ficássemos sabendo das destruições de Jerusalém pela importância dos exércitos babilônicos ou pelo ímpeto das legiões romanas, segundo a descrição de Flávio Josefo. Mas, seguramente, o Deus da Bíblia não faria mais parte de nossa história religiosa, mesmo porque aquele Deus já não existe mais. Ele morreu duas vezes. A primeira com a tomada de Jerusalém pelos romanos e a segunda por obra de Jesus Cristo, que substituiu o Deus autoritário do Antigo Testamento pelo Deus da misericórdia e do amor proclamado pelos Evangelhos. Se por acaso ainda existe, não passa de fruto da teorização dos fundamentalistas judeus.

Para manter as tribos unidas, Deus foi seu conselheiro por quase dois mil anos, e, na condição de cabo de guerra, orientou seus líderes em dezenas de batalhas até a conquista da Terra Prometida. Mas onde Ele estava quando os exércitos de Nabucodonosor destruíram Jerusalém? Onde estava o Deus guerreiro quando os legionários romanos conquistaram e incendiaram Jerusalém, condenando seu povo à diáspora? Tito foi mais poderoso. Os deuses sempre acabam vencidos pelos exércitos.

A verdadeira história de um Deus cosmogônico deveria ter entre doze e quinze bilhões de anos, período que superaria em muito o tempo fixado pelo Bispo de Uscher, pelo livro da posteridade de Adão (Gênesis 5), ou pela genealogia de Jesus Cristo estabelecida pelos evangelhos de São Mateus 1 e São Lucas 3:23.

Se existem erros invencíveis no que diz respeito ao tempo, não poderemos afastar de nossa visão crítica os prodígios que a Bíblia nos narra. Lembremo-nos deles: as serpentes falavam; tocados pelo bordão de Moisés, vertia água dos rochedos; a lenda do dilúvio; a transformação da mulher de Lot em estátua de sal; as pestes que apenas atacavam os animais dos egípcios; a conversão da água em sangue (Jesus Cristo foi mais esperto, pois sua alquimia milagrosa transformava água em vinho); a divisão das águas do Mar Vermelho; o maná; a derrubada dos muros de Jericó ao som das trombetas e do alarido dos hebreus; a paralisação do Sol e da Lua no meio do céu para que o exército de Josué se vingasse de seus inimigos etc.

Os defensores desses fenômenos pressurosamente alegam que os hagiógrafos se valeram de metáforas e simbolismos. Dizem também que se deve encarar previamente o texto bíblico com seus prodígios, para então compreender seu significado. Entretanto, somente sugerem essas evasivas depois que a ciência derrubou os fundamentos histórico-criacionistas. Até fins da Idade Média, os cristãos estavam proibidos de levantar dúvidas em relação às "verdades" bíblicas.

Todas essas histórias extravagantes e prodigiosas, melhor seria dizer fantasiosas e imaginárias, exigem uma adequada interpretação. Mas só existe uma interpretação adequada: a da mitologia, qualquer outra não ultrapassaria o campo do delírio que envolve as crenças e distorce a mente.

Na Idade Média, ter uma Bíblia já era crime suficiente para que o herege fosse submetido a um Tribunal Inquisitorial. A tradução de São Jerônimo, denominada de Vulgata, foi declarada pelo Concílio de Trento como única fonte de revelação. Por isso, diziam os teólogos, era impossível extrair-se dela doutrina falsa da fé ou regra errônea de moral. Ela exprime com fidelidade tudo aquilo que pertence à substância da palavra de Deus escrita.

RAZÃO X RELIGIÃO

Com medo de anátemas e falsas interpretações, após o Concílio Trentino, o Papa Paulo IV baixou uma série de regras que deveriam ser observadas nas traduções da Bíblia: "Dado que a experiência ensina que a sagrada Bíblia, desde que se permita seu uso em língua vulgar, indiscriminadamente, faz mais mal do que bem, por causa da cegueira dos homens".[136] Consequentemente, até a autoridade papal admitiu que a leitura da Bíblia, sem a observação das regras impostas pela Igreja, faz mais mal do que bem. Ora, se fosse uma obra realmente inspirada por Deus, ninguém haveria de temê-la, pois ela sempre seria a expressão da vontade divina e, por isso mesmo, imune a qualquer malefício. Se Deus que criou o mundo não previu o evento da maldade; se Deus que inspirou seu texto não previu o mal, deveria então se tratar de um Deus incompetente. Se Deus criou o homem e permitiu o evento da maldade para afligir o homem, então se tratava de um Deus mau.

Incompetente ou impotente (por não ter conseguido debelar o mal), só interessava à Igreja dar valor, com exclusividade, à Bíblia impressa com seu *nihil obstat*. Dessa maneira, ela poderia acusar pela prática do crime de luteranismo a quem portasse uma edição protestante.

Poderíamos dizer que ela é apenas a história piegas da família de Abraão e sua descendência. Algumas vezes enfunada de poesia e lirismo, outras vezes comovente como a história de José, mas sempre recheada, na maioria de seus capítulos, de acontecimentos inverossímeis, inacreditáveis e supostamente sobrenaturais.

O arqueólogo judeu Israel Finkelstein, diretor do Instituto de Arqueologia da Universidade de Tel Aviv e autor do livro *The Bible Unearthed*, reduz os relatos do Antigo Testamento a uma coleção de lendas inventadas a partir do século VII antes de Cristo.[137]

"Não há registro arqueológico ou histórico da existência de Moisés ou dos fatos descritos no êxodo... Muitos reinos e locais citados na jornada

---

136. ALBERIGO, Giuseppe *et al.*, 1995, p. 349.

137. ROMANINI, Vinícius. Bíblia passada a limpo. *Super Interessante*, ed. 178, 30 jun. 2002.

de Moisés pelo deserto não existiam no século XIII a.C. Esses locais só viriam a existir quinhentos anos depois, justamente no período dos escribas deuteronômicos. Também não havia um local chamado Monte Sinai, onde Moisés teria recebido os Dez Mandamentos. Sua localização atual, no Egito, foi escolhida entre os séculos IV e VI d.C., por monges cristãos bizantinos, porque ele oferecia uma bela vista".[138] Finkelstein também informou que, naquela época, não existiam muralhas em Jericó. Mas nós não sabíamos disso, nem tínhamos conhecimento suficiente para duvidar de um Deus, que, com os descontos devidos, não deixava de ser falacioso, trapaceiro e manhoso, mas, diga-se a bem da verdade, menos por culpa dele e mais por culpa de seus escrevinhadores.

Durante a vida lemos a Bíblia tantas vezes, ou ouvimos tantas referências às suas histórias que, psicologicamente, vivenciamo-las, como se fôramos seus próprios protagonistas. Por isso suas narrativas têm efeito narcotizante. Elas nos foram impostas desde a mais tenra idade. Em casa, na escola, nas aulas de catecismo, nas igrejas, enfim, em todo o lugar onde atuava e ainda atua a atmosfera psicológica da civilização ocidental e cristã. As ladainhas ouvidas por toda uma existência entupiram nossos ouvidos. Os ícones sagrados há mais de mil anos vêm ofuscando nossa visão. Essa situação peculiar fez com que perdêssemos parte de nossa capacidade de discernimento e, induvidosamente, as nossas potencialidades céticas. Para qualquer dúvida, a religião nos dava todas as respostas. A Bíblia era uma espécie de ciência pronta situada fora do alcance de investigações científicas. Seus preceitos, seus ensinamentos e seus dogmas eram artigos de fé. A fé dispensa tanto os valores científicos quanto os racionais.

Aos poucos, porém, a astronomia, a biologia e agora a arqueologia deram início a um processo de descrédito à imutabilidade bíblica e ao *establishment* aristotélico-cristão. Os autos de fé não foram suficientes para reprimir as mudanças das ciências humanas, ao mesmo tempo que o avanço científico, ainda encurralado pela tradição religiosa, é incapaz de enfrentar com êxito uma obra considerada perfeita na forma e inabalável

---

138. Idem.

na substância pela maioria absoluta dos crentes, que necessitam dos textos sagrados e dos artigos de fé como essencialidades vitais. Para estes, a Bíblia assim posta é uma obra transcendental. Exatamente por isso destacou-se como o livro com maior número de impressões e, obviamente, o livro mais lido pela humanidade. Mas, apesar de sua transcendentalidade, jamais deixou de ser incongruente, paradoxal, inverossímil e, em suma, destituído de racionalidade.

# 10

# As marcas da maldade (índole agressiva)

Apesar do Renascimento, do Iluminismo e do Humanismo, os estamentos sociais demonstram que a intolerância vem se mantendo como estigma férreo causador de desarmonia e de separação entre os povos, de modo especial no que diz respeito às raças e religiões. Ao longo da História, as diferenças raciais têm sido causa de perseguições, rivalidades e guerras, com suas derivações mais visíveis: o saque das riquezas e a sujeição dos vencidos à escravidão. É, contudo, no terreno religioso que a intolerância se manifesta com maior pungência. A história das religiões é, também, a história da intolerância. Basta uma religião passar à condição de dominante para revelar-se opressiva e impor, aos dominados, padrões moldados em preceitos morais próprios. Na verdade, todas elas vivem a perplexidade inexorável desse inafastável dualismo: verdade e falsidade. Quando a Bíblia diz que "a verdade vos libertará", deveria prosseguir dizendo que a mentira vos tornará crentes e a fé vos tornará escravos.[139]

Nas religiões existe uma grande distância entre os ensinamentos e a prática. Na Idade Média, a Igreja corrompia-se, vendendo indulgências

---

139. "A mentira vos tornará crentes" é acréscimo de Pepe Rodríguez. *Mentiras fundamentales de la Iglesia Católica*. Barcelona: B.S.A., 2000).

## RAZÃO X RELIGIÃO

e cargos eclesiásticos. Ela comerciava sacramentos, remia pecados a troco de dinheiro ou em troca de contribuições para obras religiosas e, não poucas vezes, as alcovas do Vaticano se transformavam em antro de libertinagem e fornicação. Contra esse estado de coisas, Lutero e Calvino se rebelaram, denunciando as anomalias por afrontarem a lei de Deus. Por esses motivos e também pelas 95 teses penduradas na porta da Igreja de Wittenberg, na Saxônia, o Protestantismo triunfou, e se tornou mais puritano, mais bíblico e mais adaptado aos novos tempos, mantendo, contudo, a mesma postura intolerante de seu nicho religioso originário. Naquele tempo, Thomas Müntzer fundou o movimento dos puros, que pregava a liberdade como condição da palavra divina. Foi executado sob os aplausos de Lutero, que exigiu também que os camponeses que se revoltaram em 1525 "fossem exterminados como cães, sem nenhuma misericórdia – como de fato foram, e às dezenas de milhares",[140] enquanto Calvino, um sectário nato, acendia a fogueira para queimar seu amigo Michel Servet, o descobridor da circulação do sangue no pulmão, acusado de herético pelo fato de pregar o Unitarismo e negar a Trindade e a divindade de Cristo. Sob o governo de Calvino, Genebra transformou-se num centro de fanatismo religioso. Numa população de dezesseis mil habitantes, cinquenta e oito pessoas foram mortas por ordem dele. Esses fatos comprovam, como afirmou Catherine Clément, que: "os partidários dos reformadores eram tão fanáticos quantos seus perseguidores"[141]. Cristãos e protestantes daí em diante se tornariam inimigos, e quando, por qualquer problema, perdiam as condições de se assassinarem, apelavam para excomunhão, acompanhadas de imprecações de toda natureza.

Para não acusar todas as religiões de práticas sectárias e não generalizar, obrigamo-nos a excluir, desse campo de brutalidades, o Jainismo e

---

140. GOULD, Stephen Jay. *O milênio em questão*. São Paulo: Companhia das Letras, 1999. p. 46. Conforme GRIGORIEFF, Vladimir. *El gran libro de las religiones del mundo*. Barcelona: Robin Book, 1995. p. 297, Lutero reprimiu com ferocidade na chamada guerra dos camponeses, trucidando mais de cem mil anabatistas. Müntzer morreu decapitado.

141. CLÉMENT, 1999.

## AS MARCAS DA MALDADE (ÍNDOLE AGRESSIVA)

o Budismo, que, exatamente por serem pacifistas, perderam terreno na Índia e em outros países da Ásia, como também as seitas reencarnacionistas ocidentais.

Os muçulmanos perseguiam o Parsismo, que por sua vez perseguia o Maniqueísmo. Inspirados pela "Guerra Santa", imitaram Genghis Khan e fizeram uma razia em direção contrária, desde a Arábia até a Índia. Movimentando-se como hordas obstinadas, destruíam em sua passagem tudo o que podiam, impondo sua terrível verdade, na base do crê ou morre. Chegaram ao Oriente montados em milhares de cavalos e camelos, facultando aos hindus a alternativa entre a conversão e a morte. Favor não concedido a seis mil monges budistas e quase outro tanto de ascetas jainistas logo passados ao fio das cimitarras, no mesmo momento em que seus mosteiros eram destruídos. Esses fatos testemunham que os piores homens são exatamente aqueles que acreditam intensamente em Deus. São eles que, por serem intransigentes, praticam violências reiteradas contra os sentimentos das pessoas. O amor e a fraternidade religiosa são meros conceitos abstratos. No plano humano, prevalece uma ferocidade incomum. Bertrand Russell, analisando esse fenômeno, acrescentava estar firmemente persuadido que as religiões, além de nocivas, eram falsas. A doutrina de que o fogo do inferno é um castigo para o pecado é uma doutrina cruel, concluía o eminente pensador.

Há séculos perseguidos pelos muçulmanos, vez ou outra os hinduístas aproveitam oportunidades para se desrecalcarem em budistas e sikhs. Em 1919 foram massacrados 375 crentes sikhs no estado de Punjab. Em 1992, em Uttar Pradesh, em meio a violentos conflitos, fanáticos destruíram uma mesquita muçulmana. A violência se estendeu por toda a Índia. Resultado, só em Bombaim foram mortas mais de 1,5 mil pessoas em investidas que sempre deixavam rastros sanguinolentos nos locais onde as hordas endoidecidas passavam. Ainda hoje a violência religiosa explode na Índia com banhos de sangue e inaudita selvageria. Nos últimos tempos, muçulmanos e brâmanes, não satisfeitos por brigarem entre si, voltam-se contra os cristãos.

Nos primeiros dois séculos de existência, o Cristianismo foi duramente perseguido pelo Império Romano, principalmente por Nero, que

# RAZÃO X RELIGIÃO

acusou os cristãos de terem incendiado Roma. Mas, nos primeiros anos do século IV, Constantino pôs seu exército a serviço da cristandade. Com isso a igreja perdeu sua independência, transformando-se numa categoria política associada ao Estado, pelo que, já em 380, passou a ser a religião oficial do Império. Logo que se sentiu forte, arrasou o Mitraísmo, perseguiu os pagãos, os judeus, os heréticos, os sábios independentes, os filósofos e, em 529, determinou o fechamento da Escola de Atenas, que, conforme Challaye, foi o último asilo da livre filosofia helênica. Tomados de impulso incontrolável, os cristãos destruíram os templos pagãos da Antiguidade, com barbárie superior ao comportamento insolente de hunos e visigodos juntos, tudo isso compelidos, talvez, pelo impulso do poder, fundamental na história das tradições religiosas europeias, conforme afirmou Campbell.[142]

Por isso que Pepe Rodrigues observou: *"no olvides que la Iglesia tiene una experiência de dos mil años en el arte de hacer maldades impunemente"*.[143]

Em 1511, portugueses chegaram a Malaca. Alfonso de Albuquerque mostrou logo a natureza de suas intenções. Canhoneou todos os navios muçulmanos ancorados no porto. Panikkar dizia que o fervor religioso impregnava todas as ações lusitanas. Nada mais revelador a esse respeito que o discurso proferido pelo general antes da batalha: "É para a maior glória de Nosso Senhor Jesus Cristo que devemos expulsar os mouros deste país e arrancar até as raízes a seita de Maomé, para que jamais emporcalhe a face da Terra".[144]

A moderna ciência genética sublinha que árabes e judeus têm uma ancestralidade comum. Irmandade que jamais é levada em consideração no terreno religioso. A guerra de Davi e Golias começou nos templos bíblicos e ainda não encontrou seu fim. Golias é agora o todo-poderoso exército

---

142. CAMPBELL, 1992.

143. "Não esqueça que a Igreja tem uma experiência de dois mil anos na arte de fazer maldades impunemente." RODRÍGUEZ, 2000.

144. PANIKKAR, K. M. *A dominação ocidental na Ásia*: do século XV aos nossos dias. 3. ed. Rio de Janeiro: Paz e Terra, 1977. p. 55.

AS MARCAS DA MALDADE (ÍNDOLE AGRESSIVA)

de Israel, que está destruindo com incrível insensatez o povo palestino, que perdeu terras, casas e bens, exatamente como ao longo da história aconteceu com os judeus. A atiradeira de Davi está sendo empunhada pelos jovens palestinos. Ovadia Youssef, ao mesmo tempo rabino e líder de um partido ultraconservador israelense, afirmou no Parlamento Judeu em abril de 2001 que "Deus fará os árabes pagarem por seus atos. Sua semente será destruída. Eles serão derrotados e desaparecerão da face da Terra". Conforme noticiaram os massacres de Sabra e Chatila, o extermínio já havia começado, continuará inexorável e será irremediavelmente irreversível se Israel não devolver as terras conquistadas pelas suas *blitzkriegs*[145] e os dois lados não tirarem da cabeça que as raças não tornam os homens diferentes e que seus deuses estão fora dessas disputas. Enfim, porque substituíram a conciliação pelo terrorismo, lutarão obstinada e ferozmente por alguns metros de terra, que no futuro não serão suficientes para dar sepultura a seus mortos.

No que concerne ao Cristianismo, a selvageria e a brutalidade de suas ações foi tanta que a humanidade aviltada baixou aos últimos patamares de uma inconcebível degradação. Os hereges foram queimados vivos ou torturados com um infernal instrumental especialmente inventado para que a morte fosse a mais dolorosa possível. As Cruzadas foram imaginadas como uma guerra santa para libertar os lugares sagrados situados em Jerusalém. Para reunir os crentes houve, como sempre, a promessa da remissão dos pecados. A distribuição de indulgências antecipava o perdão de qualquer crime, por mais pavoroso que fosse. Os batalhões formados logo demonstraram suas disposições agressivas incomuns. Como exercício de adestramento assaltaram as cidades de Béziers e Carcassona, onde indistintamente mataram milhares de albigenses e católicos. Ao se dar conta de tais sucessos, a falange higienizante ficou indecisa, pois não estava disposta a massacrar ao mesmo tempo hereges e cristãos. O impasse foi levado ao conhecimento do legado papal, Arnaud-Amaury, Abade de Cîteaux. O

---

145. Guerra-relâmpago, em alemão. Foi uma tática de guerra utilizada pelo exército alemão durante a Segunda Guerra Mundial.

RAZÃO X RELIGIÃO

abade, tão despreocupado quanto insensível ordenou aos "brigadistas" que matassem a todos: "Deus haveria de reconhecer quais eram os seus".

Após essa chacina, que ocorreu na Europa Central, os soldados cristãos foram estuprando por todo o caminho da Europa até Constantinopla, aonde chegaram contagiados por fúria demente destruindo tudo o que podiam, mesmo em se tratando das mais espetaculares obras de arte da humanidade; estátuas de mármore, pinturas, ícones e por último os santuários, onde roubaram seus tesouros, só parando depois de incendiarem metade da cidade. A quarta cruzada foi uma gigantesca incursão contra Constantinopla, mesmo sendo a segunda cidade cristã em importância. O Papa abençoou a conquista, ou melhor, a pilhagem.

Finalmente, em 15 de junho de 1099, sob as ordens de Godofredo de Bouillon, os cruzados tomaram Jerusalém. Os heróis cristãos que foram libertar a Terra Santa dos ímpios berberes "massacraram dezenas de milhares de muçulmanos, queimaram judeus trancados em suas sinagogas e lavaram piamente as mãos no sangue de seus inimigos".[146]

Sobre a queda de Jerusalém consultemos Carl Grimberg:

> Os defensores da cidade abandonaram as muralhas e fugiram e os nossos perseguiram-nos, matando-os e acutilando-os, até o Templo de Salomão, onde a carnificina foi tal que os nossos caminhavam com sangue até aos tornozelos... Em breve corriam por toda a cidade, arrebanhando o ouro, a prata, os cavalos, as mulas e pilhando as casas que regurgitavam de riquezas. Depois, completamente felizes e chorando de alegria, os nossos foram adorar o sepulcro do nosso Salvador Jesus e pagar as dívidas que tinham para com Ele.[147]

Em 1187, depois da vitória de Tiberíades, Saladino retomou a cidade para os muçulmanos. Os cristãos feitos prisioneiros foram libertados

---

146. CLÉMENT, 1999, p. 46.
147. GRIMBERG, Carl. *História universal*. Das Cruzadas às Guerras Hussitas. Lisboa: Publicações Europa-América, 1940. v. 7.

mediante pagamento de resgate. Os que não tinham condições assim mesmo foram postos em liberdade. Saladino deu-lhes recursos para que pudessem retornar às suas casas. Mas, ao chegarem à Síria, foram atacados e despojados pelos próprios companheiros lá acampados.

Os maometanos reconquistaram a Terra Santa, purificaram-na e libertaram-na de seus sofrimentos, com vitória atribuída ao mesmo Deus, que há quase mil anos havia mudado de nome e de povo. O Deus único havia vencido o Deus da Trindade.

Derrotado, o Cristianismo do butim retornou desmoralizado, demolido, exangue, cabisbaixo, para encontrar uma Europa combalida por lutas internas.

**\*\*\***

A Inquisição deve ter tido inspiração mais do que milenar. Em 407, Teodósio, sob pena de morte, deu ordens para a destruição dos templos pagãos. Em 388, os judeus foram proibidos de construir novas sinagogas. Foi proibida, também, a posse de livros heréticos. Nos locais onde havia templos pagãos começaram a ser construídas igrejas cristãs. Estima-se que o seu início ocorreu no tempo do papa Lúcio III, que adotou uma série de medidas para dar duro combate à heresia valdense nascida da pregação de Pedro Valdo, que ensinava ao povo o estudo das Escrituras para buscar o caminho da salvação. A heresia dos valdenses foi uma das mais duradouras do Cristianismo. A reação da Igreja foi tão dura que contribuiu decisivamente para a Inquisição. Em 1184, o papa Lúcio excomungou o movimento e, por entender que a defesa da fé requeria novas armas, decidiu autorizá-la em 1188, para punir, perseguir e assassinar milhares de valdenses por mais ou menos 150 anos. Poucos anos depois, surgiu outra heresia, a dos albigenses. Em 1199, o papa Inocêncio III condenou a heresia pela publicação da bula *Vergentis in senium*, comparando-a como crime de lesa majestade, pelo que lhes declarou guerra. A proclamação possibilitava o confisco de bens e a morte dos denunciados. A introdução oficial da Inquisição deu-se com Gregório

IX, em 1231. O objetivo principal do novo organismo da Igreja era investigar os suspeitos de heresia ou qualquer pessoa que adotasse ritos e práticas diferentes das aceitas pelo Cristianismo. Mais tarde poderiam ser julgados todos os que ofendessem a fé e os bons costumes.

As ditaduras consolidam o poder aterrorizando o povo com Tribunais de Exceção e com prisões imotivadas, acompanhadas de torturas e assassinatos. O terror é imposto como forma de controle e manutenção do poder. O sinistro terror comunista, que se dizia defensor do povo, executou dezenas de milhares de trabalhadores na Rússia. Quase ao mesmo tempo Pol Pot, líder do Khmer Vermelho e chefe de uma revolução comunista no Camboja, com o objetivo de consolidar um governo de natureza ditatorial, matou dois milhões de pessoas. A maioria absoluta dos mortos era camponesa, em favor dos quais, paradoxalmente, os revolucionários proclamavam que a revolução estava sendo feita. A extrema direita não deixou por menos. Hitler, Mussolini, Suarto, Franco, Videla, Pinochet e muitos outros são os sinistros representantes das mais execráveis ditaduras de nossos dias. Assassinatos, torturas, desaparecimento de pessoas, campos de extermínio e campos de concentração imitaram a brutalidade dos tempos inquisitoriais. Mas a primazia da moderna sistematização dessas violências contra a humanidade e sua institucionalização com abrangência extraterritorial pertence, sem dúvida alguma, à Igreja Católica.

O Vaticano, a primeira empresa transnacional, de cunho monárquico-teocrático, colocou a fé acima de qualquer fronteira, tornando apátridas seus fiéis.

Com a queda do Império Romano Ocidental, em 406, chegou o advento da Idade Média. A Igreja automaticamente transformou-se numa Instituição Medieval. Adquiriu força e poder para submeter territórios e interferir na política das nações, muitas vezes com mais implacabilidade que seus próprios governantes. Concomitantemente, cresciam as heresias que, somadas aos filósofos, aos astrônomos e aos livres pensadores, se constituíam uma ameaça à Pax Pontifical. Necessária, então, além da consolidação dos novos organismos medievais, a aplicação do dogma da infalibilidade, como pressuposto principal da intangibilidade da fé. Mas

# AS MARCAS DA MALDADE (ÍNDOLE AGRESSIVA)

não era apenas por isso. Geralmente os hereges eram proprietários e os judeus, interessantemente, ricos. Estavam aí as possibilidades do contrapeso para o estado falimentar do período pós-Cruzadas. As providências começaram a ser adotadas por meio de uma série de medidas impostas pelos poderes papais. Com a força dos cânones divinos e em decorrência do poder temporal, a Igreja deu início à mais feroz e estúpida perseguição às pessoas acusadas de por meio ou de qualquer outra falta que significasse desrespeito religioso, ou, ainda, simplesmente por serem "dedo-durado"[148] por inimigos, vizinhos, familiares ou qualquer pessoa que quisesse causar mal, afligir alguém ou, ainda, safar-se de alguma dívida.

Começou, então, a "caça às bruxas". Por exemplo, São Bernardo exigia a simples e rápida eliminação dos dissidentes (depois se tornou santo, não por sua bondade, que não existia, possivelmente por ter mandado matar os hereges). Alexandre III, no Concílio de Latrão de 1179, mesmo antes da Inquisição oficializada, declarou que quem perseguisse os hereges de Languedoc teria os pecados perdoados por dois anos e que a salvação eterna seria a recompensa dos que sucumbissem na luta.

Carl Sagan[149] afirmou que os membros dos tribunais ganhavam uma gratificação para cada feiticeira queimada. O que sobrava de suas propriedades era dividido entre a Igreja e o Estado. Como as bruxas eram obrigadas a denunciar umas às outras, o número crescia ilimitadamente. Legiões de mulheres eram mortas na fogueira. Depois de os padres abençoarem os instrumentos, as torturas mais horrendas eram rotineiramente aplicadas a todas as denunciadas, qualquer que fosse a idade delas. Foi a Inquisição que ensinou os germanos a executar suas feiticeiras. A luz verde foi dada por uma bula assinada pelo papa Inocêncio III. A carnificina foi horrenda.

---

148. Dedo-durado era o termo usado no Brasil, ao tempo da ditadura militar, quando alguém era denunciado, não se sabendo por quem. Os informantes eram apelidados de dedos-duros.

149. SAGAN, Carl. *O mundo assombrado pelos demônios*. São Paulo: Companhia das Letras, 1997.

## RAZÃO X RELIGIÃO

Durante dois séculos, segundo Salomon Reinach, os germanos queimaram vivas mais de cem mil inocentes.[150]

Conta a história da Revolução Cubana que alguns revolucionários reclamaram a Fidel Castro que os justiçamentos de seu irmão Raul faziam correr muito sangue. Dizem que Fidel admoestou Raul solicitando-lhe que suspendesse os assassinatos. Raul atendeu. Na manhã seguinte, vários prisioneiros apareceram pendurados nas árvores mortos por enforcamento. Como em Sierra Maestra, a Igreja abominava derramamento de sangue. Das fogueiras não escapava sequer uma gota.

A paranoia da Inquisição contaminava a totalidade das relações humanas europeias. Vizinhos denunciavam vizinhos. Parentes denunciavam parentes, enquanto ela deslocava-se de cidade em cidade ganhando notoriedade pela iniquidade dos julgamentos e crueldade dos assassinatos. Por volta de 1256, uma bula papal instituiu a tortura como forma de arrancar confissões. Como o papa era o representante de Deus na Terra, acreditava-se que se torturava e se matava em sua homenagem, pelo menos essa era a opinião de Santo Agostinho, que via a tortura: "como um meio útil para devolver ao rebanho as ovelhas desgarradas", enquanto São Jerônimo argumentava que "nem os maiores excessos deveriam ser considerados crueldade se fosse para a defesa de Deus".[151]

A Europa como um todo havia entrado nesse ritmo de dores e desgraças. Em 1º de março de 1562, uma manhã de domingo, o Duque de Guse mandou invadir um celeiro onde se celebrava uma cerimônia protestante. Embora estivesse em vigor o Édito da Tolerância, o grupo todo foi eliminado. Crime: eram protestantes e estavam rezando.

Da França, a Inquisição se estendeu para muitos países; dentre eles temos que destacar o paranoico e fanático delírio persecutório espanhol. Torquemada conseguiu que Fernando e Isabel promulgassem um Édito em 1492 expulsando os judeus da Espanha. Em Valladolid foram

---

150. Conforme Challaye, 1998, fls. 168.
151. LOPEZ, Luiz Roberto. *História da Inquisição*. Porto Alegre: Mercado Aberto, 1993. p. 24.

AS MARCAS DA MALDADE (ÍNDOLE AGRESSIVA)

queimadas catorze pessoas. Em Sevilha, 800. Após dez anos de brutal perseguição, Felipe II alardeava que não existiam mais protestantes na Espanha. Estima-se que 170 mil judeus tiveram que abandonar o país às pressas. Os que ficavam, embora convertidos, eram condenados a diversas penas. Duas mil pessoas foram queimadas vivas entre 1483 e 1498. Calcula-se que, ao todo, foram condenadas trezentas mil pessoas e trinta mil tenham sido executadas.

Nunca, governo e religião concentraram tal teor de velhacaria e sordidez para condenar inocentes às fogueiras de um inferno particular, alimentado por combustível teocrático.

O movimento Cátaro[152] havia declarado que a finalidade da religião é a prática das boas ações e do amor entre os correligionários. Eles condenavam as guerras e as matanças. Por essa ousadia, milhares e milhares deles foram passados ao fio da espada ou sucumbiram após lenta agonia nas prisões da Igreja. Milhares morreram queimados nas fogueiras. Os membros da seita do Evangelho Eterno denunciavam a corrupção na Igreja e se colocavam ao lado dos que acreditavam no valor da pobreza apostólica. Motivo mais do que suficiente para que cem de seus membros fossem mortos em fogueiras por determinação de uma Comissão formada pelo papa Inocêncio IV.

"Os Bispos foram ungidos pelo Senhor para serem portadores da vida e não emissários da morte, protestava Vazo de Liége ao Bispo de Chalons."[153]

Apesar da observação, os prelados da Idade Média sempre preferiram a última hipótese. Os clarões das labaredas serviam para iluminar fantasmagoricamente o tenebroso obscurantismo do Cristianismo medieval.

Em 1620, começaram as hostilidades da Guerra dos Trinta Anos. Uma guerra religiosa por excelência que envolveu alemães, checos, suecos, até que, em 1648, os Tratados de Vestefália impuseram armistício. A Alemanha ficou marcada pelos seus efeitos implacáveis. Os combates, as

---

152. Em grego, *kataros* significa puro.

153. BEER, Max. *A História do Socialismo e das lutas sociais*. Lisboa: Centro do Livro Brasileiro, 2018. p. 189.

RAZÃO X RELIGIÃO

epidemias e a fome fizeram com que ela perdesse 30% de seus habitantes. Quatro anos depois, a França foi dilacerada por guerras religiosas. Os massacres eram constantes. O mais célebre de todos foi o de São Bartolomeu, ocorrido entre 23 e 24 de agosto de 1572. Naquela noite, católicos franceses empreenderam uma matança generalizada contra os huguenotes, como eram conhecidos os calvinistas na França. Os que não foram mortos, foram condenados à prisão. A sanha assassina prosseguiu com a destruição dos templos, praticamente todos. Os protestantes continuaram vítimas de constantes vexames e perseguições que os marginalizaram socialmente até a Revolução Francesa, quando foi estabelecida a liberdade de culto. A carnificina dos huguenotes foi obra de Catarina de Médici, de Henrique de Anjou e dos Guises. A matança parisiense se alastrou pelas províncias. Segundo Lindsay,[154] o número de vítimas foi calculado entre oitenta mil e cem mil. Após o massacre, o papa Gregório XIII benzeu os assassinos, ordenando que se cantasse um *te deum* pelos bons resultados da gloriosa empreitada.

Depois de todos esses horrores, deveríamos nos perguntar: houve algum proveito religioso? Nenhum, é a resposta. Pelo contrário, injustiças e só injustiças, ainda sentidas nos nossos dias.

Paralelamente à violência e aos crimes que a Igreja perpetrava contra os direitos do homem, o Vaticano chafurdava num antro de corrupção, devassidão, imoralidades e orgias. Mas qual a explicação para esse paradoxal desvario? Talvez até seja fácil explicar. No início, a religião de Jesus era apenas uma vertente do Judaísmo. Paulo de Tarso transformou-a na religião dos povos da Ásia Menor, com ramificações para a Grécia e depois para Roma. Com o novo nome grego, Jesus passou a ser conhecido também como Cristo, e seus ensinamentos como religião cristã. O Cristianismo nos primeiros séculos era a religião dos camponeses, dos operários e dos escravos. Mas, no momento que integrou o Estado Laico Romano, institucionalizou-se social e politicamente, passando a ser símbolo de poder. Deixou de ser a Igreja dos escravos e passou a ser a Igreja dos que

---

154. LINDSAY, S/D [1912], fls. 102.

AS MARCAS DA MALDADE (ÍNDOLE AGRESSIVA)

apoiavam a escravidão, com a tarefa de tornar os escravos dóceis a seus senhores e não libertos, como proclamavam os princípios de igualdade dos Evangelhos. As elites religiosas seculares passaram a controlar seus semelhantes. Erich Fromm dizia que Deus deixara de ser símbolo do Poder Superior para ser a própria força do homem. Foi dentro do contexto de um Estado corrupto, e não poderia ser de outra forma, que a corrupção alcançava quem dele participava. O Catolicismo, em consequência, passou a ser autoritário, escravagista, guerreiro, inquisidor, assaltante de riquezas e, principalmente, devasso. Papas apaixonados, envolvimentos amorosos, fornicações variadas passaram a ser fatos comuns a contaminar a Igreja. Alexandre VI teve um caso duradouro com a bela Giulia Farnese, mas sua preferida se chamava Vanessa, com quem teve quatro filhos. Dizem que ele foi dono de um verdadeiro harém. Alguns historiadores, como Burns, afirmam que ele tinha oito filhos ilegítimos, sete dos quais nascidos antes do papado. Alexandre VI, "ao saber do assassínio de seu filho, lançou-se no chão, batendo no peito, e confessou os seus crimes perante os cardeais reunidos. O favorito de César Bórgia[155] foi morto por este, debaixo do seu manto de Papa e de tal forma que o sangue espirrou no rosto do Soberano Pontífice".[156] Um caso quase inacreditável diz respeito ao papa Sérgio III, eleito em 898. Ele se apaixonou pela italiana Marozia, com quem teve um filho. Antes de morrer, conseguiu que seu filho, com apenas 22 anos, se tornasse o papa João XI, que morreu quatro anos depois. O papa Benedito IX (1033/1045) tinha onze anos quando assumiu a direção da Igreja. Aos catorze anos já vivia em plena imoralidade. O papa Paulo III teve vida dissoluta, inventou o nepotismo e gerou vários filhos naturais. Ainda agora,

---

155. Cezar Bórgia era o nome de Alexandre VI, que para eleger-se papa subornou dezesseis cardeais com dinheiro e promessas de favores. Embriagou-se das riquezas da família e da Igreja. Conforme o livro *Breve história dos papas* (THOMAS, P. C. *Breve história dos papas*. Aparecida, SP: Santuário, 1977), ele chafurdou-se na libertinagem e na embriaguez. Savonarola dizia que ele tinha na testa a marca do demônio. Por isso foi preso e condenado à morte. Era um homem tão cruel que assassinou o próprio cunhado.

156. AYMARD; AUBOYER, 1957, tomo IV, p. 23.

desde Marcinkus, envolvido em sonegações, negociatas e falências, até as denúncias de homossexualismo, pedofilia e estupro de freiras, a Igreja Católica não consegue se livrar desse tipo de escândalo. Como sempre, em vez de condenar os implicados ou excomungá-los, no caso atual, determinou às vítimas estupradas, grávidas e inocentes que abandonassem as congregações, enquanto os padres culpados continuaram normalmente seu ministério. No seio da Igreja, estupro não é crime.

No início do século XXI, a Igreja Católica via-se constrangedoramente abalada por escândalos sexuais, envolvendo um sem-número de sacerdotes Americanos e Europeus. Como sempre, bispos e cardeais apenas transferem de diocese os padres delinquentes. Esses fatos provam que a alma da Igreja continua contaminada de pecado. Sua completa omissão permite concluir que, para a Santa Madre, sodomia e pedofilia também não tipificam crimes.

Algumas seitas protestantes acusam o papa de anticristo e Roma de a grande Babilônia, a "mãe das fornicações e das abominações da terra" ou "ébria do sangue dos santos e do sangue dos mártires de Jesus". Ideias inspiradas pelo Apocalipse de São João, que anunciava: "Caiu, caiu Babilônia, a grande; e tornou-se habitação de demônios, e guarida de todo o espírito imundo, e albergue de toda a ave hedionda e abominável; porque todas as nações beberam do vinho da sua furiosa prostituição; e os reis da terra fornicaram com ela; e os mercadores da terra tornaram-se ricos com o excesso das suas delícias".[157]

Embora as profecias, as centúrias e as adivinhações não mereçam crédito, não há nenhuma dúvida de que quem "se sentou sobre muitas águas" e fornicou com os reis da terra coincidentemente só pode ser a Roma Pontifical.

De erro em erro, de perseguição em perseguição, de fornicação em fornicação, a Igreja do século XX pede perdão por seus erros históricos. Mas como perdoar uma Igreja que em 1791 condenou a Declaração dos Direitos do Homem? Depois de condenar livres pensadores, perseguir judeus durante toda a história, de dar vazão aos seus apetites concupiscentes

---

157. Apocalipse 18:2-3.

AS MARCAS DA MALDADE (ÍNDOLE AGRESSIVA)

dentro e fora do Vaticano, de se aliar aos governos promotores de ditaduras implacáveis, de firmar concordata com a Alemanha Nazista, de abençoar as tropas italianas que iriam invadir a Abissínia, depois de se envolver numa série de negócios escusos, quais os fundamentos que poderiam ser invocados para o perdão? Os mortos não podem perdoar. E quanto às vítimas, às famílias das vítimas? E quanto à perda de conceito social na época, e em relação aos ultrajes e aos atos de indignidade praticados contra pessoas inocentes, como perdoar se hoje é impossível restaurar a dignidade perdida das famílias que não existem mais?

Por isso que ela acabou levando uma exemplar lição dos índios brasileiros, que não aceitaram um pedido de perdão tão hipócrita, pois nada poderia ser reparado. É de pasmar que nunca nenhum santo em todos esses 1.700 anos tivesse reclamado ou tomado o partido dos oprimidos. Durante esse tempo todo, foram muito poucos os que defenderam a liberdade de culto e de pensamento. E aqueles que se atreveram foram condenados às labaredas anti-heréticas.

Nossa Senhora, por exemplo, que apareceu a filhas de camponeses em Fátima, fê-las guardar em segredo, por dezenas de anos, a terceira profecia. O que deveria ser um acontecimento terrível, uma espécie de Armagedom, era apenas a previsão de um atentado que seria cometido contra um papa. É de se perguntar por que Nossa Senhora, tão impressionada com a tentativa de homicídio contra o papa João Paulo II, nunca se preocupou com os crimes praticados por sua Igreja contra a humanidade.

Os silvícolas brasileiros tinham integral razão quando rejeitaram o pedido de perdão. Em discurso pronunciado no local da comemoração dos quinhentos anos da descoberta do Brasil, o índio Jerci Adriano Santos de Jesus manifestou-se sobre as dores sentidas por seu povo com as seguintes palavras: "Quantos anos de sofrimento, de massacre, de exclusão, de preconceito, de exploração, de extermínio de nossos parentes, de estupro de nossas mulheres, de devastação de nossas terras, de nossas matas, que nos tomaram com a invasão".

\*\*\*

RAZÃO X RELIGIÃO

Maomé, que em estado de transe acreditava ouvir vozes do céu, começou a recrutar o apoio dos beduínos para desencadear uma guerra santa, que subentendia a prática de atos de pilhagem logo inaugurados contra os judeus. Num só dia, seu bando matou seiscentos deles. Depois entrou triunfantemente em Meca, onde destruiu as estátuas e as imagens do templo. Fatos como esses comprovam que os talibãs do Afeganistão não são totalmente originais. Copiaram fielmente as bravatas do Profeta.

Os apaniguados de Maomé em Cambon, na Indonésia, em 1999, mataram 65 cristãos, a maioria por linchamento. O fanatismo está na ordem do dia no Paquistão. Esse mesmo tipo de fanatismo teve seu ápice na derrubada da monarquia corrupta do Irã. O clero xiita, não diferente de outros cleros de qualquer parte do mundo, enriqueceu com o confisco das propriedades dos derrotados.

A África, nestes últimos lustros, tem se transformado num verdadeiro matadouro humano. Em Abuja, na Nigéria, o presidente Olusegun Obasanjo tomou posse no mesmo momento que um milhão de pessoas aclamaram a lei islâmica, noticiou a revista *Veja*. Resultado: milhares de pessoas que concebiam democracia fora dos padrões muçulmanos foram mortas.

Em Ruanda, tutsis e hutus perderam a condição humana para dar vazão a seus instintos bestiais. Integrantes de um mesmo clã lutam encarniçadamente. Em cem dias, oitocentas pessoas foram assassinadas. O genocídio, ainda segundo a revista *Veja*, foi planejado e executado minuciosamente pelo governo de etnia majoritária huti. Essa infernal matança vez ou outra recebe o apoio de padres e freiras. Em abril de 1994, cinco mil tutsis buscaram refúgio num convento beneditino em Butare. A Madre Superiora, irmã Gertrudes, e a freira Kisito impediram que os refugiados saíssem do convento com vida: "aqueles que sobreviveram aos tiros e às machadadas foram trancafiados no centro de saúde do convento e queimados vivos com gasolina fornecida pelas irmãs".

Alguns bispos e padres estavam na linha de frente do genocídio, tal era o caso do bispo de Kigali. Os padres envolvidos foram condenados como responsáveis pela morte de duas mil pessoas. Outro bispo foi absolvido

AS MARCAS DA MALDADE (ÍNDOLE AGRESSIVA)

do assassinato de 800 pessoas e agora vai depor na Bélgica em favor das freiras que estão sendo julgadas por crime contra a humanidade, concluiu a matéria da revista.

Como se constata, é dessa maneira que todas manifestam seu acendrado amor a Deus e ao próximo, ou ao espírito maligno, como provam suas ações demoníacas. Com toda a certeza, em seu conjunto, as religiões simbolizam as bestas do apocalipse e seus dirigentes, o anticristo. Enquanto Alá ama quem luta por sua causa, os papas prometeram indulgências plenárias àqueles que lutaram por sua fé.

Os católicos da Inglaterra foram ferozmente perseguidos pelo ex-católico Henrique VIII, que, segundo Sasaki,[158] em seu rol de assassinados estão: "duas rainhas, dois cardeais, dois arcebispos, dezoito bispos, treze abades, quinhentos religiosos, dezoito doutores de teologia, doze duques e condes, cento e sessenta e quatro nobres e mais algumas centenas de cidadãos. Centenas de mosteiros foram destruídos e seus bens saqueados e distribuídos para os nobres que eram aliados do rei".

Na ilha ou no continente, o objetivo era o mesmo: interesses escusos e o butim.

Na maioria das vezes, o fanatismo se transforma em ódio, a ignorância, em cegueira e a intolerância, em arbitrariedade. Persegue-se e assassina-se em nome das divindades e das religiões. Face à brutal arrogância dos homens, os próprios deuses se tornam impotentes. As orações a eles dirigidas não surtem efeito. Nenhuma espécie suplanta a espécie humana em questões de barbárie. Se os talibãs destroem enormes estátuas milenares da religião budista pré-islâmica esculpidas em rochedos, que dizer dos civilizados revolucionários franceses que, em 1789, invadiram Notre Dame para decapitar suas imagens? Não existem diferenças. Europa, Ásia, África ou América, em qualquer lugar predomina o sectarismo irracional. O Concílio de Latrão, convocado por Inocêncio III em 1215, determinou que os judeus devessem usar uma cobertura na cabeça. São Luís exigia que eles portassem sinais identificadores da raça. Hitler não poderia ser

---

158. SASAKI, 1995, p. 29.

RAZÃO X RELIGIÃO

excluído de tão pérfida confraria. No ano de 2002 do século XXI, os judeus estavam se desrecalcando nos palestinos que, depois de presos, estavam sendo devidamente numerados por ordem de Ariel Sharon, um indivíduo que lembrava os patológicos chefetes nazistas dos tempos de Hitler.

Espanhóis e portugueses aportaram no Novo Mundo com estandartes e canhões, como símbolos da matança que em nome de seus países e de seu Deus vitimariam indígenas americanos e devastariam o quanto pudessem para roubar riquezas e terras, ora em nome do rei, ora em nome da religião. Incas, maias, astecas e índios brasileiros foram exterminados, juntamente de seus deuses, seus templos, suas crenças e suas culturas. Brasil, Peru, Bolívia, América Central e México assistem atordoados ao que sobrou: civilizações destruídas, povos degenerados, homens maltrapilhos, doentes, miseráveis, abobalhados e desnutridos. Isso nos faz lembrar o que acontecia na Croácia no tempo da Segunda Guerra. A devastação que os nazistas fizeram na Croácia não perde nada em matéria do terror para os campos de extermínio da Alemanha. Cornwell informa que a contagem final desafia a credibilidade: "Pelos cálculos confiáveis mais recentes, 487 mil sérvios ortodoxos e 27 mil ciganos foram massacrados entre 1941 e 1945 no Estado Independente da Croácia. Além disso, cerca de trinta mil de uma população de 45 mil judeus foram mortos: de vinte mil a 25 mil nos campos de extermínio do Ustashe e outros sete mil deportados para as câmaras de gás".[159] Bem, poderia dizer alguém: nos campos alemães morreram milhões. É verdade, mas no que concerne à Croácia há uma dolorosa diferença: o espírito religioso. Cornwell prossegue: "Padres, invariavelmente franciscanos, assumiram um papel de destaque nos massacres. Muitos andavam armados e executavam seus atos assassinos com o maior zelo. Um certo padre Bozidar Bralow, conhecido pela metralhadora que era sua constante companheira, foi acusado de realizar uma dança em torno dos cadáveres de 180 sérvios massacrados em Alipasin-Most... No

---

159. CHADWICK, *Britain and the Vatican during the Second World War*, p. 67, apud CORNWELL, John. *O papa de Hitler*: a história secreta de Pio XII. Rio de Janeiro: Imago, 2000. p. 286.

AS MARCAS DA MALDADE (ÍNDOLE AGRESSIVA)

arquivo do Ministério do Exterior em Roma há um registro fotográfico de atrocidades: mulheres com seios cortados, olhos arrancados, genitálias mutiladas; e os instrumentos da carnificina, facões, machados e ganchos de açougueiro".[160]

Essa era a área da jurisdição eclesiástica do Cardeal Stepinac, local em que, conforme a BBC de Londres, estavam sendo cometidas as maiores atrocidades. Nunca o alto prelado levantou a voz; pelo contrário, se envaidecia em participar dos desfiles nazistas.

Foi tão terrível e tão inacreditável tudo o que aconteceu, e por mais inacreditáveis que sejam ainda acontecem, que é difícil encontrar palavras condizentes para finalizar este capítulo, tal o horror gerado pelos fatos ora descritos. Então me lembrei do que escreveu Blaise Pascal: "Os homens nunca fazem o mal tão completamente e de bom grado como quando o fazem por convicção religiosa", secundado por Bertrand Russel: "Algum homem trata um automóvel tão estupidamente como trata outro ser humano?".

---

160. *Ibidem*, p. 287.

# 11

# A era da balbúrdia

Muito apropriadas as primeiras linhas da nota introdutória de Karen Farrington, em sua obra *História ilustrada da religião*: "Nas horas mais aflitivas foi mais do que alimento e água para sustentar o homem ignorante. A religião tem sido seu conforto, seu suporte e razão de sua vida. Essa linha comum uniu as pessoas do globo ao longo dos tempos desde o homem pré-histórico até os dias atuais".

Max Müller via em toda a religião "um esforço para conceber o inconcebível, para exprimir o inexprimível, uma aspiração ao infinito".[161]

Para Durkheim, religião é "um sistema solidário de crenças e de práticas relativas a coisas sagradas, isto é, separadas, proibidas, crenças e práticas que reúnem numa mesma comunidade moral, chamada Igreja, todos aqueles que a ela aderem".[162]

Essas definições foram desenvolvidas a partir de conceitos tradicionais. Uma religião, contudo, não poderá ser definida, muito menos ficar circunscrita a esse campo limitado. Sempre se ouviu dizer que a religião liga o profano ao divino, o natural ao sobrenatural, as coisas desta vida com entidades do outro mundo, ligações que sempre dependeram de um conjunto de fórmulas dirigidas à salvação eterna, quer no sentido da

---

161. MÜLLER, Friedrich Max. *Introduction to the science of religion*: four lectures delivered at the Royal Institution. London: Forgotten Books, 2015. p. 17.
162. DURKHEIM, 1996, p. 32.

A ERA DA BALBÚRDIA

comunhão com Deus, quer em direção à iluminação, ou rumo à perfeição. Então, a tudo isso obrigamo-nos a agregar os ritos, as cerimônias, as festividades, os templos, os santuários, os mandamentos, os princípios morais, as tradições, as rezas e, enfim, as escrituras como fundamento básico da estruturação das crenças. Mas há, ainda, outra realidade, sempre esquecida pelos escritores religiosos, aquela que liga todos esses fatores à consciência do ser humano. Há uma milenar luta entre as liturgias com as concepções individuais. Com isso queremos dizer que, se por um lado a ortodoxia tradicional mantém os crentes submissos a seus cultos, existe, por outro, uma enorme gama de situações que facilitam a derivação para outras crenças conforme a oportunidade e segundo as conveniências de cada um ou de cada grupo, tudo de acordo com a superstição e o sentimento pessoal ou coletivo baseados no temor e na ignorância, caldeirão no qual esses fatores acabam se misturando.

Aceitas essas concepções, tenho para mim que as religiões são estruturadas em um conjunto de ideias configuradoras de entidades mitológicas, espirituais ou de seres de outro mundo, concebidas para a salvação do indivíduo e sustentadas pela fé, por crenças e rituais que variam conforme a região, o povo e a raça e segundo as aspirações de cada crente.

Dependendo de influências culturais e de grupos, os crentes podem resvalar para seitas situadas em campos próximos de seus parâmetros religiosos que germinam e fervilham no ambiente da comunidade, o que dá bem o matiz de elasticidade e de abrangência dos princípios religiosos. É por isso que acontecem as derivações. Delas chega-se ao tumulto e, deste, à balbúrdia, momento em que as religiões (como as raças) se miscigenam. Poucas se livram desse contexto. Uma frase do Padre Vendelino Lorscheiter, que viveu muitos anos no Japão, sintetizaria as concepções ora expostas: "O japonês nasce xintoísta, casa cristão e morre budista". Huston Smith[163] lembra uma frase que diz que todo chinês usa um chapéu confucionista, uma túnica taoísta e sandálias budistas. Não seria totalmente fora da realidade afirmar que, no Brasil, o crente nasce

---

163. SMITH, 2001.

cristão e mais tarde pratica o umbandismo ou o candomblé; outros aceitam o espiritismo; muitos se tornam pentecostalistas, para, no fim, serem enterrados sob o ritual católico. Há casos da participação concomitante de mais de uma crença. Na Bahia, se alguém pesquisar sobre a religião das pessoas ligadas ao Candomblé, concluirá que a maioria é praticamente católica. A explicação desse fenômeno – mais do que o sincretismo –, deve ser dada a partir da origem dos tempos. Os conceitos ortodoxos já mencionados perdem substância pela natural adulteração das religiões. Sempre houve situações optativas, mas sempre persevera uma essencialidade comum que as tornam muito semelhantes. Grande número de pessoas, nos dias de hoje, diz que é suficiente rezar diretamente a Deus. Para elas, as religiões ficam em plano secundário. Enfim, não podemos esquecer que está havendo um *réengagement*, isto é, um retorno ao esoterismo, ao ocultismo, à magia, à astrologia etc., como fatores situados nas franjas maltrapilhas dos espaços religiosos.

Os egípcios, por exemplo, contribuíram grandemente para o desenvolvimento das superstições. Das margens do Nilo, elas se espalharam pela Antiguidade afora. O preconceito quanto aos dias *fastos e nefastos*, que nos veio de Roma, originariamente foi uma expressão supersticiosa egípcia. Houve época em que não existia a palavra astronomia. Até há bem pouco tempo, o conhecimento humano nesse terreno era obscurantista. A verdade é que a astrologia ocupava todo o espaço relativamente ao estudo dos astros e suas influências no comportamento humano. Os caldeus foram os primeiros iniciados nesses assuntos. A astrologia nasceu na Mesopotâmia há mais de três mil anos e ainda persiste entre nós, mais forte do que nunca e sempre refratária ao desenvolvimento científico.

Egito, Grécia, Babilônia e Roma estiveram constantemente na linha de frente nas tarefas adivinhatórias e nas habilidades de interpretação dos sonhos. Na Idade Média, os reis tinham astrólogos. Os papas também, como era o caso de Júlio II, Leão X, Clemente VII e Paulo III,[164]

---

164. AYMARD; AUBOYER, 1957, v. IX, p. 45.

muito embora a Bíblia mandasse punir com morte por apedrejamento as pitonisas e os adivinhos.

Pode-se concluir, portanto, que os Pontífices eram ambivalentes, ou se serviam dos oráculos, ou condenavam os feiticeiros às labaredas da Inquisição.

Mas, por que os papas violavam os preceitos bíblicos?

Ora, por causa do mistério e como decorrência dos poderes ilusórios dos astrólogos. O mistério, exatamente por ser mistério, e por isso mesmo incognoscível, dá sentido às habilidades mágicas. Quantas vezes ouvimos falar sobre os acertos das cartomantes e dos astrólogos em assuntos de sua especial competência: adivinhações e profecias.

Em um estudo especial sobre as religiões da atualidade, publicado na *Folha de S.Paulo*, foi verificado que, na França, mais de vinte mil magos sensitivos, astrólogos e videntes mal conseguem oferecer respostas às dúvidas de quatro milhões de clientes regulares.[165] O Esoterismo está em plena expansão. Metade dos franceses consulta horóscopos habitualmente. Isso porque é o país mais civilizado do mundo. Imagine-se a situação dos demais. Não é por outro motivo que, depois do Brasil, são os franceses que mais leem os livros do "mago" Paulo Coelho. Na Itália, três em cada quatro pessoas creem firmemente no diabo e 51% em possessões demoníacas. Por mais incrível que possa parecer, o maior número de seitas tem como pano de fundo a Bíblia. Com base nela, todos os dias são inventadas novas crenças, todas fundamentadas em interpretações de caráter pessoal dos textos ditos sagrados. A Reforma Protestante deu azo à livre apreciação das Escrituras, e o Cristianismo fracionou-se em aproximadamente quarenta novas religiões.

Com a vulgata de São Jerônimo e com a tradução da Bíblia por Lutero, qualquer pessoa pode se transformar em intérprete da palavra de Deus. Alziro Zarur, ao fundar, em meados do século passado, a Legião da Boa Vontade, quase sempre iniciava uma arenga radiofônica que mantinha

---

165. RAMONET, Ignacio. Geopolítica da fé. *Folha de S.Paulo*, 26 nov. 1999.

numa das rádios do Rio de Janeiro dizendo: "Hoje eu falei com Deus", ou: "Deus me disse".

Com a desritualização do Catolicismo pelo Protestantismo, nasceu a possibilidade do pluralismo religioso dentro do Cristianismo.

A livre interpretação, mais a liberdade de culto, fruto da separação da Igreja do Estado, hoje consagrada nas constituições modernas, contribuíram decisivamente para a multiplicação dos templos. Na verdade, estamos narcotizados. Vivemos numa época em que os meios de comunicação tratam a toda hora de assuntos da fé. Há uma propaganda intensa em direção às massas que contagia e contamina a todos com todo o tipo de apelações.

Concomitantemente, o mundo ocidental veio recebendo e absorvendo o impacto de ideias orientalistas. Nestes últimos tempos, o transcendentalismo das religiões orientais se mesclou com as variantes ocidentais, formando uma sopa esotérica, para cuja panela foram adicionados bizarros ingredientes, tais como cabala, carma, mestres, gurus, guias, corpo astral, nova era, terapia de vidas passadas, despachos, oferendas, rituais de ocultismo, descargas, mentalizações, operações astrais, poder de cura de doenças por obra do Espírito Santo, viagens espaciais, abduções, objetos energizados, pirâmides, técnicas de decoração, fetiches umbandistas, peregrinações, romarias, neoespiritualismo, milenarismo, lojas, ordens, autoajuda, canalizações, materialização de espíritos, desmaterialização de corpos, um verdadeiro arsenal posto à disposição do pobre vivente que necessita desse vale-tudo para um hipotético consolo emocional e para a ilusória solução de seus problemas vivenciais. Tempere-se essa parafernália com os búzios, os tarôs das cartomantes (as cartas não mentem jamais, conforme diz a valsa espanhola), as runas e todo tipo de métodos sensitivos e intuitivos que os adeptos utilizam para atingir o inconsciente das pessoas com os imaginários poderes paranormais e some-se tudo aos horóscopos que continuam na ordem do dia, quatro mil anos após terem sido inventados. Existem ainda os cristais e as pirâmides a contaminar o sentimento de credulidade dos ingênuos. Estamos, hoje, mais extraviados do que em todos os tempos da história. Essa maçaroca capilarizada pelas crendices contribuiu decisivamente para a degeneração do espírito religioso, pois vem atuando no espaço ocupado pelas igrejas tradicionais. Líderes espiritualistas, pastores e pregadores de toda ordem pretendem, acima de qualquer outro objetivo, conquistar crédulos, para o que recorrem a todo o tipo de atrativos, tanto honestos quanto desonestos, principalmente estes. Helena Blavatsky, mestra do ocultismo e uma das fundadoras da Sociedade Teosófica, revelava a Solovioff: "o que se pode fazer quando, para governar os homens, é necessário enganá-los; quando, para persuadi-los a fim de se deixar conduzir aonde se queira, é necessário prometer-lhes e mostrar-lhes os joguetes".[166]

A Igreja Católica inventou um sistema de resgate de pecados. De início vendia cargos (simonia) e indulgências, depois passou a vender relíquias. Os católicos sempre tiveram paixão por medalhas, santinhos, escapulários, relíquias e tráfico de indulgências. Com esses trambiques, a salvação estava ao alcance de qualquer cristão. Houve tempo em que se comprava pedaços da cruz de Jesus Cristo, cabelo de Santa Úrsula, lágrimas da virgem, rosários das oliveiras do tempo de Cristo, tíbias do jumento montado por Jesus Cristo quando entrou em Jerusalém exibidas em lugares diferentes, um verdadeiro bricabraque, consoante à definição dada no livro *A viagem de Theo*.[167]

Os fiéis ingênuos acreditavam que os objetos "usados" por Cristo, pela Virgem ou pelos Santos tinham propriedades milagrosas. Dizem que venderam tantos pedaços da cruz que, com a madeira vendida, dava para construir um navio. Por sua vez, o Santo Graal, verdadeiro fetiche, adquire cada vez mais importância por pessoas que ao longo dos séculos vêm sendo fascinadas por seu simbolismo mágico. Ele já virou lenda, mitologia, motivou filmes, e, segundo alguns "hagiógrafos", teria sido levado da Palestina para a Grã-Bretanha por José de Arimateia, encontrando-se, hoje, escondido em Glastonbury, ou como a ciência jurídica diz: "em lugar incerto e não sabido". O cálice sagrado dos cristãos repete a história da arca perdida dos hebreus.

---

166. *apud* SASAKI, 1995, p. 109.
167. CLÉMENT, 1999.

RAZÃO X RELIGIÃO

Os livros de religião informam que os budistas guardam, no relicário de Shwedagon, oito fios do cabelo do Gautama. Os maometanos não ficam atrás. Eles conservam várias relíquias do profeta, entre elas a barba, o cabelo, um manto que dizem que ele usava e até conservam uma pegada, toda essa parafernália sob a crença de que relíquias transmitem bênçãos especiais.

Mas, de todos esses objetos, nenhum deles possui o fascínio do Santo Sudário, guardado a sete chaves na Catedral de São João Batista em Turim. O pano apareceu pela primeira vez em 1354, na França, quando o bispo de Troyes o enviou ao papa dizendo que havia sido "pintado artificialmente de maneira engenhosa", segundo esclarecimentos dados por Diogo Mainardi em artigo publicado na revista *Veja*.[168] Em 1385, o papa Clemente VII, continua Mainardi, permitiu sua exibição, com ordem de "dizer em alta voz, para impedir fraudes, que a dita representação não é o verdadeiro sudário de Jesus, mas uma imitação do sudário".

Segundo Werner Keller,[169] um teólogo e historiador chamado Chevalier encontrou nos arquivos papais um documento datado do ano de 1389, cujo texto afirma que um artista pintou o sudário. A partir dessa informação, o pano perdeu inteiramente o valor de relíquia religiosa.

Em 1988 foi feita uma pesquisa científica pela decomposição do carbono 14. Com base no teste, o sudário foi datado entre 1260 e 1390, exatamente época em que a Igreja aproveitava e vendia de tudo, inclusive cadeiras no céu.

E aí teria desaparecido dos registros clericais o fabuloso lençol. Mas, em 1989, tiraram-lhe fotografias, ocasião em que apareceram no negativo impressões em preto e branco, no qual surgiam "claramente da obscuridade os misteriosos traços fisionômicos de um rosto". Já então não interessava o documento dos arquivos do Vaticano, muito menos a refutação científica. Estava restabelecida a prioridade. Não havia nem pintura, nem mistificação. Os traços fisionômicos eram genuínos e, se a imagem era

---

168. Edição de 13 dez. 2000.

169. KELLER, Werner. *E a Bíblia tinha razão*. São Paulo: Melhoramentos, 1958. cap. 7.

234

A ERA DA BALBÚRDIA

legítima, dentre as milhões de possibilidades de corpos envoltos, apenas um tinha real interesse: o de Cristo.

Agora, alguns *experts*, melhor seria dizer, alguns sabidos, para confirmar sua autenticidade, encontraram uma nova versão. Descobriram, impregnado no pano, uma espécie de pólen de flores da região onde Cristo foi crucificado. Com esse estratagema reabilitaram a relíquia. Dois mil anos depois da morte de Jesus (e se ele não morreu daquela maneira?), ainda tiveram ímpeto suficiente para violar a consciência até as raias da alucinação para encontrar vestígios das feridas da fronte de Cristo, sangue da costela, ferimento do punho etc. A conclusão da Igreja é que o Sudário não pode ser trabalho de um falsário e que ele põe em evidência "uma perfeita analogia com o suplício reservado a um condenado palestinense".[170] Paul Claudel não hesitou em comparar o Santo Sudário a uma segunda Ressurreição. O papa Paulo VI disse que: "Talvez a imagem do Sudário informe algo do mistério da figura humana e divina de Cristo". João Paulo II não se recolheu ao silêncio: "Testemunho mudo, mas ao mesmo tempo surpreendentemente eloquente".[171]

Essa é uma das tantas engendrações da Igreja em sua ansiedade compulsiva de ligar o Sudário a Jesus Cristo, mesmo contrariada pela história e pela ciência. A fraude que o papa Clemente VII queria impedir foi propositadamente usada pelos papas que o seguiram com o objetivo de realçar a crucificação de Cristo e estimular a fé no Catolicismo. Nesse caso, o que menos interessa é a verdade. A Igreja sempre preferiu o erro à verdade, embora em nosso tempo esteja se arrependendo e pedindo perdão pelos muitos que cometeu. Foi com a fé que ela conquistou, para o seu seio, as multidões contagiadas pelas adaptações alegóricas realizadas ao longo da história. O Santo Sudário não ficou imune a esse tipo de expediente. Mas como ligar a Jesus um pano (se é que ele não foi pintado de maneira engenhosa) que poderia pertencer a milhares de crucificados pelo Império

---

170. COERO BORGA, Piero. *Sindone/Ponte fra cielo e terra?* Leini, Torino: Nuova Centrostampa, 1998.

171. Op. cit., p. 2.

RAZÃO X RELIGIÃO

Romano, senão por um evidente desígnio subjacente. Alguém seria capaz de responder onde ele esteve do ano um ao século XIII?

Há outros sudários que também vêm sendo objeto de veneração, como é o caso da Toalha de Santa Verônica, na qual Cristo teria deixado as feições de sua face, motivo pelo qual ela é conhecida como Santa Face. Enfim, há também o pano de Abgar V de Edessa (Antioquia), que também conteria uma moldagem estereotipada do rosto de Jesus Cristo.

E por falar em esperteza, não nos é lícito esquecer as escavações em Roma. Foi encontrada uma vintena de mausoléus e duas criptas no local onde antes havia um santuário pagão dedicado à deusa Cibele. Logo surgiram informes dizendo que aquele era o lugar (debaixo da cúpula de São Pedro) onde estava enterrado São Pedro, mesmo sem terem encontrado qualquer tumba que comprovasse a afirmação. Mas isso não importava para o papa Pio XII, que, na noite de Natal de 1950, proclamou a descoberta da tumba do "príncipe dos apóstolos". Como se sabe, as proclamações papais têm fé pública, ou melhor, magistério inabalável.

Os cruzados e os templários foram excelentes organizações comerciais. A primeira dedicada mais especialmente a estupros e pilhagens e a segunda, astuciosa em amealhar propriedades, castelos, fortalezas, dinheiro e bens de toda espécie. A subjacência de tais organizações informava que uma deveria libertar Jerusalém das mãos dos infiéis, enquanto a outra fora incumbida de zelar pelos templos e locais sagrados do Cristianismo, de início em Jerusalém e adjacências, depois em toda a Ásia Menor e, enfim, na Europa.

Naquele tempo (como diziam os Evangelhos), Constantino enviou sua mãe Helena à Terra Santa com o objetivo de fazer penitência e com ordens de construir igrejas. Durante as escavações, no local onde fora construída a Igreja do Santo Sepulcro, encontraram a Cruz de Cristo. Não havia dúvidas de que fosse a verdadeira, pois na parte superior constava a inscrição: INRI. A velha crédula aceitou a descoberta induzida como verdadeiro milagre. Em 614, a cruz foi transladada para a Pérsia como troféu de guerra. Em 630, Heráclio fê-la retornar a Jerusalém. Quase mil anos depois, segundo a história das cruzadas, ela foi tomada aos templários por

236

Saladino e depois, como em um passe de mágica, foi vista no Egito, em mãos de Pelágio. Porém Pelágio foi derrotado pelo exército de al-Kamil, e, de lá em diante, a maior relíquia do Cristianismo deixou de fazer parte da historiografia religiosa, ou melhor, sobraram as lascas, vendidas a bom preço e em grande quantidade, conforme já fizemos referência.

Os Cruzados identificaram, na extremidade sudeste do Monte do Templo, a casa de São Simeão. Em seu interior descobriram o berço e a banheira do Menino Jesus e a cama da Virgem. Encontraram, também, o lugar onde existia a árvore usada para fazer a cruz, além do toco da árvore na qual Zaqueu subiu para ver Jesus.

Na Antioquia, os Cruzados, pela época transformados em arqueólogos, desenterraram debaixo dos alicerces da catedral a Lança Sagrada que havia trespassado o flanco de Cristo, logo transformada em objeto miraculoso. Não ficou esclarecido de que forma chegaram a tal conclusão. Cruzados, templários e alucinados em geral encontraram sempre tudo aquilo que desejavam encontrar.

Luiz IX tinha paixão por relíquias. Ele comprou de Balduíno, imperador de Bizâncio, a Coroa de Espinhos e desfilou com ela descalço pelas ruas de Paris.

Conforme Piers Paul Read, os templários foram os guardiões do Santo Graal e do Sudário de Turim. Como se pode concluir, há versões para todos os gostos sobre o Santo Graal e o Santo Sudário.

Mil anos depois da crucificação, foi encontrada na França, escondida pelos cátaros, a cabeça embalsamada de Cristo. Ela logo passou às mãos dos templários, que, perseguidos, fugiram para a Inglaterra. Lá chegando, eles se dirigiram para o sul de Edimburgo, até o Castelo de Rosslyn, e lá a cabeça foi finalmente enterrada.[172]

Pelo menos uma coisa é certa: a cabeça não ressuscitou.

Depois de todas essas fantasiosas especulações, é mister que seja afirmada a absoluta falta de fundamento histórico. Essas piegas ou maldosas

---

172. READ, Piers Paul. *Os templários*. Tradução: Marcos José da Cunha. Rio de Janeiro: Imago, 1999. p. 40, 61, 62, 100, 214, 242, 322 e 323.

RAZÃO X RELIGIÃO

historietas são sempre ocas. Quanto mais são buscadas as fontes, mais contraditórios tornam-se os fatos. Tanto os cruzados quanto os templários agiam em nome de uma religião e em nome de um Deus. Essa era a razão das "missões transcendentais", pelas quais todos estavam absolutamente convencidos de que haviam se transmudado em instrumentos de Deus. Com esse intento criavam simbologias próprias representadas por ícones, lembranças, utensílios, artefatos de tortura (coroa de espinhos, lança sagrada etc.), partes do corpo, objetos de uso, enfim, relíquias generalizadas, tudo devidamente certificado como verdade, pela fé de uns e pela ingenuidade (para não dizer ignorância) dos demais.

Essa característica não é privilégio do Cristianismo. Os judeus veneraram a Arca. Os pagãos tinham seus ídolos. Os muçulmanos veneram a pedra negra, guardada dentro da Caaba, construída por Abraão no mesmo lugar onde os muçulmanos creem ter existido um santuário erigido por Adão.

Quem ousaria duvidar dessas verdades? Se fossem cristãos seriam acusados de heresia e seriam lançados às chamas justiceiras pelos Tribunais do Santo Ofício, como de hábito. Para os maometanos, duvidar da religião significa blasfemar contra Alá. Conforme a Sharia, a pena da blasfêmia é a morte. Por coincidência funérea da história, a época da Inquisição coincidiu com a época dos templários, particularidade que contribuiu decisivamente para a submissão monolítica aos dogmas e ensinamentos da Igreja. Dessa maneira, ela conseguiu provocar delírio nos crentes europeus para assegurar dois objetivos preponderantes: a pureza da fé e a libertação dos lugares sagrados.

Não temos intenção alguma de negar o direito de as igrejas existirem. Mas elas não têm o direito de tergiversar sobre a natureza das coisas. A ninguém é dada a faculdade de profanar a convicção religiosa das pessoas. Inaceitáveis, enfim, que as mistificações participem da essencialidade religiosa com o objetivo de manipular a consciência dos crentes.

Se essas implantações são facilitadas pela falta de conscientização, mais fácil ainda é criar novas religiões, o que é conseguido mediante apelos mágicos diretamente ligados à natureza dos sentimentos e ao destino

A ERA DA BALBÚRDIA

humano. Hoje temos dados seguros sobre a origem do universo. A ciência nos dá respostas convincentes. Mesmo assim, as religiões continuam exercendo um magistério irresistível no que diz respeito aos mitos da criação.

Não existe força humana capaz de conter as milhares de seitas que prometem curas milagrosas, que dão garantia de salvação e que se constituem num verdadeiro encantamento que está a tanger vibrantemente a consciência da maioria das populações. Na mesma perspectiva das religiões situa-se a paranormalidade, que propala poderes para curar enfermos, para fazer milagres, ao que agregam uma rara habilidade para sugestionar e para hipnotizar os fiéis, que, avidamente, buscam proteção e bênçãos. Os novos espécimes religiosos que surgem todos os dias se valem dos sentimentos pré-racionais do pensamento para alcançar seus intentos. O ocultismo, o esoterismo e a superstição fazem parte das superestruturas psíquicas religiosas. Com o declínio do Catolicismo na América Latina, o espaço vem sendo ocupado pelas religiões pentecostais. O Pentecostalismo surgiu nos EUA no início do século passado. Chegou ao Brasil na década de 1960. O movimento está intimamente ligado ao poder de curar doenças e de expulsar demônios, fatos que acontecem em reuniões marcadas por orações coletivas, seguidas de explosões emocionais, aceitas como manifestações do Espírito Santo, em sessões que só terminam num quadro de êxtase místico-hipnótico.

Os quakers tremiam quando imaginavam estar sendo possuídos pelo Espírito Santo. Esse tipo de frêmito alcançou outras seitas protestantes que foram se multiplicando na medida em que as manifestações emocionais iam conseguindo novos adeptos. Assim surgiram a Igreja do Evangelho Quadrangular, a Assembleia de Deus, Deus é Amor, a Igreja Universal do Reino de Deus e a Renascer em Cristo, entre outras. Os fiéis passaram a ser disputados por todas elas, em mensagens comandadas por estratégias de marketing.

Segundo os entendidos, os erros e o quadro estacionário das igrejas tradicionais explicam o crescimento rápido do Pentecostalismo e do neopentecostalismo. Em matéria especial sobre o tema no jornal *Zero Hora*, consta que o Pentecostalismo está abalando a hegemonia católica no Rio

Grande do Sul, onde já conseguiu mais de um milhão de seguidores, destacando-se nessa catequese a Igreja do Evangelho Quadrangular.

A nova tendência garante que Jesus Cristo está presente nos locais de culto, geralmente feitos em estádios de futebol, onde se reúnem milhares de devotos que rezam, dançam, cantam e, no ápice das cerimônias, são excitados por intensas descargas emotivas, momento em que "acontecem" os anunciados milagres.

Preocupado com a perda de fiéis, o Catolicismo respondeu aos evangélicos com o Movimento de Renovação Carismática.

Sejam protestantes, católicos ou esotéricos, todos aderiram a mensagens controladas por marketing, técnica que passou a definir as igrejas eletrônicas, que vendem seu produto com maior eficiência e menor esforço pastoral.

As igrejas são hoje responsáveis pela movimentação de milhões de dólares em todo o mundo. Em vez de patriarcas, há banqueiros e, em vez dos crentes, há os consumidores da fé. A fé é hoje importante matéria de consumo. Os promotores dessa fértil indústria podem ser encontrados em todas as partes do mundo. Ron Hubbard, que dirige sua seita de seu iate nos Estados Unidos, foi condenado na França por vigarices generalizadas. O mesmo sucede com Rajneesh e com o pastor Billy Graham, envolvidos em vários escândalos de enriquecimento ilícito. As movimentações mundiais de dólares exigem a globalização das seitas. O reverendo Moon veio do Extremo Oriente para multiplicar seus interesses nos Estados Unidos, no Brasil e preferencialmente no Uruguai. Em maio de 2001, ele inaugurou em Montevidéu a sede continental da Igreja da Unificação, com a presença de um ex-presidente, Júlio Sanguinetti, e o presidente da época Jorge Batlle. Essas Igrejas, como se constata, ultrapassaram suas circunscrições paroquiais para atingir o estágio do monetarismo universalizante. Para os políticos, todas as religiões são válidas. O símbolo totêmico deles é o voto.

No Brasil, certamente o maior país católico do mundo, são criadas mais de uma dúzia de Igrejas Pentecostais todas as semanas. O grande segredo de seu proselitismo é a manutenção de Jesus Cristo como personagem central de seus cultos, caso contrário perderiam totalmente as

A ERA DA BALBÚRDIA

condições de conquistar as massas simplórias das periferias das grandes cidades. Esse mesmo artifício foi usado pelo Cristianismo há dois mil anos para conseguir a adesão dos crentes de outros deuses, mantendo as festas e os rituais pagãos e partes do sistema cosmológico religioso do Mitraísmo e do Zoroastrismo.

Os pentecostalistas, tanto os tradicionais como os novos, foram mais espertos. Vulgarizando o culto e a teologia, amoldaram aos seus objetivos vetustos conceitos doutrinários do Cristianismo, tornando seus cismas mais aceitáveis e menos complexos sob o ponto de vista de organização e catequese. O Catolicismo, desde sua origem, vem afirmando que o mundo é local de sofrimento. Proclamava de que nada valia ganhar o mundo se o homem perdesse a alma. Antes, o Cristianismo queria salvar a alma. Agora, o Pentecostalismo quer salvar o corpo. Por isso as ramificações cismáticas dos dias de hoje passaram a apostar na excelência da vida na terra, local onde o povo deveria usar de todos os apelos para alcançar a felicidade. Com esse novo método de pregação religiosa, o Pentecostalismo vem arrastando verdadeiras multidões para os locais onde são celebrados atos religiosos e cultos espetaculosos; manipulados rituais utilizados na cura de doenças e admoestações, que garantem a prosperidade pessoal e familiar; e também, em períodos eleitorais, apresentam e promovem candidatos a cargos eletivos. Assim motivadas, algumas dessas ramificações conseguiram até sensibilizar a classe média, como é o caso da Comunidade Sara Nossa Terra e Renascer em Cristo. Seria aterrorizante, sob o ponto de vista da cidadania, se em algum dia do futuro os eleitores estivessem obrigados a fazer opções entre a ditadura islâmica e a democracia pentecostalista.

Extirpadas as complexas teorizações teológicas das religiões mães, só sobravam, à nova ordem, o demônio de um lado e o dízimo do outro. Quanto ao demônio e outros encostos, as sessões de exorcismo têm o poder de expulsá-los. Quanto ao vil metal, ele vai se amontoando nas sacolas das seitas.

O Vaticano perdeu a presença solitária no cenário mundial para modernos líderes religiosos, magos na arte das finanças eclesiásticas. Marcinkus não passou de um neófito. Não foi capaz de safar a Igreja de seu relacionamento escandaloso com o falido Banco Ambrosiano. Hoje existem verdadeiros portentos que, como o rei Midas, têm incríveis dons para converter em dólares seus movimentos messiânicos.

Certamente, a mais safada de todas as seitas, vista sob as lentes da velhacaria, porque composta por um magma produtor de traficâncias multifárias e por valer-se de negócios escusos, uma mistura de máfia com objetivos políticos-fundamentalistas, balizada por subjacência escrofular de cunho religioso-messiânico, e por último, temperada com pinceladas de um Catolicismo desfigurado, tem o empolado nome de Associação para Unificação do Cristianismo Mundial, também conhecida por Igreja Moon, cujo régulo era o venerável reverendo Sun Myung Moon. Após a morte do multimilionário e autoproclamado "messias" reverendo Moon, em 2012, seu filho mais novo, Hyung Jin Moon, nomeado líder desta em 2008, continua o trabalho. A Igreja Moon alardeia como objetivo estratégico (para consumo político) a guerra contra o comunismo, campo de atividade socioideológica, em que nunca se sabe quem é o mais fanático, se é um alucinado agitador comunista ou aquele que compulsivamente o combate. O "moonismo", na realidade, é um organismo nauseabundo e mal cheiroso, é uma espécie de CIA religiosa, que apoiou Reagan e depois financiou golpes contra governos populares, como aquele que derrubou Hernan Siles Zuazo na Bolívia, em 1980, levando ao poder o General Luís Garcia Mezza, acusado de ligações com o narcotráfico. O chefão da "Família Moon", informa Albert Samuel,[173] sustentou a guerrilha dos "contras" antissandinistas, considerou Stroessner "homem escolhido especialmente por Deus para dirigir o Paraguai" e Pinochet como "pilar da luta contra o comunismo internacional", além de apoiar Ríos Montt na Guatemala e Alvarez em Honduras, entre outros. No Japão, o monismo está ligado ao submundo japonês. Na Coreia, Moon fabricava armas. No Uruguai, era dono de um hotel de luxo, além de gráficas, jornais e vastas propriedades agrícolas. A Igreja da Unificação estendeu seus tentáculos até o Pantanal brasileiro, onde é proprietária de quarenta fazendas. Também é dona de

---

173. SAMUEL, 1997, p. 314-315.

A ERA DA BALBÚRDIA

jornais na América do Norte, paraíso terrestre de tudo quanto é gangue poderosa. Nos Estados Unidos, os mafiosos importantes sempre desviam parte dos milhões de dólares conseguidos ilicitamente em favor de candidaturas presidenciais, e, desde que sejam assegurados os direitos civis para os seus cidadãos e a liberdade econômica para suas empresas, nossos vizinhos do Norte chamam isso de Democracia. De lá, Moon espalhou suas garras para implantar-se solidamente em 120 países. Adão perdeu o paraíso, Cristo exculpou-o, Moon reconquistou-o.

Depois do império Moon, a Igreja Universal do Reino de Deus disputa com folgas o páreo da busca do vil metal. Começou adquirindo a TV Record em São Paulo e hoje é dona de dezenas de rádios e jornais no Brasil[174] e controla seus interesses em negócios espalhados em 39 países. Seu principal expoente é o Bispo Edir Macedo, um verdadeiro Tio Patinhas evangélico que jamais vacila em matéria de ambição para levar a bom termo todos os seus empreendimentos religiosos. Em Portugal, a IURD é proprietária de 52 templos, três emissoras de rádio, programas em canais de TV e um partido político, o Partido da Gente. A Igreja Universal do Reino de Deus gasta uma quantidade enorme de dólares em propaganda, logo recuperados aos milhares, que entram para as contas bancárias das quais ele e seus caudatários são titulares. "Se puder dar US$ 10, não dê US$ 5, se puder dar US$ 100 não dê US$ 50." Seus empreendimentos na Argentina vão de vento em popa. Um templo inaugurado no Bairro Flores, da classe média portenha, é uma máquina de fazer dinheiro. "A Igreja Universal é conduzida por Deus. O dízimo equivale a 10% do salário, mas vocês vão dar 20% e terão a bênção em dobro", informou o jornal gaúcho *Zero Hora*.

Uma Igreja Universal em miniatura é a LBV, sigla que significa Legião da Boa Vontade, uma mistura de messianismo, Cristianismo barato, demagogia eficiente, com substrato reencarnacionista e veiculadora de mensagens apocalípticas. Conforme investigações e pesquisas dos repórteres Chico Otávio e Rubens Valente, publicadas no jornal *O Globo*, a partir

---

174. Conforme a matéria do *Zero Hora*, só no Brasil a IURD é dona de trinta rádios.

de 18 de março de 2001, na série de reportagens "LBV – O império da boa vontade",[175] dois milhões de brasileiros depositaram, em 2000, 215 milhões nos cofres da entidade. A maior parte desse dinheiro é aplicada na compra de fazendas e de palacetes para conforto e uso exclusivo de seu presidente, José de Paiva Netto. Denúncias em rádios e jornais asseveram que a LBV deve R$ 8,4 milhões ao INSS, além de não recolher o FGTS dos funcionários, embora o chefe embolse todos os meses R$ 13.000,00, mesmo sabendo que uma lei federal brasileira proíbe a remuneração de diretores de entidades filantrópicas. Das quatrocentas unidades da Legião no território brasileiro, o INSS encontrou irregularidades em 350 delas. Sob a fachada suspeita e dissimulada dos fins filantrópicos há desvio de finalidade, além da prática de fraudes variadas que estão sendo apuradas em sindicâncias policiais.

Em maio de 2002, a revista *Época* denunciou o mais novo escândalo nesse sombrio cenário de pilantragens. A matéria versou sobre golpes aplicados por Estevam Hernandes e a bispa Sônia, sua mulher, gerentes de um promissor império religioso chamado Igreja Evangélica Apostólica Renascer em Cristo. A estratégia é sempre a mesma: marketing empresarial adequado; cobrança de mensalidades; recebimento de doações; apresentações glamorosas em rádios e televisões e, enfim, excepcional capacidade de persuasão – no camelódromo da fé esse é um dos requisitos principais, pois dela depende a obtenção das quantias necessárias para levar o empreendimento avante e proporcionar ao casal uma vida de luxo e ostentação.

Paralelamente, são deixadas em situação de desespero pessoas que foram ardilosamente cooptadas para serem locadoras ou fiadoras dos prédios destinados ao ofício religioso, cujo angustiante drama não consegue perturbar o *ravissant* casal, acostumado a passar férias em Boca Raton, um *point* turístico caríssimo do litoral da Flórida, nos Estados Unidos. Esses fatos fazem lembrar o nosso povo que costumeiramente acusa os políticos

---

175. OTÁVIO, Chico; VALENTE, Rubens. LBV – O império da boa vontade. *O Globo*. 2001.

A ERA DA BALBÚRDIA

brasileiros de desonestos. A massa eleitoral brasileira jamais assume a culpa de que ela própria é a responsável pela eleição deles. Paralelamente, os eleitores são feitos da mesma massa dos néscios que caem nas armadilhas dos salvadores de almas. Obviamente, alguma porcentagem de razão deve ter tido Pelé quando disse que o brasileiro não sabe votar. Muitos consideraram que sua postura não foi politicamente correta. Mas hão de convir que o autor despreza deliberadamente esse chavão hipócrita.

Em São Paulo, os pastores, cujo número chega a 98 mil, se sindicalizaram e passaram a exigir pagamento de direitos trabalhistas. Como as sociedades comerciais, as Igrejas estão igualmente sujeitas ao atendimento da legislação do trabalho e obrigadas ao recolhimento das contribuições sociais. Está certo. Se a fé tem que ser vendida como produto da estratégia dos marqueteiros, é necessário que o comércio seja feito por meio de estabelecimentos criados de acordo com as exigências fiscais. A Igreja Católica tinha dois impressionantes *experts* em relação à mídia: o padre Zezinho e o padre Marcelo Rossi. Ambos gravaram dezenas de discos, que venderam milhões de cópias. Tanto um como outro se apresentavam em enormes templos ou estádios de esporte, onde eram aplaudidos por milhares de prosélitos e juntos protagonizaram espetáculos artísticos que ruborizaram a face de conservadores e progressistas. A Igreja Católica é proprietária de 110 emissoras de rádio brasileiras – que atingem setenta milhões de ouvintes – catorze editoras, 35 jornais, milhares de boletins paroquiais, programas de televisão e assim por diante.

Em 1º de agosto de 2002, o jornal *Pioneiro*, de Caxias do Sul, publicou uma extensa reportagem informando que a Igreja Católica daquela cidade (juridicamente entenda-se, Mitra Diocesana) tem 358 imóveis espalhados na área do município – apartamentos, salas comerciais, garagens, casas, terrenos e até enormes sítios localizados na zona rural.

O periódico destacou uma casa, recém-concluída, de seiscentos metros quadrados, situada num dos bairros mais valorizados da cidade: a Colina Sorriso. Embora tenha capacidade para abrigar confortavelmente até dez religiosos, nela somente residem três padres. A construção "tem seis suítes compostas por quarto, sala e banheiro; quatro suítes menores

RAZÃO X RELIGIÃO

(com banheiro, mas sem sala, que servem para alojar familiares dos moradores); sala de estar com vídeo e televisão, cozinha, garagem para seis carros; varanda coberta, lareira, vista para a cidade e jardim de inverno. Há, ainda, um espaço destinado para sala de ginástica, com sauna e banheira de hidromassagem, que ainda não está equipado". A relação dos imóveis, conforme dados fornecidos pelos dois cartórios do registro imobiliário da cidade, ocupou uma página inteira do jornal. Diga-se, a bem da verdade, que um ou outro prédio abriga padres aposentados ou doentes. Também é verdade que em alguns desses terrenos foram edificadas capelas e paróquias comunitárias. Porém, o número 358 é quantitativamente exagerado, o que dá bem a ordem da grandeza e da hegemonia do Catolicismo nas regiões de imigração italiana do Rio Grande do Sul. A riqueza é espantosa se considerarmos que o município tem área territorial diminuta. O fato de a Igreja Católica possuir lotes, prédios e outras propriedades é comum na grande maioria dos municípios das regiões Leste e Sul do Brasil. Talvez, esse número enorme de bens imóveis seja uma reminiscência da Idade Média, época em que a Igreja tinha de um a dois terços das terras da Europa, ou uma inspiração da riqueza dos templários. Mas, em qualquer hipótese, não poderia continuar sendo uma prioridade para a Igreja do Nazareno, que nasceu num estábulo e recebeu, depois de envolto em panos, uma manjedoura como leito.

A revelação de fatos sempre mantidos fora das vistas dos fiéis é tão atordoante que gera perplexidades invencíveis por manifestar ambiguidade de propósitos. As religiões foram concebidas como veículos de salvação ou para barafustar-se nos caminhos da opulência? Induvidosamente que essa quantidade enorme de bens caracteriza a existência de uma Igreja economicamente organizada e, por isso mesmo, afastada dos caminhos do Senhor. As propriedades não caem do céu como maná. Está claro que tudo foi conseguido com persuasão, usando-se para isso o nome de Deus e a proteção da Igreja em favor dos doadores com a concomitante antecipação de pontos válidos para o alcance do gozo celestial junto ao Padre Eterno. É evidente, também, que tais táticas fizeram parte dos suportes operacionais. De qualquer forma, houve violação do princípio

A ERA DA BALBÚRDIA

da pobreza, símbolo emblemático do Cristianismo primitivo, fato que deveria fazer corar de vergonha as faces cobiçosas dos prelados, que com exímia habilidade conseguem repetir, depois de dois mil anos, o milagre da multiplicação.

É importante acrescentar que, além da Mitra Diocesana, outras 32 congregações e ordens ligadas à Igreja Católica também possuem imóveis em Caxias do Sul. São elas: Congregação dos Missionários de São Carlos, Ordem dos Frades Menores Capuchinhos, Congregação dos Missionários de São Carlos, Ordem dos Cônegos Lateranenses, Ordem dos Frades Menores Conventuais, Ordem dos Frades Menores (Franciscanos), Congregação de São José (Josefinos de Murialdo), Congregação da Paixão de Cristo (Passionistas), Pia Sociedade de São Carlos (Paulinos), Congregação dos Pobres Servos da Divina Providência, Irmãos das Escolas Cristãs (Lassalistas), Irmãos Maristas, Irmãos do Apostolado Católico (Patolinas), Instituto das Apóstolas do Sagrado Coração de Jesus, Congregação de Nossa Senhora da Caridade do Bom Pastor de Angers, Ordem da Bem-Aventurada Virgem Maria do Monte Carmelo (Carmelitas), Irmãs Missionárias de São Carlos Borromeu (Carlistas), Ordem das Irmãs Clarissas Capuchinhas, Irmãs Escolares de Nossa Senhora, Instituto de Caridade das Filhas de Maria Santíssima do Horto, Irmãs do Imaculado Coração de Maria, Irmãs Murialdinas de São José, Irmãs Franciscanas de Nossa Senhora Aparecida, Irmãs Passionistas de São Paulo da Cruz, Irmãs de Jesus Bom Pastor, Irmãs Discípulas do Divino Mestre, Irmãs Pobres Servas da Divina Providência, Irmãs de São João Batista e Santa Catarina de Sena (Medeias), Irmãs de São José de Chambery, Servas da Santíssima Trindade, Instituto Secular das Irmãs de Maria de Shoenstatt, Instituto Secular Murialdo e Irmãs Franciscanas Bernardinas.[176]

Nesse cenário de riquezas, não se pode olvidar da Igreja Mórmon, dona de terrenos, imóveis, companhias de seguro e estações de rádio e televisão. Tudo à custa do dízimo.

---

176. Conforme Guia Pastoral da Diocese de Caxias do Sul.

RAZÃO X RELIGIÃO

No Brasil, quatrocentas rádios estão atualmente vinculadas a alguma crença, informou a matéria especial da *Folha de S.Paulo*. Centenas de rádios e alguns canais de TV apresentam todos os dias variadas programações religiosas. Nesses cultos, acontece de tudo: exorcismos, milagres, possessões, histerias, explosões emocionais, choros, gritos, balbuciamento de palavras incompreensíveis, explosão de espiritualidade, verdadeiros shows místicos, algumas vezes mais tendentes a espetáculos circenses do que a cultos religiosos. Se alguns bispos garantem a presença de Jesus Cristo nos locais onde se realizam os cultos, para os carismáticos e pentecostalistas a presença do Espírito Santos é fato inquestionável. Lembremo-nos de Ainchelin quando disse que tudo é mágico, ao que acrescentamos: tudo é delirante.

Que seria das religiões sem o demônio, sem o inferno, sem as curas e sem os milagres? Nunca em nenhum tempo da história milhares de seitas tiveram contato diuturno com milhões de pessoas. O mundo está conturbado, desordenado, enlouquecido, obnubilado, meio demente e muito alucinado. A razão cedeu lugar à fé, que por sua vez explode em espiritualidade e emotividade. Quanto mais pobre de espírito for a comunidade, maior é a influência religiosa. Não apenas medo e terror daquilo que pode acontecer depois da morte são os pilares que dão sustentação às crenças salvacionistas, mais ainda: os sofrimentos constantes do povo em geral, o temor da perda do emprego, o terror de virar favelado, a situação desesperadora da falta de dinheiro, a perda da esperança, as dificuldades da vida, todos componentes de uma gama de acontecimentos que exigem uma pronta resposta das religiões. A falência das soluções estatais para os problemas sociais estimula a emulação individual mediante o incentivo religioso. Dentro desse quadro, usando de perspicácia, logo surgem os exploradores da credulidade, os psicólogos de plantão e os "pastores" bem falantes, garantindo em nome de Deus, da Virgem e dos santos e até dos demônios, se preciso for, a solução rápida e milagreira para todos os problemas.

Não existe espaço humano que não sinta a presença constante das religiões. Mais do que um bricabraque, tudo virou balbúrdia. Essa fenomenologia está a exigir algum tipo de questionamento. As definições habituais da religião já não subsistem. A religião nunca foi condizente com a

248

definição de Bowker.[177] Segundo o autor: "cria a luz na escuridão e desafia o mal e a morte: religião é aspiração, visão e esperança de transcender o momento presente, de elevar-nos acima da culpa e dos fracassos". Pelo contrário, a religião criou ainda mais escuridão, tem medo da morte, nos torna submissos à culpa e nos transmite perplexidade. Nenhuma se destaca, nenhuma se ergue acima das demais. Todas permanecem num mesmo patamar no qual existe, além do ódio, da rivalidade e do egoísmo, uma irresistível corrida em busca do vil metal.

É preferível, então, aceitar a definição de Salomon Reinach, que vê na religião um conjunto de escrúpulos que impede o livre exercício de nossas faculdades mentais.[178] O homem que concede primazia à razão será sempre um homem justo, independentemente das promessas de salvação eterna. Assim mesmo, a religião permanece e dissemina-se. Na verdade, ela dá resposta à nossa existência. Em outras palavras, todos nós queremos respostas que somente a religião nos dá. Por essa razão, ela faz parte da essencialidade humana.

A presença das religiões em todo o universo é uma constante. Desde Paris e Roma, as capitais do mundo, até os mais longínquos povoados asiáticos, africanos e americanos; desde Fátima até Lourdes, de Lourdes até Guadalupe, de Guadalupe até Meca, e de Meca até Lassa, de Lassa até Benares, não há dia que em algum lugar no mundo não seja um feriado religioso. Toda semana existem romarias e todo dia há festividades e procissões (como há quatro mil anos na Babilônia), em honra de deuses e santos, principalmente santos da Igreja Católica. As igrejas, os templos, os locais sagrados e os santuários são encontrados aos milhares por todo o mundo. Muitos monges ligados a alguma seita passam a vida toda rezando. No Catolicismo, as missas são diárias. Quando estudei em um internato católico, diariamente, durante quatro anos, fomos à missa. Deus, demônios, inferno e céu também eram nossas preocupações diárias. Rezávamos o rosário no começo das aulas matutinas e vespertinas. Fomos criados, moldados e estereotipados pelas ideias religiosas. Cavaram

---

177. BOWKER, 1997, p. 9.
178. CHALLAYE, 1962, p. 256.

buracos em nosso cérebro para injetar toda espécie de sêmen religioso. A religião cinzela, modela e configura a espécie humana como hoje se configura um computador. Se ligarmos um rádio, haverá sempre uma mensagem religiosa. Se ligarmos uma televisão, lá estará um pastor apregoando uma mensagem escatológica salvacionista. Não conseguimos ser nós mesmos. Estamos aplastados, condicionados, escravizados. Assassinamos a beleza grega pagã, sepultamos o Renascimento, expulsamos da atmosfera humana o Iluminismo. As religiões solares cederam lugar à escuridão das cavernas trogloditas. Líderes ignorantes estão seduzindo ingênuos e pobres de espírito. Estamos engaiolados. Perdemos a liberdade. Não somos o que deveríamos ser. Somos produtos imperfeitos e inacabados de uma situação de fatalismo social em que predominam o desentendimento, a incompreensão e o desamor. Somos apenas chimpanzés falantes, leões briguentos e bestas apocalípticas idiotizadas por postura maníaco-depressiva de tendência destrutiva. Somos, enfim, os protagonistas e principais atores da civilização dos primatas.

Estamos tão embrutecidos que não nos damos conta de que o paraíso é a própria Terra. Ela tem de tudo e nos dá tudo. É o ambiente certo para viver, para produzir alimentos e local onde deveríamos ser felizes. As religiões cogitam expulsar o homem de seu "hábitat". Elas afirmam que o mundo é lugar de sofrimento; que o mundo é um vale de lágrimas. Os deuses querem a humanidade infeliz aqui e feliz na outra vida. Esse é o principal ensinamento das religiões. Elas são porta-vozes da vontade dos deuses que conspiram contra nós. Na verdade, não nos amam. Quanto a esse aspecto, as religiões são falsas. Foram elas que nos incutiram o pecado, o sofrimento e o medo do que nos aguarda depois da morte. Por isso só existe uma saída: a libertação desta era de escuridão e balbúrdia.

# 12
# Estados alterados da consciência: milagres, visões e ilusões

Todo problema reside em saber se a sobrenaturalidade e o mundo dos espíritos existem e, caso afirmativo, quais as explicações dadas pela ciência. Poderia alguém ver fantasmas? Poderia alguém se comunicar com almas do outro mundo? E quanto aos milagres? São acontecimentos à margem de explicações racionais ou decorrem de visões deturpadas por anomalias psicogênicas?

Jamais se encobriu que a linha desenvolvida por este livro afasta de maneira categórica a existência da paranormalidade, mesmo porque, parte foi refutada pelo desenvolvimento da ciência, parte pode ser explicada pela parapsicologia, e a maior parte tem origem no funcionamento incorreto da mente. Acontece que, para cada cem livros editados, sem medo de errar, noventa e nove admitem a existência de planos astrais, de outras dimensões e de outros mundos recheados de espíritos. Não mais do que um ou dois por cento das publicações são céticas, não só quanto à existência de espíritos, mas também quanto à continuação da vida depois da morte. Esse é o traço fundamental dos livros científicos e das obras dos grandes pensadores.

Com tanta literatura posta à disposição do homem, como não acreditar nos milagres de Lourdes, de Fátima e de Guadalupe?[179] Como poderemos

---

179. Protestantes, judeus, muçulmanos e hindus nunca viram Nossa Senhora. Ela só aparece a quem já a tem como visão dentro do próprio cérebro e seja crédulo católico.

RAZÃO X RELIGIÃO

esquecer, sublinharão os cristãos, o relato das sessões de exorcismo da Bíblia e dos Evangelhos, ou os milhares de exorcismos comprovados pela história da Igreja Católica? Como, também, não acreditar na incorporação, na possessão e na mediunidade ou nas mirações do Santo Daime, ou na comunhão dos xamãs com universos paralelos, que transcendem nossa percepção, e nos milagres que acontecem todos os dias nos cultos das igrejas evangélicas em particular, e nas pentecostais em geral?

Milhares de fatos já foram descritos em milhares de livros tendo como *leit motiv* o mundo dos espíritos com suas fímbrias periféricas, como o retorno a vidas passadas, o encontro com fantasmas, as viagens fora do corpo físico, o rapto por naves intergalácticas etc. Muito comum, também, é o fato de estátuas verterem sangue ou lágrimas. Que dizer dos espectros dos mortos que em sessões espíritas aparecem a seus parentes vivos? Já fizemos referência aos casos de incorporação no Brasil, do espírito de um tal de Dr. Fritz, um médico alemão que morreu na Primeira Guerra, em sensitivos que realizam operações cirúrgicas, por obra, arte, engenho e técnica do falecido, como é o caso de Zé Arigó, Edson Queiroz e igual Francisco Xavier. Não nos esqueçamos que até bem pouco tempo operações astrais estavam em voga no Brasil, até que um escândalo comprovou a existência de fraudes no setor. Em consequência, esse tipo de operação surrealista desapareceu desse cenário ridículo e trapacento.

É preciso admitir que os espíritos fazem parte de todas as culturas e são presença constante na vida dos povos. Eles povoam praticamente todas as religiões. Esse caráter de unanimidade e de abrangência global poderia ser levado à conta de verdade absoluta, dispensadas as provas físico-científicas, pois tanto os milagres quanto os espíritos têm existência confirmada pela fé e fazem parte das crenças humanas. Todavia, não é bem assim. Os espíritos são como os deuses: repletos de mistérios e de lendas inverossímeis.

As divindades foram criadas pela necessidade emocional dos indivíduos, que buscavam proteção face à falta de explicação para os fenômenos naturais. Para Fuerbach, Deus é a projeção dos desejos de perfeição do homem. Os espíritos decorrem da inevitável consequência da

ESTADOS ALTERADOS DA CONSCIÊNCIA: MILAGRES, VISÕES E ILUSÕES

existência dos deuses, com suas lendas e superstições. Eles só aparecem quando há muita ingenuidade e em locais com iluminação deficiente. As materializações necessitam de salas umbrosas e obscurantismo cultural. Sagan diz que os espíritos precisam de escuridão e credulidade. As entidades jamais aparecem sem que antes se crie entre os participantes uma compulsiva vontade visual. Os espectros aparecem, também, às pessoas com cultura religiosa beirando o primitivismo, ou aos místicos que dizem ter contato direto com deuses e santos, dos quais ouvem vozes e recebem mensagens, como foi o caso de Santa Teresa de Jesus, também conhecida como Santa Teresa de Ávila – *virgem incomparável e glória da Espanha* –, que, depois de prolongado êxtase, morreu enamorada de seu celestial esposo, em Alba de Torme, em 4 de outubro de 1582, e de Joana D'Arc, a heroína sensitiva que libertou Orleans do jugo inglês, além de milhares de outros exemplos, facilmente encontráveis em todas as religiões e em todos os quadrantes da Terra.

Algumas crianças dizem ter visto Nossa Senhora, principalmente em grutas e em locais de difícil acesso. A visão não passa de imagens entrópicas ou projeções do inconsciente. Quem é pai sabe que as crianças dialogam com seres invisíveis, com amigos imaginários, inclusive gesticulam como se estivessem pegando algum objeto, existente apenas na imaginação delas.

Pessoas com mediana cultura jamais viram um espírito ou uma Nossa Senhora. Para muitos investigadores, predomina o entendimento que considera esse tipo de visão uma alucinação da mente afetada por algum tipo de distúrbio mental.

Interessante, também, que sejam ditas algumas palavras sobre a psicografia. Se os seres só veem aquilo em que acreditam igualmente, só psicografam aquilo que sabem. Se não existem espíritos, como alguém pode servir de intermediário de uma entidade desencarnada para psicografar poesias, romances e livros de fundo moral ou religioso?

Vale sublinhar que nunca ninguém psicografou assuntos científicos ou algum problema histórico importante. Se os espíritos podem se deslocar com a velocidade do pensamento, por que não esclarecem definitivamente os mistérios concernentes à origem do universo e à origem da vida?

Os defensores da psicografia afirmam que os médiuns podem psicografar em qualquer língua. Levando-se em consideração que o enigma de Atlântida está há séculos desafiando a sabedoria humana, por que não psicografar sobre esse assunto dado o seu alto interesse histórico? A obra poderia ser escrita em grego arcaico, egípcio antigo, em minoico-cretense, em sânscrito ou aramaico ou, ainda, em qualquer outra língua de algum planeta fora do Sistema Solar, por que não? Não esqueçamos que Kardec, no *Livro dos espíritos*, definiu os espíritos como seres inteligentes que se encontram em todas as partes do universo. Muitos gostariam de saber qual a técnica adotada na construção das pirâmides, ou o significado das esculturas da Ilha de Páscoa, ou quanto ao simbolismo das construções dos dólmenes e megálitos.

Os espíritos, desencarnados ou não, nunca contribuíram para a decifração da escrita cuneiforme ou a hieróglifa. Eles só são *experts* em psicografar estilos conhecidos de autores lidos e relidos.

Segundo Sasaki, Chico Xavier tinha especial predileção por Augusto dos Anjos e Humberto de Campos, escritores contemporâneos, cujas obras lia com afinco. Em sua opinião, o médium "capta e reelabora o que o inconsciente, ou conscientemente, consegue retirar de sua própria memória latente". Sasaki informou que Amauri Pena, sobrinho de Chico Xavier, também psicografou poemas de famosos escritores brasileiros. Mas, em 1958, para que a fraude não pesasse em sua consciência, resolveu restabelecer a verdade, declarando à imprensa que: "tudo o que tenho psicografado até hoje, apesar das diferenças de estilo, foi criado por minha própria imaginação, sem que precisasse de interferência de almas de outro mundo".[180]

Existem pessoas que têm uma impressionante capacidade de armazenar informações. Esse fenômeno é devido a uma espantosa habilidade da mente em arquivar fatos, passagens, diálogos, leituras, aprendizados e estudos em geral. Essa capacidade é induvidosa. A mente tem compartimentos ainda não apropriadamente esquadrinhados. Os neurônios podem

---

180. SASAKI, 1995, p. 72.

ESTADOS ALTERADOS DA CONSCIÊNCIA: MILAGRES, VISÕES E ILUSÕES

reagir por meio de sinapses, as mais sofisticadas e complexas que podemos imaginar. Se somos capazes de reter na memória milhares de nomes, histórias e fatos vivenciados durante toda uma existência, também somos capazes de reproduzir as lembranças armazenadas no fundo da consciência, uns mais do que os outros, após devidamente estimuladas. A literatura sobre esses assuntos relata que alguns gênios em composições musicais têm aptidão para reproduzir instantaneamente uma ópera inteira após ouvi-la pela primeira vez, para estupefação e assombro de quem a compôs. O Padre Oscar Quevedo SJ, um misto de prestidigitador e escritor prolixo em assuntos de fantasmas e fenômenos espíritas, possuía uma invejosa capacidade de memorização. Ele quase sempre terminava seus cursos de parapsicologia religiosa solicitando que um participante escrevesse no quadro negro, estando ele de costas, cem nomes de substantivos ditos em voz alta pelo auditório. Depois ele os repete do primeiro ao último e do último ao primeiro sem qualquer vacilação, para em seguida responder, por exemplo, que a palavra livro é a 35ª da relação e se situa entre a cadeira e o automóvel.

A Rede Globo de Televisão entrevistou uma vez um cidadão nordestino que sabia de cor todos os números telefônicos de sua cidade.

A parapsicologia denomina essa habilidade de hipermenésia.

Segundo alguns pesquisadores, a mente pode reter informações de toda uma vida. Os parapsicólogos asseveram que quem tem hipermenésia pode falar e escrever em línguas desconhecidas, desde que tenha havido algum contato com elas, sem precisar da assessoria de espíritos do outro mundo.

Já fizemos referências e nunca é demais repisar na aplastante frase de E. M. Littré: "Por mais que se pesquise, jamais um milagre se produziu onde pudesse ser observado e verificado. É um monólito que ninguém moverá. Os milagres são coisas que nunca acontecem".

Littré, filósofo e político francês, também não acreditava em almas do outro mundo, no diabo, na feitiçaria e na astrologia. Ele não é o único a pensar assim. Todos os que se habituaram com o uso da razão em primeiro lugar têm em mãos argumentos eficazes para afastar da mente os

RAZÃO X RELIGIÃO

irrealismos oriundos das crendices e os estereótipos fetichistas inspirados nas idealizações milenares do ocultismo e da astrologia. Juntam-se a Littré as pessoas com aceitáveis níveis de conscientização e as integradas na evolução do pensamento racional humano.

De qualquer forma, não seria lícito afastar as sempre presentes concepções antagônicas e excludentes: os que creem e os que não creem. Os que aceitam a mitologia como parte do próprio contexto social e os que evoluem e se libertam desses condicionamentos. Em outras palavras, caímos sempre na mesma ambivalência: acreditar nos espíritos ou negá-los. Há os que acreditam na matéria como fonte geradora da essencialidade humana – matéria, bem entendida, como essência vital, mãe geratriz de toda a evolução – e há os que creem nas lendas da criação do universo a partir do nada pelo poder e pela vontade dos deuses.

Poderíamos dizer que as perplexidades são as mesmas que vêm cotejando princípios opostos desde as primeiras linhas do livro. O mundo foi criado ou sempre existiu. Somos produto perfeito e acabado da criação ou somos o resultado de combinações da matéria com suas contingências evolucionistas acompanhadas das vertentes seletivas: as mutações e a sobrevivência do mais forte.

Para terminar: somos produto desenhado pela teologia ou entes resultantes dos arranjos materiais? Somos expressões de conjugações metafísicas ou integramos contingencialmente a concretude cósmica. Enfim, estamos concordes com o folclórico imaginário popular ou nos apoiamos nas respostas da ciência com suas evidências e seus resultados? Aceitamos os milagres como fenômenos inexplicáveis ou simplesmente os rejeitamos, dada a impossibilidade de sua comprovação científica? É necessário, então, que sejam estabelecidas as profundas diferenças entre a fenomenologia religiosa, de um lado, com a natureza dos espíritos e a ocorrência dos milagres, do outro. No primeiro caso, o da fenomenologia religiosa, a fé é um instrumental que basta a si própria, razão pela qual dispensa lucubrações científicas. No segundo caso – a vidência dos espíritos e a ocorrência dos milagres –, são sucessos que dependem da sensibilidade e da receptividade das pessoas, hipóteses que não só podem, mas, obrigatoriamente, devem ser apreciadas à luz da ciência.

ESTADOS ALTERADOS DA CONSCIÊNCIA: MILAGRES, VISÕES E ILUSÕES

O homem não foi criado em caráter instantâneo por uma divindade poderosa. Pelo contrário, é produto da evolução a partir de pequenos corpúsculos que levaram milhões e, poderíamos dizer, bilhões de anos para alcançar o estágio atual. Com a evolução do todo, isto é, do organismo, evoluíram, também, suas partes integrantes. No caso em questão, os órgãos que mais nos interessam são: a visão e a mente. Pode-se até dizer que o olho e o cérebro são na realidade um só órgão, por mais complexos e isolados que possam parecer. Não há como separá-los. Sem o sentido da visão não deixaríamos de acreditar em deuses, mas seguramente não veríamos os espíritos. O olho é um prolongamento do cérebro, pois é ele que transmite o que enxerga e são as reações neurônicas que definem, identificam, mesuram e criam na mente a imagem do objeto visualizado. Se o olho não funciona, não quer dizer que os espíritos deixaram de existir, mas, se o cérebro for atrofiado, o indivíduo perde a capacidade de ter consciência deles. Todo o problema então é saber como e em que condições o cérebro funciona, porque é dele que vai depender a imagem perfeita ou a visão alterada de coisas e objetos.

Para que não pairem dúvidas, é de bom alvitre que se afirme que o cérebro funciona adequadamente quando há uma perfeita sintonia entre o que existe fora (circunstância exógena) e o que é percebido pela parte de dentro (caráter endógeno). Essa sintonia depende de integração e harmonia. Quando a percepção e a transmissão forem perfeitas, pode-se afirmar que a consciência humana está funcionando de modo exemplar. É essa sanidade que propicia à mente condições para a realização de pensamentos racionais. Quando isso não acontece, estamos diante de uma deformação caracterizada por um estágio alterado de consciência.

Isso não significa que toda vez que temos uma percepção deformada das coisas estejamos sendo perturbados por uma alteração psíquica qualquer. Não são raras as situações de visões ilusórias de objetos que se deformam pelo ar, pelas miragens, pelas refrações do calor, pela distância etc. As alucinações decorrem, igualmente, de situações incomuns. Um homem isolado pode ter os sentidos abalados. Situações de fome, sede, cansaço e febre podem alterar os estados de consciência do cidadão. Se alguém está alucinado nessas condições, não quer dizer que tenha ficado louco. Em certas circunstâncias, a alucinação é uma característica humana, e por isso aparenta naturalidade. E se até pessoas normais podem ter alucinações, o que dizer daqueles que têm a mente atrofiada por uma disfunção cerebral ou por uma série de causas de conteúdo social, emocional ou religioso.

Via de consequência, um estágio alterado da capacidade perceptiva pode originar-se de uma causa externa, como ingestão de substância alucinógena, ou de causa interna, como, por exemplo, um recolhimento psíquico intenso ou um estado de meditação profunda (já esteve em voga a meditação transcendental), em que a consciência é preparada para um desenlace visionário à custa de projeções do inconsciente, até o ápice do transe, quando o indivíduo supõe estar vendo e se comunicando com seres do mundo invisível.

Por isso, o que interessa ao presente estudo não é a numeração dos diversos tipos de estados alterados da consciência. Muito mais importante é a classificação dos tipos humanos sensíveis e essa fenomenologia.

O homem dentro dessa concepção pode ser religioso, místico, fundamentalista, pentecostalista, sectário, supersticioso, crente, carismático, perturbado por causas emocionais e até portador de algum distúrbio mental.

O xamã, para se comunicar com espíritos e outros mundos, ingere substâncias alucinógenas. No tempo dos *hippies* e dos festivais (lembremo-nos de Woodstock), estava em voga o consumo do ácido lisérgico usado para "viajar" e entrar em contado com outras realidades.

O cérebro levou milhões de anos para atingir a conformação atual. Ele é o resultado do trabalho dos genes e do trabalho humano, isto é, de nossas experiências pessoais. Mas basta beber alguma substância psicoativa para que haja desorganização da capacidade de percepção e perda da atividade consciente, o que motiva situações alucinatórias.

Além disso, existem patologias causadoras de uma série de desordens na mente, como neuroses, psicoses e esquizofrenia, que, ordinariamente, provocam alheamento da realidade, distúrbios alucinatórios e muitos outros tipos de delírio.

ESTADOS ALTERADOS DA CONSCIÊNCIA: MILAGRES, VISÕES E ILUSÕES

Conforme consta na seção sobre patologias psicogênicas, na enciclopédia *Isto é-Guinness*, as desordens mentais põem as pessoas fora de contato com a realidade, e os principais sintomas são: "grave distúrbio de crenças e percepções – os psicóticos têm delírios (falsas crenças) e alucinações (ver coisas que não existem ou ouvir vozes imaginárias). Com frequência não têm consciência de sua doença, ao menos durante as crises graves".[181]

Conforme afirma Sasaki, com base na mesma fundamentação, não são raros os parapsicólogos e os psiquiatras que atestam que mais de 80% dos paranormais sofrem de algum distúrbio mental reconhecível.

Richard Leackey[182] faz referência à literatura psicológica pesquisada por Lewis-Williams assinalando que: "há três estágios de alucinação, cada um mais profundo e complexo. No primeiro estágio, o indivíduo vê formas geométricas, tais como grades, zigue-zagues, pontos, espirais e curvas. Essas imagens, seis formas ao todo, são brilhantes, incandescentes e inconstantes – e poderosas. São chamadas imagens entópticas (dentro da visão), pois são produzidas pela arquitetura neural básica do cérebro. Porque elas derivam do sistema nervoso humano, todas as pessoas que entram em certos estados alterados da consciência, não importa quais suas origens culturais, podem vir a percebê-las [...] No segundo estágio do transe, as pessoas começam a ver essas imagens como objetos reais".

Com base nessas teorias, é inteiramente lícito concluir que as imagens entópicas, resultantes de estados alterados da consciência, não são necessariamente estimuladas por um fator externo. Muitos homens acreditam verdadeiramente ter visto um espírito quando tudo não passou de uma imagem interna dançando em seu cérebro, afirmava Sagan. Essa visão interna, que pode ser chamada de êxtase ou transtorno delirante, sempre se origina de um profundo ato de ver e desejar. Pode-se até afirmar que as visões, as aparições e os milagres podem ser percepções centradas nesses

---

181. O filme *Uma mente brilhante*, estrelado por Russell Crowe e vencedor de alguns Oscars, trata exatamente de um gênio matemático portador de esquizofrenia alucinatória que via e falava com pessoas criadas por seus delírios persecutórios, que só existiam dentro de sua mente.

182. LEAKEY, 1995, p. 113.

RAZÃO X RELIGIÃO

fenômenos. Se até agora não temos ideia segura de como funciona a mente, também carecemos de condições científicas específicas para definir apropriadamente as causas, dada a multiplicidade de fatores que concorrem para a geração das anomalias visionário-fantasiosas (religiosidade, bebida, misticismo, patologias, descargas emocionais, ignorância etc.). Há pouco mais de duzentos anos, os distúrbios mentais deixaram de ser atribuídos a motivações sobrenaturais. Atualmente, até os demônios vão perdendo importância. Eles já não causam mais doenças ou comportamentos extravagantes, a não ser no seio das religiões, preferencialmente nos rituais das igrejas pentecostais, sempre habilitadas na exorcização das possessões demoníacas.

Portanto, os fatores responsáveis por essa fenomenologia podem se originar de estados mentais patológicos, ser causados por ingestão de substâncias alucinógenas ou depender de um aparente processo de incorporação anímico-mediúnico ou de um intenso recolhimento místico.

Com relação aos milagres, a situação não é diferente. Sagan[183] afirmou, baseado em estudos científicos, que existem regressões espontâneas de cânceres. Alguns asseveram que essa percentagem atinge 5%. A verdade, continua Sagan, é que até agora não foram comprovadas curas de doenças orgânicas sérias (não psicogênicas), por exemplo, regeneração de membros ou de medula espinhal rompida.

Não caiamos no lado oposto para afirmar que um passe espírita não possa curar uma dor de cabeça, um mal-estar ou um mau-olhado. Essas curas podem realmente ocorrer, mas sempre dependem de uma total receptividade da clientela. No decorrer de milhares de anos, rituais e cerimônias desse gênero foram usados – e ainda são – pelas mais diferentes culturas. As pajelanças, os rituais xamânicos e as sessões espírito-mediúnicas obtêm resultados satisfatórios na cura dos chamados males do espírito. Toda vez que a medicina convencional fracassa, é comum, em qualquer parte do mundo, a busca de outros procedimentos de cura.

---

183. SAGAN, 1997.

ESTADOS ALTERADOS DA CONSCIÊNCIA: MILAGRES, VISÕES E ILUSÕES

Alguém já disse que a morada dos deuses é a mente dos fiéis.[184] Lícito nos seja aditar que, não só dos deuses, mas também dos demônios, dos fantasmas, dos espíritos, das imagens entópicas, das alucinações e assim por diante.

Rita Carter[185] acrescenta que as visões religiosas e a sensação de estar na presença de Deus, por exemplo, manifestam-se em uma parte específica do cérebro, o sistema límbico, também responsável pelas emoções.

Druot[186] entende que miração significa ao mesmo tempo visão interna e êxtase, e é o modelo de uma forma de consciência na qual o eu se concentra na realidade interna. "Os seres só veem aquilo em que acreditam", concluiu. Dedutivamente, quando um vidente, um místico ou qualquer iniciado em atividades paranormais afirma que serve de mediador entre o nosso plano físico e o astral, na realidade o plano físico e o cosmos se circunscrevem à sua própria mente.

O início do capítulo fez referência à espantosa sucessão de milagres proclamados diariamente pelas igrejas pentecostais. Em nosso país, centenas de rádios e alguns canais de televisão exibem diariamente situações previamente ensaiadas entre um pastor e algum crente. Nessas ocasiões, se estabelece um diálogo teatralizado que serve para demonstrar que Deus interage com o pastor e sua seita produzindo milagres, que sempre são aplaudidos por uma assistência delirante.

As pessoas entrevistadas autoproclamam-se doentes incuráveis, ou vítimas de dores terríveis, ou impossibilitadas de locomoverem-se, enfim, portadoras de patogenias de toda espécie, na grande maioria das vezes desenganadas pelos médicos.

Problemas familiares são muito comuns, sempre postos como fatalidades irremediáveis. Casos de infidelidade, traições, adultérios, conduta escandalosa, tóxicos, embriaguez, jogos de azar e prostituição são conflitos habitualmente apresentados à assistência.

---

184. Renato Zamora Flores, professor do Departamento de Genética da UFRGS.
185. *Gazeta Mercantil*, 22 out. 1999.
186. DRUOT, 1999.

RAZÃO X RELIGIÃO

A ruína financeira integra inevitavelmente o quadro de desespero, dando-lhe as matizes circunjacentes de miséria e fome, desastre que estava a exigir a piedosa ajuda de amigos, vizinhos e familiares e, quando isso não ocorria, só restava como último recurso, para evitar a catástrofe, a venda de móveis e aparelhos eletrodomésticos.

Enfim, tudo estava a indicar que o desenlace seria trágico. O prosélito, segundo um antigo ditado, havia chegado ao "fundo do poço".

A partir dessa tragédia greco-shakespeariana, mesclada de dramalhão mexicano, a encenação assume características de intensa descarga emotiva. A coadjuvante (os pastores preferem lidar com mulheres) relata que foi levada à Igreja aconselhada por um amigo ou um familiar. Esse convite é considerado como um chamamento de Deus, cuja pessoa é guiada por sua mão até o diálogo final, que é o momento culminante do espetáculo. Depois do tétrico histórico familiar-social, a apresentação atinge seu ápice. A troca de frases é simples e rápida. O impacto tem que ser total. Quanto mais histérica ficar a plateia, melhor:

– E aí, irmã – diz o pastor –, você buscou a proteção de nossa Igreja?

– Sim, pastor, fui recebida com muito amor. A fé me curou. Estou salva!

– Jesus te salvou?

– Jesus me salvou, irmão!

– Você se curou. Foi um milagre?

– Foi um milagre, pastor!

– E a sua família?

– Nossos problemas estão resolvidos e nossa situação financeira foi restabelecida! Glória a Deus! Viva Jesus!

– Aleluia, viva Jesus.

– Deus seja louvado. Amém.

Existem situações em que o mal era o demônio, que foi exorcizado, e a normalidade psíquica a partir de então foi restabelecida. Todavia, o fato mais comum diz respeito à condição financeira, que é o que realmente interessa. A pessoa, que até poucos dias vivia em situação falimentar, em pouco tempo consegue melhorar a economia familiar. Os negócios vão

ESTADOS ALTERADOS DA CONSCIÊNCIA: MILAGRES, VISÕES E ILUSÕES

de vento em popa. Sempre são anunciadas aquisições animadoras, como a compra de casas e automóveis. Se a questão era comercial, os objetivos foram amplamente alcançados. A família ficou próspera.

Por trás dessa teatralidade, resta o milagre como acontecimento induvidoso. A impressão final é que o dízimo foi a causa da reversão salvadora. Essas rápidas encenações impressionam vivamente as centenas e até milhares de pessoas presentes. Se a apresentação é feita num canal de TV, o resultado é ainda mais sensacional. Gestos, trejeitos, palavras previamente estudadas, tudo vai perfeitamente se concatenando à semelhança dos camelôs bufarinheiros das vias públicas. Uma espécie de transe narcotizante contagia o ambiente, espalhando nele uma atmosfera de inebriante misticismo. O quadro televisado é arrebatador. A atmosfera mágica é acompanhada por gritos histéricos, cantorias e orações em voz alta. O vídeo transmite mensagens espirituais e astrais, energizadoras da emocionalidade dos telespectadores, tudo se transformando num incontido e sublimado amor a Deus e numa fascinante comunhão celestial. Um verdadeiro encontro da alma de cada um, com o Deus do amor e da salvação que também tem o poder para derrotar o demônio e salvar os crentes do inferno, garantindo-lhes uma eternidade de bem-aventurança.

Não há quem resista. O crente foi à sessão exatamente para ver, sentir e participar do ritual. Era realmente o que ele queria ver e sentir. Depois dessa verdadeira comunhão espiritual, a pessoa tangida pelos fluídos vibráteis dos poderes de Deus sente sensações de alívio, como o católico depois da comunhão, como o quaker depois de uma sessão de tremedeira, como um umbandista depois da possessão, como um ermitão depois da ascese, como um hindu depois dos longos momentos de meditação, como os povos nativos depois de uma pajelança, ou como os animistas antigos depois de um ritual ao redor do fogo, ou como em qualquer lugar onde haja o propósito de comunicação com espíritos e entidades arcanas. O instrumental ideológico-espiritual penetra irresistivelmente no âmago da mente dos fiéis.

Somente a seita e seus pastores têm as verdadeiras condições de ser o caminho da salvação. É nesse quadro que as igrejas valem como instância

RAZÃO X RELIGIÃO

superior da comunidade. O mundo já não importa. Os aspectos terrenos são relegados a segundo plano. A Terra é apenas um lugar onde se estabelece o rito de passagem. O que interessa é a outra vida, o outro mundo, a outra dimensão.

Existem ingênuos e tolos que se prestam para interpretar o papel de crentes, cujas consciências são manipuladas pelos exploradores da credulidade pública. Mais do que exploradores, eles são trapaceiros, charlatões e estelionatários. Enquanto isso, o culto faz o dinheiro tilintar nas sacolas coletoras. Cada devoto representa a certeza da contribuição mensal. O dízimo é a mola propulsora do progresso material das igrejas e da riqueza de seus dirigentes. O dinheiro garante o céu para os mortos e a terra para os vivos.

# 13
# A civilização empilha-cadáveres

Quando alguém redige um trabalho de conteúdo social, não consegue evitar a inserção de ideias próprias. Na medida em que o homem se instrui e tem contato com as ideias correntes, forma, igualmente, seu universo cultural. Um universo repleto de reflexões e interpretações pessoais sempre usadas na estruturação dos argumentos que dão conteúdo à matéria em elaboração.

Eu ainda não tinha dez anos quando tive meus primeiros pensamentos sobre a Igreja e Deus. Com pouco mais de vinte anos, minha cultura universitária era incipiente. Em 1964, eu era procurador de uma Fundação Pública em Brasília. Com o golpe militar de 31 de março, uma determinação do Comando Militar de Brasília expurgou-me do cargo público. Constava nas anotações dos serviços de informações brasileiros que eu era elemento perigoso e que havia participado de cursos de treinamento de guerrilhas em Cuba e na então Checoslováquia. Outra anotação informava que eu receberia dinheiro de Havana, Moscou e Pequim para usá-lo em ações subversivas. Como qualquer serviço de informações, de qualquer parte do mundo, a *inteligentzia* brasileira também era mentirosa.

Demitido do emprego público, fixei residência em Porto Alegre, onde instalei escritório de advocacia, tornando-me, concomitantemente, ativista político integrado no movimento em favor da Anistia e na luta pelo retorno ao Estado Democrático. Na quartelada que derrubou o presidente João Goulart, dois fatos importantes atraíram minha atenção. O primeiro

## RAZÃO X RELIGIÃO

relacionava-se com a vinda ao Brasil do padre Peyton, um sacerdote católico-americano, para comandar no Rio de Janeiro, em São Paulo e em Belo Horizonte as astuciosas marchas, "da Família com Deus pela Liberdade", com objetivo subjacente de preparar emocionalmente o povo brasileiro para o golpe que logo seria detonado. Em segundo lugar, havia denúncias de que na costa do estado do Espírito Santo estavam fundeados alguns navios integrantes da operação *Brother Sam*[187] com a finalidade de assegurar a vitória para a quartelada dos militares sediciosos. Caserna e sacristia se uniram, como tantas vezes aconteceu na história, para bloquear a ascensão das forças progressistas. Eu queria entender o que havia acontecido. Passei então a ler livros e tudo o que estava sendo publicado em revistas e jornais sobre os sucessos dos idos de março. Na mesma época, chegou-me às mãos um livrinho de autoria de um russo chamado Oparin, cujo título era: *A origem da vida*. O livro me fascinava por conter uma opção ao criacionismo e sugerir que a Bíblia apenas reproduzia a narração mitológica de fatos fecundados pelo imaginário popular, ou transmitia tão somente um relato fabuloso de guerreiros da Antiguidade hebreia. Passei a ter dúvidas sobre as verdades catequéticas ensinadas nas escolas. Cogitei que, provavelmente, a Bíblia contivesse erros. (Embora as Constituições posteriores ao regime do Império separassem a Religião do Estado, na prática a religião oficial do Brasil era a Católica.) A partir da constatação, minha leitura preferida voltava-se aos livros de fundo religioso e aos referentes às teorias cosmológicas.

Ao chegar aos sessenta anos, eu conseguira dominar satisfatoriamente tais questões. Adquirira uma visão abrangente que me dava o luxo de ter conclusões próprias.

As teses científicas com suas regras e equações exigiam muita concentração. Mais do que um passatempo, eu realmente estava conhecendo as

---

187. A operação *Brother Sam* era capitaneada pelo porta-aviões *Forrestal* e acompanhada de contratorpedeiros e vários petroleiros, com ordens de zarpar em direção a Santos quando eclodisse o movimento sedicioso. A operação foi coordenada pelo general americano Vernon Walters e pelo embaixador Lincoln Gordon, cuja estratégia estava submetida *à Central Intelligence Agency* – CIA.

A CIVILIZAÇÃO EMPILHA-CADÁVERES

ideias de cientistas e astrônomos de renome mundial. Alguns agraciados com o prêmio Nobel. Havia mergulhado profundamente nos dois maiores mistérios da humanidade: a origem do universo e a origem da vida. Mercê do esforço, minhas ideias encontravam-se bem estruturadas. Conseguira devassar as religiões e penetrar verticalmente nas questões da cosmogonia e da origem do homem, com as consequentes leis da seleção e da evolução dos seres vivos, como, também, escalar os degraus do conhecimento a que me propus, alcançando um estágio interativo, que aliava o meu modo de pensar com as realidades científicas expostas nos livros. Eu havia adquirido um *insight* sobre a matéria lida. Todavia, com uma diferença. As teses científicas e as concepções religiosas se encontravam dispersas nos compêndios. Em outras palavras, não havia capítulos específicos sobre o Big Bang, a formação da matéria ou a origem da vida. Considerei, pelo mesmo motivo, que, em vez de estudar separadamente as religiões, poderia concentrar em alguns capítulos as características que lhes eram comuns. Por exemplo, as apreciações não seriam sobre as religiões separadamente, mas convergindo nelas o sistema animista, politeísta, monoteísta etc. Rejuntei tudo com ideias claras, apartando da massa ligante qualquer substrato de idealismo e de fé. Dei preferência ao caráter rigoroso dos exames racionais e afastei, sempre que possível e desde que não fizessem parte do contexto natural do capítulo, os aspectos da sobrenaturalidade ou da crença nos espíritos. Estou convencido da correção imprimida no trabalho, embora saiba, previamente, que é muito reduzida a porcentagem de pessoas que aceitam os temas propostos. Mas isso é o que menos importa. Se quiserem me condenar por ter escrito este livro, condenem também a verdade, a liberdade de pensamento e o direito que qualquer pessoa tem de divergir de versões piegas, ou condicionadas às expressões da vulgaridade religiosa. É característica do livro ter sempre preferido desagradar com razão a satisfazer quaisquer grupos, por mero espírito bajulativo. O importante é a paz da consciência, de um lado, e a prazerosa sensação de libertação da opressão obscurantista, de outro.

E, neste estudo, penso que dirigi meu modo de ver as coisas para questões bem mais profundas do que o conteúdo exibido pelos livros

RAZÃO X RELIGIÃO

tradicionais, que constantemente davam preferência a enfoques de exaltação laudatória. Eu concluía que os autores, com habitualidade, faziam vistas grossas à influência perniciosa da ideologia religiosa na sociedade humana, que ora interferia como poder de decisão no seio das nações, ora incentivava ou patrocinava ações militares.

Paralelamente, não há como negar sua poderosa influência na formação moral e filosófica do cidadão: o protagonista de seus dogmas. As crenças souberam construir um conjunto de dogmas para submeter o crente à sua filosofia. A presença das religiões nas comunidades sempre foi total, absoluta, onipresente. A Europa tem feições cristãs, como partes da África e Ásia têm o cunho de sua sociedade padronizada pelo ideário muçulmânico; assim como na Índia os milhões de deuses convivem diuturnamente com os hindus, num ritual constante que inicia na beira dos rios, passa pelos monastérios e termina em casa.

Nos locais de colonização da América, a primeira providência dos imigrantes foi construir uma igreja e depois contratar um padre ou um pastor para dar conforto espiritual aos membros da comunidade que estavam fundando. Eles eram indispensáveis para a consagração das iniciativas, o que era feito pela recitação de fórmulas litúrgicas. Anglo-saxões ou latinos jamais imaginariam um batizado, um casamento ou um enterro sem as solenidades previstas no ritual adotado para cada caso, principalmente nas regiões vêneto-americanas, onde a religião imprimiu-lhes identidade cultural e converteu-se em fator decisivo na formação sociocomunitária da etnia.

As religiões têm, ainda, presença marcante em tarefas educacionais e de saúde. A ninguém é lícito negar o trabalho desempenhado nesses dois setores da atividade humana. Mas, se de um lado mantiveram sob um mesmo manto a educação religiosa e a identidade cultural, ao mesmo tempo se transformaram num movimento destruidor das culturas e das crenças autóctones. Há, também, um aspecto fundamental que diz respeito aos resultados humanos com origem nessa contínua interação religião-comunidade. Em outras palavras, qual foi o paradigma de homem esculpido pela religião e qual sua contribuição em proveito do humanismo e do processo

A CIVILIZAÇÃO EMPILHA-CADÁVERES

civilizatório? É importante que sejam analisadas as resultantes éticas, morais, pedagógicas, sociológicas, filosóficas, políticas etc., isto é, devemos perscrutar, analisar e investigar o tipo de sociedade que ela inspirou (para que não prevaleça apenas o caráter louvaminheiro), e o tipo de homem que se plasmou como personagem do fenômeno religioso.

Temos lido até o presente momento que, socialmente, o mundo evoluiu a partir da economia primitiva, passando pelo escravagismo, pelo feudalismo, pelo liberalismo, com derivações para o comuno-socialismo e, agora, inflete numa irreversível direção, guiado pelo neoliberalismo da insanidade. Podemos, da mesma forma, definir a história da geografia humana pelo advento da idade da Pedra, seguida pela idade do Ferro e pela idade do Bronze, e assim por diante. Mas, mesmo que até hoje ninguém tenha considerado, a sociedade humana também evoluiu lutando para garantir território e guerreando para conquistar nações. O estabelecimento de impérios em escala mundial, por meio de ações militares, foi sua característica mais marcante. Para triunfar, os guerreiros usaram os instrumentos mais importantes que o mundo conheceu: os instrumentos de guerra. Eles marcaram decisivamente a história bélica da humanidade em etapas perfeitamente definidas. Havia até um provérbio romano que dizia: *si vis pacem, para bellum*.[188] Se existe algum objetivo plena e satisfatoriamente alcançado foi o da tecnologia das armas responsável pela fabricação dos artefatos de terror, destruição e de morte e que, como decorrência, gerou a civilização empilha-cadáveres. O desenvolvimento tecnológico significava poder de conquista.

Dentro desse contexto, a história da civilização avançou por patamares visíveis, iniciando com a época das flechas, das lanças e tacapes; dos cavalos, dos camelos e cimitarras; dos fuzis, das metralhadoras e canhões; dos tanques e das belonaves; dos aviões e armas atômicas, deparando-se na atualidade com a era dos mísseis intercontinentais, que destroem alvos a dez mil quilômetros ao preço de dezenas de milhares de dólares cada um. Os armamentos computadorizados são os totens fúnebres da civilização.

---

188. Se queres a paz, prepara a guerra.

RAZÃO X RELIGIÃO

A situação atual do mundo é dolorosa, é de cortar o coração. Mesmo assim, a mortandade prossegue, deixando seu tenebroso rastro de sangue e de cadáveres, geralmente empilhados e enterrados em valas comuns. Até a Primeira Guerra Mundial, as batalhas eram decididas em locais estrategicamente escolhidos. As duas últimas guerras provaram que a insânia dos exércitos e a patologia mental de seus comandos não pouparam ninguém. Agora se destroem países deixando como legado um impressionante holocausto humano. O momento mais tragicamente glorioso dessa modernidade macabra ocorreu com as explosões nucleares em Hiroshima e Nagasaki, com o uso de bombas de napalm e desfolhantes no Vietnam e com a armadilha das minas que destroem vítimas inocentes em várias partes do globo. Com essas tecnologias, a besta apocalíptica alcançou o seu mais alto grau de perversão. Nesse terreno, a humanidade tem curso de pós-graduação com aproveitamento máximo.

Segundo Gore Vidal, Truman ordenou a destruição das duas cidades, com a consequente morte de milhares de civis, com o intuito de exibir à União Soviética o poder de morte que detinha em suas mãos. Numa guerra, quem mais mata e destrói é o vencedor.

A sociedade humana é representada por quem controla os governos e por quem tem poder de fogo, isto é, por quem tem capacidade de destruição. Esse é o objetivo do Estado que, desde a sua origem, relegou o homem para um segundo plano.

A indústria bélica, as maquinações comerciais e as especulações estão em primeiro plano, simplesmente porque isso significa a manutenção de patamares político-hegemônicos. Não que queiramos ser pessimistas, mas não existe no mundo, hoje, nenhum indicativo que nos leve à conclusão de que haverá uma melhoria geral na convivência humana.

Esses argumentos paralelos servem para chamar a atenção para o desvio de finalidade do Estado, que tinha e tem por obrigação a realização do bem-estar social, mas que sempre deu preferência ao estabelecimento de um sistema estruturado nos fatores de poder.

Em certos momentos, os argumentos usados no livro podem ter dado a impressão de terem sido contraditórios ou ambíguos, ou que o

A CIVILIZAÇÃO EMPILHA-CADÁVERES

livro contivesse uma visão exclusivamente pessimista quanto ao futuro da humanidade. Não foi essa a intenção. Na verdade, era necessário que os fatos fossem sopesados com todo o realismo, com a devida investigação do caminheiro humano sempre deslocado que foi dos rumos da paz e da fraternidade.

Da mesma forma, não é o objetivo deste livro negar ao cidadão o direito de ter uma crença ou escolher um Deus de sua preferência. Já dissemos algumas vezes que a religião faz parte da essencialidade humana.

Toda vez que o homem se angustia, ou acontece qualquer fato que lhe cause desespero, com naturalidade ele recorre aos céus para pedir o conforto e a proteção dos deuses. Essa espécie de ligação direta tem a seu favor todas as razões do mundo. O que não se concebe é que entre o crente e as divindades se interponha um conjunto de ordenamentos religiosos fabricados por teologias (melhor seria dizer por patologias) que se intitulam detentoras da exclusividade de intermediação.

Se a raça humana falhou, e, de fato, até o presente momento essa é a conclusão mais lógica, isso aconteceu porque sempre se decidiu pela guerra, relegando a dignidade humana a segundo plano. Temos esperança e fé de que, ultrapassado o atual quadro alienante, possamos evoluir para um período de paz e progresso. Se isso não acontecer, preparemo-nos para o pior.

O mundo cresceu populacionalmente para números assustadores. Hoje as multidões famintas e, por causa disso, enfermiças são visíveis em todo o Terceiro Mundo. Infelizmente, as crendices bíblicas ainda consideram que a frase "crescei e multiplicai-vos" não perdeu atualidade.

Gore Vidal, em entrevista a um periódico brasileiro, informou que os Estados Unidos gastaram, desde 1949, mais que 7 trilhões de dólares em guerras normalmente contra um inimigo inexistente.

Some-se esses trilhões com gastos à toda evidência maior, pelo conjunto dos demais países, para se chegar à conclusão de que o homem atingiu de modo cabal o patamar da insanidade.

Mas o que a religião tem a ver com isso?

Ela é coadjuvante. Sem dúvida alguma, ela fez e faz parte das estruturas de mando em todas as épocas da história. Durante mil anos, cristãos e muçulmanos mantiveram conflitos mais do que centenares acompanhados de terríveis matanças. A Europa, antes de ser uma civilização de homens, esteve e está circunscrita no que denominamos de civilização ocidental e cristã. Na América, a cruz e a espada caminharam juntas, deixando, por onde passavam, um amontoado de cadáveres e destruição. Tudo em nome do Deus Europeu. Esse tipo de penetração aconteceu, até com características mais violentas, nas conquistas coloniais da África e da Ásia, onde as marcas da maldade branca estigmatizaram, com escravidão e vilipêndio, negros e amarelos.

Nem mesmo com a diminuição do poder branco a África encontrou paz. Milhões de pessoas vêm sendo sacrificadas tanto pelo ódio das diferenças tribais quanto por divergências políticas. Em Angola e Moçambique, as guerrilhas duraram mais de uma dezena de anos. Quando não é o barbarismo que toma conta de suas comunidades (Idi Amim Dada, para conquistar o poder, matou trezentos mil ugandenses), as guerras tribais e as doenças se encarregam de exterminar as sobras.

O Islam estendeu-se mercê de sua ideologia religiosa e do poder destrutivo de suas milícias. As autoridades jurisdicionais civis mancomunadas com um clero mais do que xiita interpenetram-se no sistema administrativo maometano, com tanta obsessão que, como se sabe, a meta era fundar um Estado baseado na religião ou impor a religião ao povo conquistado. Na Índia, há centenas de anos que hindus, muçulmanos e cristãos guerreiam com resultantes de inconcebível letalidade. A facção que perde força apela para a paz. Quando se sente forte, oprime. Nos Bálcãs, guerras genocido-religiosas explodem de tempos em tempos com brutalidade inenarrável, e é sempre o ser humano que leva a pior, embora quando ele nasça não tenha nenhuma marca ou sinal indicando que seja católico, ortodoxo, muçulmano ou protestante. Interpretando Darwin, John Horgan[189] afirmou que: "os seres humanos são animais, e a seleção natural tem moldado não apenas nosso corpo, mas também nossas próprias crenças, nosso senso fundamental do certo e do errado". A frase, cujo conceito

---

189. HORGAN, John. *O fim da ciência*. São Paulo: Companhia das Letras, 1999. p. 188.

inclui-se no Darwinismo Social, tem sentido. A religião não transformou o mundo. Não o melhorou no aspecto moral. As crenças não conseguiram impedir o surgimento e a manutenção da composição biológica animal do homem. Seu subconsciente encontrou a própria síndrome. As palavras de ordem são o egoísmo, o ódio e a intolerância. A raça humana tomou conta da terra e está expulsando todos os demais habitantes. Os animais estão sendo exterminados. O verde dos campos está se tornando o amarelo dos desertos. A crueldade tornou-se tão globalizada quanto a sociedade dos homens. O homem virou lobo furioso possuído de altos componentes de periculosidade e de destruição. Nada consegue detê-lo. Estamos vivendo o preâmbulo que nos levará à hecatombe final. As nossas mais bem-sucedidas conquistas tecnológicas foram exatamente aquelas propiciadoras de destruição. Esse moderno *fuhrer* de leviatãs está orgulhoso por comandar máquinas exterminadoras de vidas.

Cada religião tem a própria moral. A moral de uma exclui a moral das outras. Que moral, por exemplo, tinha o Cristianismo no tempo das Cruzadas e o Catolicismo no tempo da Inquisição? Que moral tem o Islamismo de guerrear com o Hinduísmo (e vice-versa), e esses dois de guerrearem com o Budismo e o Cristianismo? Que moral tinha o Zoroastrismo de destruir, com a ajuda dos cristãos, o Mitraísmo? Qual a moral dos cristãos matando os cristãos em Belfast? Qual a moral do nacionalismo exacerbado do Judaísmo em expulsar os palestinos de suas terras e de suas casas?

Consequentemente, não existe a prevalência de um princípio moral que abranja todos os povos. A moral só consta no papel, assim como as principais religiões nasceram do punho dos escribas. Se as religiões são falsas enquanto verdades, a moral também é falsa enquanto moral religiosa. A moral comum das religiões é a moral da intolerância, assim como a ética das nações se baseia na luta pelo poder. Não existe convívio entre as religiões, existe a rivalidade na disputa de espaços de dominação.

As religiões vivem um constante paradoxo, ou se afastam do mundo e se voltam para os céus, ou se afastam dos céus e se voltam para o mundo. Em outras palavras, isso significa que elas nunca deixaram de ser profanas, como também nunca conseguiram se divinizar.

RAZÃO X RELIGIÃO

Sebastião Salgado, notável fotógrafo brasileiro de populações marginalizadas, questionava-se sobre a verdadeira natureza do ser humano. O que ele havia fotografado no planeta era *qualquer coisa de terrível*. O mundo de hoje tem alta percentagem de miséria, fome, iniquidade e injustiça. Que expliquem os deuses o aparecimento do mal. Se o mal "aconteceu" é porque os próprios deuses são imperfeitos e incompetentes. Naguib Mahfuz, escritor egípcio, afirmou à imprensa que: "as cenas que me descreveram, como a de um menino morrendo nos braços do pai ou a de um soldado chutando com violência a cabeça de outros jovens, não revelam um comportamento que possa ser considerado humano, que dirá racional". O que impressiona é que alguns animais procedem como humanos, enquanto muitos humanos comportam-se piores que animais. Talvez, por causa dessa alienação ética, Marx tivesse afirmado que a religião é o ópio do povo. De fato, o homem vem se alimentando desse ópio desde tempos imemoriais, encontrando--se hoje psicologicamente narcotizado e moralmente dependente. Ele necessita e usa esse ópio como essencialidade vivencial básica. A religião dogmatizada e o povo desconscientizado formam uma dupla consubstancialidade especializada em apagar da mente as construções psíquicas racionais. Enquanto houver um agrupamento humano, haverá uma religião para sufocar a pureza de suas ideias, sua dignidade, sua liberdade e sua soberania.

Essa visão finalística é inafastável e perdurará enquanto a tarefa primordial da religião for a de injetar mistérios e vãs esperanças teleológicas na mente do homem.

Por religião entenda-se não devoção íntima de cada um, mas a doutrina mitológica imposta de fora para dentro.

Mas sempre foi assim, diria alguém! Foi, mas não deveria ser mais. Hoje, mercê do estágio cultural da humanidade e da possibilidade do uso pleno de nossa capacidade intelectual, temos condições eficazes para uma adequada elucidação quanto à gênese das religiões.

Saramago afirmou que a ignorância está se espalhando de forma aterradora. Sempre percuciente, Vargas Llosa[190] acrescentou que "o nível de cul-

---

190. *Veja*, 20 set. 2000.

## A CIVILIZAÇÃO EMPILHA-CADÁVERES

tura das massas está cada vez mais baixo. A lista dos livros mais vendidos na Inglaterra e Estados Unidos é um horror. Tudo o que as pessoas leem é lixo".

Décio Freitas, historiador brasileiro de renome e perspicaz analista de problemas sociais, afirmou que a religião "com excessiva frequência foi fonte de ódio e violência, como se viu no passado no Ocidente e se vê hoje no Oriente Médio. Ainda se instrumentam religiões para legitimar interesses ou paixões que nada têm de religiosos. Como pode a religião produzir tanto ódio? O fenômeno da religiosidade é insuscetível de explicação racional".

Nossa cultura religiosa baixou para um incomum nível de degradação. Nascer numa favela lembra Jesus. Viver em condições incompatíveis lembra Jesus. Sem dúvida que o significado desse modo sociológico de pensar encerra um simbolismo negativo, como se a salvação só pudesse ser conseguida nessas circunstâncias, ou, em outras palavras, nascer e viver na dureza da vida é virtuoso para quem deseja uma vida melhorada. Essas são historietas natalinas publicadas constantemente em revistas e jornais. Histórias de um Jesus nascido num barraco, em vez de ajudar as pessoas, é uma alegoria que transmite mensagem de iniquidade social. Isso não ajuda ninguém e só nos faz retornar às instâncias primitivas. Volvemos ao homem das cavernas. O mundo está baixando aos degraus da ignorância tola e do aviltamento cultural irreversível. Olhemos com espírito crítico os programas das televisões comerciais. Eles são um atentado à cultura e à dignidade humana. Se a tecnologia militar alcançou parâmetros fantásticos, propiciadores de uma guerra computadorizada, a televisão tem uma importância ainda mais fantástica na formação da imbecilidade coletiva. Preferível, então, aceitar a opinião de Gaardner, Hellern e Notaker:[191]

> O humanista costuma se definir como agnóstico [ ... ] O humanista não aceita nenhuma realidade sobrenatural [ ... ] Como o humanismo não reconhece nenhum destino ou vontade divina que controle a vida dos homens, destaca que o homem deve confiar em si mesmo. O homem é senhor de si mesmo e só deve depender de si mesmo e de suas próprias capacidades.

---

191. GAARDER; HELLERN; NOTAKER, 2000, p. 237.

RAZÃO X RELIGIÃO

Com isso, Gaardner, Hellern e Notaker querem dizer que é tendência errada nossa imaginar que podemos resolver os problemas que surgem na vida por meio de intervenções divinas. Em outras palavras, nós vivemos em sociedade, e é dentro dela que nossas dificuldades devem ser resolvidas.

O homem hoje é o sujeito de direitos. As lutas pela igualdade e pela cidadania lhe concedem esses atributos. Contudo, esses direitos não provam que tenha se humanizado. Sempre foi indiscutível, ao longo da história, o direito de matar, de escravizar, de espoliar, de roubar, enfim, de praticar toda a lista de crimes prevista nas leis penais.

Rousseau acusou a propriedade capitalista e a hierarquia social como criações artificiais, ao tempo que estimulam a democracia dos ricos, excluem e oprimem os pobres, deformando a natureza bondosa do ser humano.

Nesse sentido, o mundo não mudou nem melhorou. O fosso entre países pobres e países ricos atinge proporções tectônicas e a concentração de riquezas nas mãos de poucos, enquanto a maioria vive na miséria, se constitui em fenômeno estrutural dantesco. Dentro desse quadro de horror e injustiças, o homem é naturalmente ruim. E, onde há miséria, há ignorância, e juntas elas geram e mantêm maldade permanente. Nascem aí os apelos à sobrenaturalidade diretamente proporcionais à alienação causada pela falta de conhecimento.

E a civilização da tecnologia? Está dentro do contexto: quanto mais o homem se instrui no sentido tecnológico, mais emburrece no sentido sociológico. Em outras palavras, quanto mais a ciência explica o universo, menos as pessoas comuns o compreendem, o que as faz aceitar as explicações religiosas que impõem seus valores, suas crenças e seus mitos, de cujos ensinamentos são secretadas as respectivas ideologias.

Korten,[192] *expert* em problemas de transnacionalismo e globalização, afirmou que "o Banco Mundial e o FMI, dominados pelos Estados Unidos, movimentam-se para reestruturar as economias dos países do Sul, oneradas de dívidas, a fim de torná-los acessíveis às corporações estrangeiras.

---

192. KORTEN, David C. *Quando as corporações regem o mundo*: consequências da globalização da economia. Tradução: Anna Terzi Giova. São Paulo: Futura, 1996.

A CIVILIZAÇÃO EMPILHA-CADÁVERES

O mundo hoje é comandado por uma hierarquia de gerentes, e não pelas aspirações coletivas da sociedade".

A liberdade ou a questão do homem livre pressupõe que ele tenha o natural e fundamental direito de não ser vítima da manipulação da imprensa, dos exércitos, dos ditadores, enfim, do egoísmo capitalista, que é ao mesmo tempo estúpido e irracional, tão enganoso quanto o comunismo, que entendeu de implantar a igualdade pela força, ao mesmo tempo que gerava, em seu próprio seio, uma casta de hipócritas, montadores de uma nomenclatura para apossar-se das nações de um lado, gerando, de outro, uma malta de violadores dos direitos humanos. O reverso da medalha se chama Nacional-Socialismo, regime no qual mentes obliteradas alimentam instintos desumanos aterrorizando a sociedade com um impressionante controle policialesco, submetendo o povo a uma humilhante impotência, sempre em nome do Estado ou da ideologia política ou racial de plantão.

Não permitamos que prossiga dessa forma a marcha macabra da civilização empilha-cadáveres. O autoritarismo e as ideologias nunca nos levam a utopia alguma. Sempre derivaram para regimes de excrescência constitucional. Estamos à beira de um colapso social em escala global. Várias vezes o mundo foi salvo. O Renascimento, o Iluminismo e a Revolução Francesa fixaram marcos históricos em favor do aprimoramento cultural humano. Evitemos os fundamentalismos e as ultraortodoxias. Devemos libertar as religiões do fanatismo e dos dogmas em benefício da tolerância.

A libertação dos dogmas não significa que não devamos aceitar algumas máximas religiosas, como aquelas que ensinam que somos todos iguais, que somos todos irmãos e que devemos respeitar o próximo, jamais lhe fazendo o mal. Esses princípios são as verdadeiras essências de todas as religiões. Para alcançá-los, porém, não precisamos de deuses punitivos, nem de princípios baseados na intolerância daqueles que têm outros deuses. Que não sejam perturbados os que pensam e reagem diferentemente de nós. Todavia, mais do que liberdade religiosa, o apanágio de uma nova sociedade ou de uma sociedade de homens livres pressupõe o respeito e o convívio entre as nações; o controle das forças financeiras em favor das

RAZÃO X RELIGIÃO

proposições sociais; o respeito aos animais nossos irmãos e às florestas que, possuindo a essência da vida, compartilham conosco o mundo que a natureza nos legou. Lembremo-nos de que cada espécie que desaparece causará a diminuição dos anos que os homens habitarão o planeta. Liberdade de não sermos ludibriados pelas forças poderosas que nos oprimem. Há um batalhão de guerreiros do mal presentes em todas as partes do mundo espoliando nações e povos. Se não pusermos fim a essas diabólicas maquinações, não haveremos de alcançar o "paraíso", e a terra não irá além daquilo que sempre foi: um lugar de sofrimento, um vale de lágrimas.

# Referências

ALBERIGO, Giuseppe (org.). *História dos concílios ecumênicos*. São Paulo: Paulus, 1995.

ALGURAZAY, Domingo *et al.* *Religiões africanas* – Candomblé: origens, deuses e rituais.

AYMARD, André; AUBOYER, Jeannine. *História geral das civilizações*. São Paulo: Difusão Europeia do Livro, 1957. v. 1-9.

BARROW, John D. *A origem do Universo*. Rio de Janeiro: Rocco, 1995.

BASTIDE, Roger. *O Candomblé da Bahia*. São Paulo: Companhia das Letras, 2001.

BEER, Max. *A história do socialismo e das lutas sociais*. Lisboa: Centro do Livro Brasileiro, 2018.

BOWKER, John. *Para entender as religiões*. São Paulo: Ática, 1997.

BRODY, David Eliot; BRODY, Arnold R. *As sete maiores descobertas científicas*. São Paulo: Companhia das Letras, 1999.

BURNS, Edward McNall. *História da civilização ocidental* – do homem das cavernas até a bomba atômica: o drama da raça humana. Porto Alegre: Globo, 1977. v. 1 e 2.

CAMPBELL, Joseph. *O poder do mito*. Tradução: Carlos Felipe Moisés. São Paulo: Palas Athena,1992.

CAPRA, Fritjof. *O tao da física*. São Paulo: Cultrix, 2000.

CHALLAYE, Félicien. *As grandes religiões*. São Paulo: Ibrasa, 1998.

CHALLAYE, Félicien. *Pequena história das grandes religiões*. Tradução: Alcântara Silveira. São Paulo: Ibrasa, 1962.

CLÉMENT, Catherine. *A viagem de Théo* (Romance das religiões). São Paulo: Companhia das Letras, 1999.

COERO BORGA, Piero. *Sindone/Ponte fra cielo e terra?* Leini, Torino: Nuova Centrostampa, 1998.

CORNWELL, John. *O papa de Hitler*: a história secreta de Pio XII. Rio de Janeiro: Imago, 2000.

DELUMEAU, Jean *et al. As grandes religiões do mundo*. Lisboa: Presença, 1977.

DROUOT, Patrick. *O físico, o xamã e o místico*. Tradução: Luca Albuquerque. Rio de Janeiro: Nova Era, 1999.

DURKHEIM, Émile. *As formas elementares da vida religiosa*. Tradução: Paulo Neves. São Paulo: Martins Fontes, 1996.

DYSON, Freeman. *O infinito em todas as direções*: do gene à conquista do Universo. Tradução: Laura Teixeira Motta. São Paulo: Best Seller, 1988.

FARRINGTON, Karen. *História ilustrada da religião*. São Paulo: Manole, 1999.

FERRIS, Timothy. *O despertar na Via Láctea*: uma história da astronomia. Rio de Janeiro: Campus, 1990.

GAARDER, Jostein. *O mundo de Sofia*. São Paulo: Companhia das Letras, 1999.

GAARDER, Jostein; HELLERN, Victor; NOTAKER, Henry. *O livro das religiões*. Tradução: Isa Mara Lando. São Paulo: Companhia das Letras, 2000.

GLEISER, Marcelo. *A dança do universo*: dos mitos de criação ao Big Bang. São Paulo: Companhia das Letras, 1997.

GOULD, Stephen Jay. *O milênio em questão*. São Paulo: Companhia das Letras, 1999.

GRIGORIEFF, Vladimir. *El gran libro de las religiones del mundo*. Barcelona: Robin Book, 1995.

GRIMBERG, Carl. *História universal*: das Cruzadas às Guerras Hussitas. Lisboa: Publicações Europa-América, 1940. v. 7.

HERMANN, Alfred. *Teilhard, Melvin Calvin e a origem da vida*. Petrópolis: Vozes, 1968. coleção Cadernos Teilhard, 9.

## REFERÊNCIAS

HORGAN, John. *O fim da ciência*. São Paulo: Companhia das Letras, 1999.

*ISTO É-GUINNESS*: enciclopédia compacta de conhecimentos gerais. São Paulo: Três, 1995.

JOHNSON, Hugh. *A história do vinho*. São Paulo: Companhia das Letras, 2001.

JOSEFO, Flávio. *História dos hebreus*. Tradução do grego: Vicente Pedroso. Rio de Janeiro: Casa Publicadora das Assembleias de Deus, 2000.

KARDEC, Allan. *O livro dos espíritos*. São Paulo: Instituto de Difusão Espírita, 1998.

KELLER, Werner. *E a Bíblia tinha razão*. São Paulo: Melhoramentos, 1958.

KÖNEMANN. *Religiones del mundo*. Impressão alemã, 1997.

KORTEN, David C. *Quando as corporações regem o mundo*: consequências da globalização da economia. Tradução: Anna Terzi Giova. São Paulo: Futura, 1996.

LEAKEY, Richard. *A origem da espécie humana*. Rio de Janeiro: Rocco, 1995.

LINDSAY, T. M. *A Reforma*. Tradução: J. S. Canuto. Lisboa: Livraria Evangélica, S/D [1912].

LOPEZ, Luiz Roberto. *História da Inquisição*. Porto Alegre: Mercado Aberto, 1993.

MEDINA, Sinval Freitas. *Dicionário de história da civilização*. Porto Alegre: Globo, 1970.

MORAES, Floripes D'Ávila de. *Rota dos deuses*: viagem à Índia e ao Nepal. São Paulo: Madras, 1998.

MÜLLER, Friedrich Max. *Introduction to the Science of Religion*: Four Lectures Delivered at the Royal Institution. London: Forgotten Books, 2015.

NINA RODRIGUES, Raimundo. *L'Animisme Fétichiste des nègres de Bahia*. Brasil: 1900, Reis & Companhia, 1900.

ORO, Ari Pedro. *Axé Mercosul*: as religiões afro-brasileiras nos países do Prata. Petrópolis: Vozes, 1999.

OTÁVIO, Chico; VALENTE, Rubens. LBV – O império da boa vontade. *O Globo*. 2001. Disponível em: http://memoria.oglobo.globo.com/jornalismo/premios-jornalisticos/o-impeacuterio-da-boa-vontade-8876566. Acesso em: 22 ago. 2022.

PANIKKAR, K. M. *A dominação ocidental na Ásia*: do século XV aos nossos dias. 3. ed. Rio de Janeiro: Paz e Terra, 1977.

PEREIRA, Renato B. R. Xamanismo e medicina: o caso Ruschi reavaliado. *Ciência Hoje*, v. 9, n. 5, p. 40-47, 1989.

PIAZZA, Waldomiro O. *Religiões da humanidade*. São Paulo: Loyola, 1996.

PIÑERO, Antonio. *O outro Jesus segundo os Evangelhos apócrifos*. São Paulo: Mercuryo/Paulus, 2002.

PINKER, Steven. *Como a mente funciona*. Tradução: Laura Teixeira Motta. São Paulo: Companhia das Letras, 1998.

RAMONET, Ignacio. Geopolítica da fé. *Folha de S.Paulo*, 26 nov. 1999. Disponível em: https://www1.folha.uol.com.br/fsp/especial/fe/fe02.htm. Acesso em: 22 ago. 2022.

READ, Piers Paul. *Os templários*. Tradução: Marcos José da Cunha. Rio de Janeiro: Imago, 1999.

RIVAS NETO, F. *Umbanda*: a proto-síntese cósmica. São Paulo: Pensamento-Cultrix, 2002.

RODRÍGUEZ, Pepe. *Mentiras fundamentales de la Iglesia Católica*. Barcelona, Espanha: B.S.A., 2000.

ROMANINI, Vinícius. Bíblia passada a limpo. *Super Interessante*, ed. 178, 30 jun. 2002.

SAGAN, Carl. *O mundo assombrado pelos demônios*. São Paulo: Companhia das Letras, 1997.

SAMUEL, Albert. *As religiões hoje*. São Paulo: Paulus, 1997.

SASAKI, Ricardo. *O outro lado do espiritualismo moderno*: para compreender a nova era. Petrópolis: Vozes, 1995.

SILVA, W. W. da Matta e. *Umbanda do Brasil*. São Paulo: Ícone, 1996.

SMITH, Huston. *As religiões do mundo*: nossas grandes tradições de sabedoria. São Paulo: Cultrix, 2001.

THOMAS, P. C. *Breve história dos papas*. Aparecida: Santuário, 1977.

WILGES, Irineu. *As religiões no mundo*. Petrópolis: Vozes, 1982.

WULFHORST, Ingo. *Discernindo os espíritos*. 4. ed. Petrópolis/São Leopoldo: Vozes/Sinodal, 1996.

## Referências consultadas

APÓCRIFOS II. *Os proscritos da Bíblia*. São Paulo: Mercuryo, 1992.

ASIMOV, Isaac. *O Universo*. 3. ed. Rio de Janeiro: Bloch, 1974.

BARROW, John; SILK, Joseph. *A mão esquerda da criação*: origem e evolução do universo. São Paulo: Martins Fontes, 1988.

BECKER, Idel. *Pequena história da civilização ocidental*. São Paulo: Companhia Editora Nacional, 1975.

BETHENCOURT, Francisco. *História das Inquisições*: Portugal, Espanha e Itália. São Paulo: Companhia da Letras, 2000.

BIANCHI, Ney. *A verdade sobre o Dr. Fritz*. Rio de Janeiro: Nova Era, 1996.

BÍBLIA SAGRADA. 9. ed. São Paulo: Paulinas.

BRUNNER-TRAUT, Emma (org.) *Os fundadores das grandes religiões*. Petrópolis: Vozes, 1999.

BULFINCH, Thomas. *O livro de ouro da mitologia* (História de deuses e heróis). Rio de Janeiro: Ediouro, 2000.

CAMPBELL, Eileen; BRENNAN, J. H. *Dicionário da mente, do corpo e do espírito*. São Paulo: Mandarim, 1997.

CARO, Tito Lucrécio. *Da Natureza*. Porto Alegre: Globo, 1962.

CUNHA, Euclides da. *Os sertões*. Rio de Janeiro: Francisco Alves, 1957.

DARWIN, Charles. *A origem das espécies*. Rio de Janeiro: Ediouro, 1987.

DAWKINS, Richard. *A escalada do monte improvável*. São Paulo: Companhia das Letras, 1988.

DAWKINS, Richard. *O relojoeiro cego* (A Teoria da Evolução Contra o Desígnio Divino). São Paulo: Companhia das Letras, 2001.

DAWKINS, Richard. *O rio que saía do Éden*. Rio de Janeiro: Rocco, 1996.

DE DUVE, Christian. *Poeira vital*. Rio de Janeiro: Campus, 1997.

DYSON, Freeman. *Mundos imaginados*. São Paulo: Best-seller, 1998.

EINSTEIN, Albert. *Como vejo o mundo*. 15. ed. Rio de Janeiro: Nova Fronteira, 1981.

*ENCICLOPÉDIA DELTA-LAROUSSE.*

FERREIRA, Jorge Luiz. *Incas e astecas*. São Paulo: Ática, 1995.

FREITAS, DÉCIO. *Palmares, la guerrilla negra*. Montevideo: Editorial Nuestra America, 1971.

FROMM, Erich. *Psicanálise e Religião*. Rio de Janeiro: Ibero-Americano, 1966.

GALEANO, Eduardo. *As veias abertas da América Latina*. Rio de Janeiro: Paz e Terra, 1985.

GARCIA-ROZA, Luiz Alfredo. *Freud e o Inconsciente*. 24 ed. Rio de Janeiro: Jorge Zahar, 2009.

GEORGE, Leonard. *Enciclopedia de los herejes e las herejías*. Barcelona: Robinbook, 1998.

GIORDANI, Mário Curtis. *História da antiguidade oriental*. Petrópolis: Vozes, 1972.

GIORDANI, Mário Curtis. *História da Grécia*. Petrópolis: Vozes, 1972.

GIORDANI, Mário Curtis. *História do Império Bizantino*. Petrópolis: Vozes, 1977.

GIORDANI, Mário Curtis. *História dos reinos bárbaros*. Petrópolis: Vozes, 1970.

GOLEMAN, Daniel. *Inteligência emocional*. Rio de Janeiro: Objetiva, 1995.

GRIBBIN, John. *No início*: antes e depois do Big-Bang. Rio de Janeiro: Campus, 1995.

GRIGULEVICH, Iósif. *Historia de la inquisición*. Tradução: M. Kunetsov. Moscou: Progresso, 1980.

GRIMBERG, Carl. *História Universal*: a Guerra dos Cem Anos e o alvorecer dos tempos novos. Lisboa: Publicações Europa-América, 1940. v. 8.

GROS, François. *Os segredos do gene*. Lisboa: Publicações Dom Quixote, 1991.

GUTH, Alan H. *O universo inflacionário*. Rio de Janeiro: Campus, 1997.

HAINCHELIN, Charles. *As origens da religião*. São Paulo: Hemus, 1971.

HAWKING, Stephen. *O Universo numa casca de noz*. São Paulo: Mandarim, 2001.

HAWKING, Stephen. *Uma breve história do tempo*: do Big-Bang aos buracos negros. Rio de Janeiro: Rocco, 1997.

HENRY, John. A revolução científica e as origens da ciência moderna. Rio de Janeiro: Jorge Zahar, 1998.

## REFERÊNCIAS

HINNELLS, John R. *Dicionário das religiões*. São Paulo: Cultrix, 1995.

KAPELIOUK, Amnon. *O massacre de Sabra e Chatila*. Belo Horizonte: Vega/Novo Espaço, 1993.

KUCHENBECKER, Valter (coord.). *O homem e o sagrado*: a religiosidade através dos tempos. Canoas: Ulbra, 1996.

LEÓN-PORTILHA, Miguel. *A visão dos vencidos*: a tragédia da conquista narrada pelos astecas. Porto Alegre: L&PM, 1987.

MADDOX, John. *O que falta descobrir*. Rio de Janeiro: Campus, 1999.

MONTEIRO, Irineu. *Einstein, reflexões filosóficas*. São Paulo: Martin Claret, 1988.

OPARIN, A. *A origem da vida*. 6. ed. São Paulo: Escriba.

PARKER, Barry. *O sonho de Einstein*. Rio de Janeiro: Edições 70, 1986.

PEREIRA, André; WAGNER, Carlos Alberto. *Monges barbudos & O massacre do fundão*. Porto Alegre: Mercado Aberto, 1981.

PINTO, Altair (org.). *Dicionário da umbanda*. 6. ed. Rio de Janeiro: Eco, 2015.

REEVES, Hubert. *O primeiro segundo*. Lisboa: Gradiva, 1995.

ROUSSEAU, Pierre. *Do átomo à estrela*. Portugal: Europa-América, 1950. colecção Saber n. 8.

RUSSELL, Bertrand. *Por que não sou Cristão*. São Paulo: Exposição do Livro, 1965.

SAGAN, Carl. *Bilhões e bilhões*: reflexões sobre a vida e morte na virada do milênio. São Paulo: Companhia das Letras, 1997.

SANTOS, Adelson Damasceno. *Catolicismo, verdade ou mentira?* Curitiba: A. D. Santos, 1999.

SCHUPP, Ambrósio. *Os muckers*. 2. ed. Porto Alegre: Selbach, 1910.

SHATZMAN, Evry. *A expansão do universo*. Portugal: Terramar, 1991.

SILVA, Hélio. *1964*: Golpe ou contragolpe? Porto Alegre: L&PM Editores, 1978.

SMART, Ninian. *Atlas mundial de las religiones*. Colônia, Alemanha: Könemann, 2000.

SMART, Ninian. *The world's religions*. Londres: Cambridge University Press, 1992.

SMOOT, George; DAVIDSON, Keay. *Dobras no tempo*. Rio de Janeiro: Rocco, 1995.

RAZÃO X RELIGIÃO

SOARES, Jurandir. *Israel x Palestina*: as raízes do ódio. Porto Alegre: Editora da UFRGS, 1989.

STANNARD, Russell. *Ciência e religião*. Lisboa: Edições 70, 1996.

VIDAL, Gore. *Criação*. Rio de Janeiro: Nova Fronteira, 2006.

WARD, Peter. *O fim da evolução*: extinções em massa e a preservação da biodiversidade. Rio de Janeiro: Campus, 1997.

WEINBERG, Steven. *Sonhos de uma teoria final*: a busca das leis fundamentais da natureza. Rio de Janeiro: Rocco, 1996.

Livros para mudar o mundo. O seu mundo.

Para conhecer os nossos próximos lançamentos
e títulos disponíveis, acesse:

🌐 www.**citadel**.com.br

f /**citadeleditora**

📷 @**citadeleditora**

🐦 @**citadeleditora**

▶ Citadel – Grupo Editorial

Para mais informações ou dúvidas sobre a obra,
entre em contato conosco por e-mail:

✉ contato@**citadel**.com.br